참 좋은 당신

삼악산 산행 후 한잔

서예가 금제 김종태 자서전

발자国에 고인세월

2018년 12월 25일 인쇄
2019년 1월 1일 발행

저자와의
협의하에
인지생략

저 자 금제 김 종 태
    서울시 동대문구 왕산로225 미주상가A동 지하 10-6호
    02-967-8830 / 010-5745-1155

발행처 ❀ ㈜이화문화출판사
등록번호 제300-2015-92호
주 소 서울시 종로구 인사동길 12 (대일빌딩 3층 310호)
TEL 02-732-7091~3(구입문의)
FAX 02-738-5153
홈페이지 www.makebook.net

정가 18,000원

서예가 **금제 김종태** 자서전

실천으로 습관을 만든 삶
3모작 인생과 3가지 저축
건강저축, 지식저축, 금전저축

㈜이화문화출판사

책을 내며

내 나이 올해 일흔일곱으로 머잖아 여든이 된다.

그간 살아온 길을 되돌아보는 것도 좋을 듯해서 지나간 일들을 회상하며 나름으로 정리를 하게 되었다. 돌이켜보면 나의 지난 생애의 큰 마디들을 3모작 농사에 비견해 볼 수 있을 듯하다. 그 1모작 농사가 공무원으로 보낸 7년 시절이라고 할 수 있고 그 후 11년의 회사 생활을 2모작 농사라고 하겠다. 3모작은 서예와 문화 활동으로 보낸 40년이 이에 해당한다. 한 평생을 3모작 농사를 지으면서 한 번도 긴 휴식을 가져본 적이 없다. 한 달간 혹은 일주일이라도 쉬어본 일이 없었기에 나는 내 삶이 돌고 도는 팽이와 같다는 생각마저 하게 되었다.

팽이는 돌지 않으면 그 존재감이 없어진다. 반면에 오래 잘 돌아가기만 한다면 팽이의 가치가 높아갈 뿐만 아니라 보는 이도 유쾌하고 즐겁다. 나의 팽이는 내가 돌리고 다른 이가 또 나를 돌린다. 나름으로 지난 일들을 기록하는 가운데도 나는 치밀함이 부족함을 새삼 깨달았으며 한편으로는 긍정적인 사고가 온통 나를 감싸고 있다는 걸 알

앗다. 언제부터인지 모르지만 나는 '춥다' '덥다' '힘들어 죽겠다' 같은 불평의 말을 입 밖으로 꺼내지 않았다. 만사는 유비무환이라는 생각으로 항시 먼 데를 보고 준비를 해 왔으며 긍정적인 사고로 살아왔다.

작가로서 많은 작품을 해 오는 과정에서도 내가 좋아서 남들에게 자주 써주는 글귀가 있다. '참 좋은 당신', '우정은 산길 같아 자주 오고 가지 않으면 잡초가 우거져 그 길이 없어지나니' 같은 것이다. 내가 만나는 사람이 다들 참 좋은 사람이고 그 인연을 소중히 하자는 생각이 머리에 가득하기 때문이다. 나의 생활신조이기도 한 '3가지 저축'에 대해서도 입버릇처럼 말한다. 그 첫째가 건강저축이다. 건강하려면 운동을 꾸준히 해야 한다. 둘째는 지식 저축인데 이를 위해서는 독서를 많이 하고 남보다 앞서 가려는 노력이 있어야 한다. 셋째가 금전저축이다. 이는 근검절약을 습관화 하는 데서부터 비롯되며 물샐틈없이 철저한 생활태도가 수반돼야 한다. 나 자신 서예를 하면서 돈 버는 일을 하지 못하였으나 금전저축의 정신만으로도 여태껏 용케 살았구나! 하는 소리를 절로 하게 된다.

3가지 저축이 중요하다는 것은 모든 이들이 잘 알고 있지만 그것을 몸으로 실천하는 이는 많지가 않다. 그래서 나는 더욱 "실천하라. 실천이 습관이 되게 하라."고 말하게 되는 것이다. 노력을 하다보면 반드시 좋은 결과가 있게 마련이다. "젊은이는 힘이 좋아서 뛰어갈 줄을 알지만 늙은이는 지름길을 안다."는 말이 있다. 기운이 달리면 지혜라도 있어야 한다. 꾸준히 노력하는 발자국들이 모여서 큰 길을 만들었으면 좋겠다.

정리하는 과정에서 나 또한 좋은 분들의 조언을 받아가며 마무리를 잘 해야겠다는 생각이 든다. 몇 년 후면 나의 방송통신대 과정도 끝나고 팔순의 나이가 된다. 나의 팔순 잔치는 그간 못 만났던 친구들이며 교분 있는 분들을 초청하여 함께 따뜻한 이야기를 나누는 것으로 대신하고 싶다. '생전 장례, 팔순'이라는 이름을 붙여도 좋겠다. 이런 자리를 가진 뒤에는 나 죽어도 부고를 하지 않는다는 계획도 세워봤다.

　남은 세월 더욱 인연을 돈독히 하여 그 잔치에 초청할 분이 많았으면 한다.

제1부·남촌(南村)에 부는 바람

제2부 · 서예(書藝)로 세상과 통하다

제3부 · 산을 노래하는 시인

제4부 · 살며, 생각하며

국회의장 공로장

중국서화함수대학 교수 임명

필리핀 이리스트국립대학 교육학 명예박사 받다

5군단장 선물받고

5군단 선견, 선결, 선타비 휘호 기념촬영

5군단부대 방문

1991년 학원연합회 서예분과위원장 시절

해동서화대전 수상자중국여행

중국섬서미술관 한국서예교류전 개막

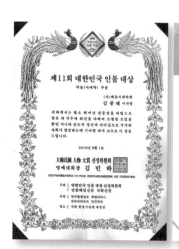

제11회 대한민국 인물 대상

학술(서예학) 부문

(사)매듭서예학회
김 종 태 이사장

귀하께서는 평소 뛰어난 전문성을 바탕으로
맡은 바 직무에 최선을 다하여 모범을 보였을
뿐만 아니라 선도적 정신과 리더십으로 국가와
사회가 발전하는데 기여한 바가 크므로 이 상을
드립니다.

2010년 8월 1일

大韓民國 人物 大賞 선정위원회
명예대회장 김 민 하

주최 대한민국 인물 대상 선정위원회
연합매일신문 국회신문
주관 한국행정학회 케일리머니
전국어린이로 임선생모
장소 국회 현정기념관 대강당

제9호

경기도를 빛낸 자랑스러운 도민

경기도 남양주시 오남읍 진건오남로 529-2
김 종 태

귀하께서는 경기도를 빛내고 명예를 드높였을 뿐만
아니라 훌륭한 업적으로 우리 도의 정체성 확립과
도민의 희망이 되었기에 이 증서를 드립니다.

2017년 7월 10일

경기도지사
남 경

제5호 보안사령부

상 장

1 등 보안파로
4등401833 김 종 태

상기명은 70년도 보안훈련의 해에 스스한
보안작품 현상모집에 응모하여 우수작품으로
수수작품으로 선정되었는바 이는 평소 보안에
대한 깊은 관심과 연구성의 발로도 아주 높이
치하하며 상장빛 상금을 수여함.

1970년 2월 27일

사령관 중장 김 재 규

월간서예 2013년 7월호 통권 383호 2013년 7월 1일 발행 공보처등록 1975도 2월 27일 (라~317) 1993년 7월 30일 제3종 우편물(나)급인가

39년을 서예인과 함께해 온

月刊 書藝

http://www.calliart.co.kr   E-mail : m-seoyea@m-seoyea.co.kr

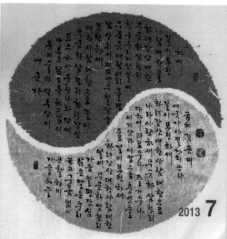

2013 7

PowerKorea
BRAND

28년 전통의 주조금형분야 선도기업 '태양AM공업'

2014 대한민국 희망인물 · 기업 · 기관 / 행복정책 · 창조경제
KOTRA 신입사원, '스타트업'에 현장파견 한다

www.powerkoream.co.kr | 국제뉴스통신 지하지 해월드경제 협력사

2014 JANUARY

문·화·상·품·개·발·코·너

꾸준히 사랑받고 있는 세련된 캘리그래피

대한민국 목걸이~
모자와 같은 캘리로 디자인된
목걸이로 더욱 패셔너블하게~

태극기 귀걸이~
태극기 귀걸이는 대한민국 귀걸이와
크로스로 매치하셔도 예쁜 코디가 됩니다

출처: 인사동문화
http://www.goinsadong.com

17

수도군단장에게 휘호작품 전달

6월 19일 수도군단 방문 기념사진

1부

남촌(南村)에 부는 바람

영원한 내 고향 화전(花田)

'수구초심(首丘初心)'이란 말은 본래 여우도 죽을 때가 되면 제 살던 굴 쪽으로 고개를 돌린다는 데서 비롯된 것이다. 짐승이 이럴진대 하물며 한 평생 객지를 떠돌며 살아온 사람은 어떠하랴. 이렇듯 사람이든 짐승이든 나이가 들어 몸이 예전 같지 아니하고 주위가 한결 쓸쓸해지다 보면 절로 제 어릴 적 살던 고향 산천이며 오순도순 함께 살았던 부모 형제가 더 그리워지게 마련이다.

침상 앞에 뽀얀 달빛이 떨어지니
이는 마치 지상의 서리와 같구나,
고개를 들어 밝은 달을 쳐다보고
머리를 숙여 고향 생각에 젖는다네.
(床前明月光 疑是地上霜, 擧頭望明月 低頭思故鄕)

천 년을 넘게 사람들에게 회자돼 온 이백(李白)의 절구 〈정야사(靜夜思)〉에 그려지는 심정이 이와 전혀 다르지 않으며, 전란 중 만 리 밖 타향에서 떠나온 고향집과 아우를 그리워하는 두보(杜甫)의 마음이라고 해서 이와 다를 바 있겠는가.

수루의 북소리에 발길 끊어지고
변방의 가을에 한 마리 기러기 소리
오늘은 이슬도 얼어 희어진다는 백로
이 달은 고향에서도 밝게 빛나리
형제가 있으나 모두 흩어져
생사를 물어볼 집마저 없구나

편지를 부쳐도 오랫동안 가지 못하나니
하물며 아직 전쟁이 끝나지 않았음에야
(戍鼓斷人行 邊秋一雁聲 露從今夜白 月是故鄉明
有弟皆分散 無家問死生 寄書長不達 況乃未休兵)
                    —두보 〈달밤에 고향 아우를 그리며(月夜憶舍弟)〉

　내가 태어나 어린 시절을 보낸 집은 오늘날의 경북 경산시 진량읍
선화리 489번지에 있었다. 당시에는 경산군 진량면이었다.

　1989년 군에서 시로 승격한 경산은 경상북도 남부에 위치해 있다.
북서쪽으로 대구광역시를, 북동쪽으로 영천시를 인접하고 있으며
남으로 청도군과 맞닿아 있는 경산은 삼한시대만 해도 압독국(押督
國)이라는 작은 나라가 있던 곳이다. 서기 102년 신라 파사왕이 이
곳을 점령하여 군을 설치하면서 압독국은 역사에서 사라졌다. 뒤에
신라는 이곳에 압량주(押梁州)를 설치하고 군주를 두었으며 642년
삼국통일의 명장 김유신이 이곳의 군주가 되었다. 고려가 건국되면
서 장산현(章山縣)으로 이름을 바꾸었다가 1308년 충선왕 때 경산
현으로 개칭되어 오늘날까지 그 이름이 이어져 왔다. 신라불교를 대
표하는 원효대사와 설총, 삼국유사의 저자 일연스님 등이 대표적인
경산의 역사 인물이다.
　진량읍은 경산시의 중동부에 있다. 읍의 대부분은 얕은 구릉성 산
지로 돼 있으며 평야는 서북부 금호강 연안에 분포돼 있다. 대구시
와 인접하여 여러 산업체들이 들어서 있으며, 신상리에는 경산산업
단지가 조성되어 있다.

'진량'이라는 지명은 신라 때 이곳에 있었던 마진량현(麻珍良縣)에서 유래된 것으로 보인다. '마진량'을 이두 식으로 읽으면 '마달'이 되는데 이는 곧 '맏+달'로 새길 수 있다. '맏'은 '으뜸'이라는 뜻이요, '달'은 '성읍(城邑)'을 의미한다. 그러니까 '마진량-마달'은 '큰 들' 혹은 '으뜸 들'을 뜻한다. 이 고장에 옛날 압독국 같은 나라가 있었음을 떠올리면 이 지역은 한 나라를 먹여 살리던 곡창지대였음을 유추할 수 있다.

10년이면 산천이 변한다는 말이 있듯이, 무수한 세월이 흐른 만큼 그 고향집 둘레도 상전벽해인 양 달라졌지만, 산하가 변했다고 해서 추억과 향수가 사라지고 지워질 리 없다.

그 사이, 전에 없던 고속도로가 마을 뒤편을 가로지르고 있다. 경부고속도로 부산 진행 방향으로 보면, 동대구를 지나 경산휴게소에 이르기 직전 오른편으로 내다보이는 동리가 선화리다. 나 어릴 적만해도 꽃이 많다고 해서 화전(花田) 마을로 불렸다.

대도시 대구가 가까운 만큼 산업화시대를 겪으면서 내 고향 주변의 변모는 타지와 비할 바 없이 빠르고 심했다. 경산시 자체가 대구의 위성도시화 하면서 경산과 대구 사이에 있던 농지와 야산에도 아파트가 들어서고 산업, 교육시설 등이 빼곡히 들어섰기 때문이다. 오늘날 경산에는 대구대학교, 영남대학교 등 대학만 해도 12개교가 들어와 있다.

신라 때 쌓은 것으로 보이는 작은 산성이 있던 마을 옆 두류산은 산 전체가 온전히 골프장으로 변했고, 산 너머의 면 소재지에는 산업공단이 들어섰다. 동북방 10리 남짓 거리에 대구대학교 캠퍼스가 조성됐으며, 서남쪽 같은 거리에는 영남대학교가 옮겨와 새 터전을 일구었다. 올망졸망 초가들이 이마를 맞대고 있던 앞마을에도 키 높은 아파트가 섰다.

그러나 다행이라면 다행일까. 내 마을 선화리 북녘 들판은 대학로와 고속도로에 허리가 잘리긴 했지만 그대로 푸름을 간직하고 있으며, 그 너른 들을 살찌우는 금호강이 예전의 넉넉한 모습으로 들판 너머를 흐르고 있다. 샛강 청천도 크게 달라진 바 없다. 그뿐이랴. 남녘으로 달려온 팔공산 줄기가 강을 만나면서 마지막으로 우뚝 세운 초래산 또한 이전의 그 의연한 자태로 마을의 뒤를 든든히 지켜주고 있다.

나는 아버지 청도(淸道) 김 씨 오룡(金五龍)과 어머니 경주 이 씨 태금(李台今)의 사이에서 3남 2녀 중 장남으로 태어났다. 위로 누님이 한 분 있었다.

청도 김 씨는 고려 후기의 문신 김지대(金之岱. 1190~1266)를 시조로 한다. 그는 신라 경순왕의 후예로서 고려 고종(高宗) 때 문과에 장원급제를 한 후 진주목사, 전라도안찰사, 정당문학이부상서(政堂文學吏部尙書), 중서시랑평장사(守太傅中書侍郎平章事) 등의 요직을 두루 거친 인물로 [고려사(高麗史)] '열전(列傳)'에도 간략히 생애가 소개되고 있다. 기록에 따르면, 그는 공무에 공명정대하였으며 권세가에게 굴하지 않고 자신에게 청렴한 관리였다. 그가 고위 관직에 몸담고 있을 때는 대개 최 씨 무인정권 시절이었다. 최우(崔瑀)의 집권 시기, 전라도안찰사로 있던 그는 주위의 눈치를 보지 않고 승려 만전(萬全)의 횡포를 엄히 다스린 바 있었다. 만전은 다름 아닌 최고 권력가 최우의 아들 최항(崔沆)이었다. 최항이 최우의 뒤를 이어 권력을 잡았을 때, 예전에 자신을 벌한 김지대에게 원한을 갚으려 하였지만 워낙 앞뒤가 깨끗해서 책잡을 데를 찾지 못했다는 기록에서도 그의 사람 됨됨이를 엿볼 수 있다. 고려 원종(元宗) 시기 그가 나라에 세운 공이 인정되어 오늘날 청도 지역의 토지를 봉토(封土)로 하는 오산군(鰲山君)에 책봉된 데서부터 청도 김 씨의 갈래가 퍼지기 시작했다. 청도의 옛 지명이 오산이었다.

영천과 경산에 세거하는 청도 김 씨들은 대개 경산시 하양읍 남하리로 옮겨 산 20세 김충신(金忠臣)의 후손들이다.

5형제 중 막내였던 아버지는 전형적인 시골의 농사꾼임에도 불구하고 집안에 내려온 유학의 영향을 받아 충효에 대한 신념이 남다른 분이었다. 농사라고 해야 논 열 마지기를 경작하는 것이 고작이어서 집안 살림살이가 항상 빠듯할 수밖에 없었다. 살림에 조금이라도 보탬을 하겠다는 뜻에서 아버지는 일찌감치 문간 쪽에 구멍가게 식의 판매대를 만들어 담배를 팔았다. 그렇게 알뜰히 해서 조금씩 금전이 모이면 땅을 사곤 했는데 그 땅이란 것이 농사지을 논밭이 아닌 산소를 넓힐 임야들이었다. 윗대 조상들이 묻힌 산소의 봉분들을 반듯이 정비하고 비석과 석물들을 세우고 정성껏 선영을 돌보는 것이 아버지가 생각하는 사람의 도리였으며 즐거움이기도 했다. 훗날, 논밭에서는 한 평의 땅도 늘어나지 못했는데 산소의 땅만 3천 평으로 불어난 것에서도 아버지의 조상 모시는 지극 성심을 잘 볼 수 있다.

큰집의 큰어머니가 뒤늦게 교회에 열중하면서부터 일가 집안에도 적잖은 파문이 일었다. 다른 무엇보다 조상 분들의 제사를 모시는 문제 때문이었다. 이제 우리 집에서도 기존의 제사를 폐하고 기독교식의 추도회를 갖겠다고 큰어머니가 선언을 한 뒤, 가장 크게 화를 낸 이가 바로 내 아버지였다. 세상에 이런 법이 없다고 처음으로 큰형에게 대들기도 했지만 큰형은 이미 아무런 힘이 없었다. 우리가 대신 하겠다고 나서는 형제들도 없었다. 결국 12위(位) 분의 제사는 모두 우리 집으로 옮겨 올 수밖에 없었다.

어머니는 어릴 적부터 양반집에서 자라며 전래의 부덕(婦德)을 몸에 익힌 분이었다. 비록 신학문은 깨치지는 못했지만 안팎의 어른한테서 보고 익힌 바가 있었기에 항상 몸가짐이 조신하고, 지아비를 공경하고, 자애로 자녀를 키움에 조금의 어긋남이 없었다. 특히 달성군의 다사면장을 지낸 내 외숙은 공직에서 물러난 뒤 오래 종친회장을 맡을 만큼 전통을 중시하는 유생이었기에 어머니에게 끼친 영향이 컸다.

어려운 살림에 한 해 열두 번이나 되는 제사까지 떠맡았으니 내 어머니의 고초가 얼마나 컸으랴! 싫은 내색 한 번 없이 정성으로 제사를 모시던 어머니도 아버지가 돌아가신 뒤 어느 땐가는 자식들 앞에서 지친 듯이 '조상님들이 어찌 이럴 수 있는가!' 하며 서러움을 드러내기도 하였다.

집안 제사가 옮겨 오면서부터 어린 나한테도 전에 없던 일감이 생겼다. 붓으로 지방과 축문을 쓰는 일이었다. 무슨 영문인지 몰라도 아버지는 당신이 직접 그것을 쓰는 법이 없었다. 아버지가 연필로 문자를 적어주면 나는 붓으로 옮겨 쓰는 일을 하였는데 내 글씨가 삐뚤빼뚤 크고 작고 모양새가 없어도 아버지는 우두커니 지켜보기만 할 뿐 야단치거나 나무라는 일이 없었다. 아버지 생각에도, 아무리 어린 것이지만 자꾸 쓰다보면 점차 글씨가 나아지지 않겠는가 여겼던 모양이다.

희한한 것은, 몇 번 그렇게 축문과 지방을 쓰다 보니 뜻은 모르지만 그 글자들이 머릿속에 고스란히 남아 잊히지 않는다는 사실이었다. 그때부터 아버지는 더 이상 문자를 적어주지 않았고 나는 나대로 머리에 남은 그것을 한 자 빠트림 없이 종이에 적을 수 있게 되었다. 그 무렵 글씨 자체도 훨씬 나아졌음은 물론이다. 돌이켜 보건대, 훗날 내가 서예의 외길을 걷게 된 원초적 뿌리가 바로 그 축문, 지방 쓰기에 있었던 것은 아닐까 여긴다.

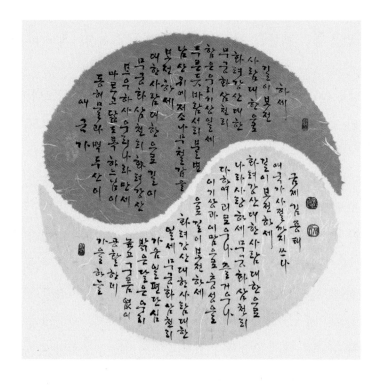

초등학교 가는 길의 추억

1945년 광복 이후부터 1948년 대한민국 정부 수립 이전까지를 우리 현대사에서는 따로 '해방공간(解放空間)'으로 명명하면서 대표적인 격동기로 꼽고 있지만 정치며 사상과 무관한 산촌, 특히 이제 막 초등학교(당시는 국민학교)에 입학하는 그곳 어린아이들에게 있어서 바깥세상은 여전히 아지랑이를 덮어쓴 듯 몽환적이며 아름답고 평화롭기만 하였다. 정부 수립 직후, 이웃인 와촌면 박사리에서는 팔공산으로 쫓긴 공비들이 내려와 마을 주민을 학살하는 참사도 있었지만 우리는 그런 사실도 알지 못했다.

봄이었다. 내 집에서 학교(진량초등학교)까지는 10분도 채 걸리지 않는다. 이전에도 항상 나가 놀던 학교 운동장이었으므로 새로 학생이 돼서 그곳에 선다고 해서 낯설고 두려울 것이 없었다.

여느 산촌이 그러하듯 학교로 오가는 길에는 정다운 동무들보다 더 많은 꽃들이 피어났고 벌 나비들이 날아다녔다. 지금처럼 텔레비전, 게임기가 있는 것도 아니고 만화책, 동화책 하나 변변히 볼 처지도 못되었지만 신록의 자연 자체가 무궁한 놀이터가 돼 주었기에 아이들은 지루하고 심심할 겨를이 없었다. 아이스크림, 샌드위치, 콜라가 없어도 자연이 주는 먹을거리는 흔하고도 다양했다.

허기가 느껴지면 아이들은 진달래꽃이 흐드러지게 핀 산비탈을 오르내리며 한 옴큼씩 꽃을 따서 씹었다. 과즙인 양 꽃물이 배어나올 때 느끼는 쌉싸름하면서도 달짝지근한 맛이란! 여기에 비하면 찔레순이라든가 솔 순 같은 것은 쓴맛보다 단맛이 훨씬 더 깊었다. 소나무의 뽀얀 속껍질이며 배동 오른 삘기도 그렇다. 특히 무덤의 봉분 위나 그 언저리에서 쉬 찾을 수 있는 삘기는 발라서 먹기가 쉬울 뿐 아니라 식감이 달고 부드러워서 인기가 좋았다.

영양상태가 좋지 못하고 잔병치례가 잦았던 나는 다른 아이들보다 키가 작았다. 초등학교 입학 때부터 교실의 맨 앞줄에 앉아야 했던 나는 곧잘 딴 애들의 놀림감이 되곤 했다. 그렇지만 안문자, 이우영 같이 키가 큰 여자애들이 '얼라야, 얼라야, 집에 가자.'고 놀려대는 것은 꼭 싫지만은 않았다. 왠지 누나 같은 푸근함이 느껴졌기 때문이었다.

아기 때부터 나는 위가 약했다. 속이 불편해서 음식을 제대로 먹지 못했으며 더러 음식을 잘 못 먹으면 쉬 토하고 설사를 했다. 언감생심 병원에 갈 수 없는데 마땅한 약마저 손에 넣을 방도가 없었다. 걱정이 많았던 어머니는 어디선가 내 위장병에 효험이 있다는 말을 듣고는 수시로 할미꽃 뿌리를 달여 엿을 고아 나에게 먹이곤 했다. 말이 엿이지 쓰디쓴 그것은 한약덩어리나 다를 바 없었다. 그 약을 먹을 때 마다 어머니와 전쟁을 치러야 했던 것도 그 때문이었다.

병약했음에도 불구하고 나는 학교에 가는 일을 소홀히 하지 않았다. 그 어린 나이에도, 손발을 움직일 수 있으면 학교에는 꼭 가야 한다는 신조가 있었다. 펄펄 끓듯이 열이 나는 때에도 학교를 가겠다고 떼를 쓰는 나를 어쩌지 못해 어머니가 나를 업고 등교한 일도 있었다. 그 덕에 나는 초등학교 6년을 개근으로 마칠 수 있었다.

학업성적도 크게 나쁘지 않았다. 항상 반에서 10등 안에는 들었기 때문이었다. 5학년 때는 특히 성적이 좋았다. 2등인가 3등인가로 우등상을 탔던 그날을 잊지 못한다. 당연한 듯이 개근상까지 있었으므로 나는 두 개의 상을 다 받은 학생이 됐다. 종업식을 마친 뒤 상장을 들고 집으로 돌아오던 날은 꽤나 날씨가 추웠다. 같은 반이며 같은 동네에 사는 동무 조희길과 함께 언덕바지 길을 내려가던 무렵, 시장에 가시는 아버지와 마주쳤다. 공교롭게도 아버지는 희길의 아버지와 동행이었다.

"아부지, 나 상 탔다!"

아버지를 보는 순간 내 입에서는 저도 모르게 자랑의 말이 튀어나와 버렸다.

"무슨 상이고?"

아버지도 놀라워하는 표정이었다.

"우등상, 개근상 다 받았다."

개선장군처럼 나는 득의양양 하여 통지표와 상장을 아버지께 보여 드렸다.

"잘 했네."

통지표를 훑어 본 아버지가 언뜻 희길 아버지를 쳐다봤다. 순간 나는 아차, 싶었다. 내 친구 희길이 아무 상도 받지 못했다는 사실을 그제야 깨달았던 것이다. 희길은 무슨 죄를 지은 양 고개를 떨군 채 있었고, 그의 아버지는 조금 굳은 표정으로 먼 데를 바라봤다. 괜히 희길 아버지한테 미안한 마음이 들었다.

"니는 와 통지표 뿐이고?"

희길을 나무라는 그 아버지의 말을 듣고 보니 더욱 몸 둘 바가 없었다.

"이왕에 이눔아들을 만났으니 점심이나 멕여서 보네세."

어색한 분위기를 지우듯이 내 아버지가 희길 아버지에게 말했다.

그 길로 나와 희길은 두 분을 따라서 시장 골목으로 들어갔다.

전에도 가 본 적 있는 식당에서 다 같이 국밥을 시켰다. 소고기 몇 점과 큰 파를 넣고 푹 익힌 그 국밥은 평소에도 내가 자장면, 우동보다 더 좋아하는 것이었다. 그때는 사실 중국음식점도 없었다. 말간 기름이 동동 떠다니는 그것은 조금 맵기는 했지만 달고 고소한 맛에 마지막 바닥을 비우고 나서도 차마 숟가락을 놓기가 아쉬운 음식이었는데 그것이 바로 오늘날까지 소문난 대구 국밥이었다.

국밥을 먹는 종내 두 분은 아무 말씀이 없었지만 나는 아버지가 나를 무척 대견스러워 하고 있다는 사실만은 온몸으로 느끼고 있었다.

남촌(南村)의 풍정(風情)① -가을운동회

초등학교 시절을 떠올리면, 동심으로 바라보는 목가적 풍경이 파노라마처럼 펼쳐지지만 그 중에서도 가장 화려하고 신명나는 장면 하나가 바로 가을운동회의 모습이 아닐까 싶다. 지금도 크게 달라지진 않았지만, 시골 초등학교의 가을운동회는 곧 그 고장의 한 바탕 축제의 장과 다를 바 없다.

하늘이 높고 삽상한 바람까지 살랑대는 청명한 가을날, 너른 교정을 뒤덮듯이 매달린 만국기 펄럭이는 그날이면 십 리 밖, 이십 리 밖의 산촌에서부터 아동의 손을 잡은 부형들이 읍내 학교로 모여든다. 꼬부랑 할머니, 곰방대 쥔 할아버지, 자전거 탄 삼촌, 화장을 해서 한껏 멋을 부린 큰집 누나... 남녀노소를 가릴 것이 없다. 동네 잔칫집에 모여드는 하객들 모습 그대로이다. 밥과 반찬, 떡, 과자와 과일 등 부형들은 제각기 정성들여 만들고 담은 보자기를 들었다. 당일의 주인공인 학동의 차림새도 한결 같다. 양쪽 허벅지 바깥으로 백선이 그어진 검정 팬티에 달랑 런닝셔츠 하나를 걸친 것이 곧 선수용(?) 운동복 차림이다. 마치 나라를 구하는 전역(戰役)에라도 나가는 듯이 머리에는 청군, 백군을 나타내는 띠를 질끈 맸다.

학교에 들어서면 화단 앞이며 울타리 쪽으로 주민들의 응원석이 마련돼 있다. 시장에서 그러하듯이 부형들은 먼저 이웃 동네의 제 아는 이가 왔나 싶어서 이곳저곳을 기웃거리고 그렇게 반가운 이를 만나면 서로 얼싸안고 좋아하기도 한다.

운동회가 시작되면 반가움의 소요도 가시고 호루라기 소리와 함께 벌어지는 경기에 부모들은 손에 땀을 쥐며 응원에 넋을 잃는다. 청군 백군 아이들의 응원석에서는 응원단장의 몸놀림에 따라 3. 3. 7 박수가 이어지고 환호와 고함이 단속적으로 터진다.

이 와중에도 운동장의 경기에는 눈길조차 주지 않은 채 술과 음식을 먹으며 이웃과 담소를 나누기에 여념이 없는 이들이 있는가 하면 풍선장수, 솜사탕장수들은 요리조리 인파속을 누비며 호객행위를 계속한다.

가을운동회에서 빠지지 않는 경기 종목이 전 학년 달리기 시합이며 피날레를 장식하는 동 대항 릴레이 경주다.

몸이 허약했던 나는 이 달리기 시합에서 6년 동안 단 한 번도 꼴찌를 면치 못한 부끄러운(?) 기록을 갖고 있다. 이번에는 꼭 꼴찌를 면해 보라고 어머니가 씨암탉을 잡아 먹여준 날도 마찬가지였다. 매번 이 지경이니 "괜찮다, 다음에는 더 많이 먹고 힘내어 꼭 일등을 해야지." 하고 위로해 주는 어머니한테는 그나마 무모한 다짐이라도 할 수 있었지만 말도 없고 표정도 없는 아버지를 마주하면 금세 오금이 저려 올 수밖에 없었다.

다음번에는 꼭 등수 안에 들어가겠다고 기를 쓰고 달려 봐도 결과는 매양 똑같으니 나한테는 이 가을운동회가 더러 지옥처럼 여겨질 때가 없지 않았다.

동 대항 릴레이 경주야말로 초등학교 운동회가 학생들만의 것이 아닌 주민들이 함께 하는 잔치임을 여실히 보여주는 것이 된다.

동네에서도 내로라하는 달리기꾼들로 구성된 동 대표 선수들이 트랙의 출발점에 설 때부터 운동장에는 팽팽한 긴장감이 맴돌기 마련이다. 곧이어 총성과 함께 근육질의 장정들이 지축을 박차듯이 뛰쳐 나가면 학생 주민 가릴 것 없이 비명에 가까운 함성을 내지른다. 학교가 떠나가고 지구가 흔들리는 듯하다. 한 바퀴 운동장을 질주한 선수가 뒷 주자에게 배턴을 전달할 때는 배턴을 놓치거나 선수끼리 부딪쳐 넘어지는 실수도 빈번히 생겼다. 그럴 때는 탄식이 물결처럼 번지고 또다시 격려의 함성이 넘쳐난다.

　운동회가 파하고 사람들이 물결처럼 교문 밖으로 쓸려나갈 때면 어느새 해도 서산 꼭대기로 기울었다.

남촌(南村)의 풍정(風情)② - 사계(四季)의 놀이

　산업화, 도시화를 겪어오면서 우리 사회는 엄청난 변모를 겪었다. 전통적인 대가족제가 무너지고 핵가족화 된 것이 대표적인 예인데 거기서 태어나고 자란 아이들이 저절로 개인주의 경향을 띠는 것도 이러한 격심한 사회변동과 무관하지 않다. 형제와 동무들이 없이 홀로 텔레비전이나 비디오를 보면서 바깥세상을 접하고, 자연을 놀이터로 삼기보다는 인형과 장난감, 게임기로 놀이를 즐기는 현대의 아이들에게 6, 70년대 농촌아이들의 놀이 이야기를 전해주는 것은 마치 호랑이 담배 피우던 시절의 얘기 마냥 아득하고 황당할 수도 있다.

　해방과 6.25동란을 거치는 시기에 어린 시절은 보낸 이들에게는 무엇보다 헐벗음과 굶주림이 친숙하게 기억되지만 그러나 그 가난과 피폐의 배경에는 항상 아름다운 자연과 정다운 이웃이 있었기에 거기서 비롯된 추억들은 언제나 생애의 영롱한 보석처럼 돋보이는 한편 그리움의 대상이 된다.

　예전 농촌아이들의 놀이는 계절따라 바뀌고 달라졌으며, 모든 놀이는 먹이활동과 밀접한 관련이 있었다.

　나이든 이들이 지금도 흔히 하는 말이 있다. '예전 겨울은 요즘보다 훨씬 추웠고, 더 길었다.'는 것이다. 사실이 그랬을지도 모른다. 그러나 바꿔 생각해 보면, 모두가 가난했던 그 시절, 난방시설도 제대로 없는 거처에 살며 변변히 입지를 못하고 먹고 싶어도 먹지를 못한 환경을 경험한 데서 떠올린 주정적인 감상은 아닐는지.

　그래서 긴긴 겨울이 끝나는 것을 아이들이 가장 기뻐했었는지도 모른다.

얼어붙었던 냇물이 녹고 아지랑이가 피기 시작하면 산과 들에는 마침내 온갖 꽃들이 수를 놓는다. 파릇파릇 움이 돋는 것은 금세의 일이고 어느새 개나리꽃, 진달래꽃. 나리꽃, 은방울꽃, 영산홍, 철쭉꽃이 차례차례 꽃망울 터뜨리며 저마다 맵시를 자랑하는 것이다.

봄날, 학교를 파해 집으로 돌아오는 때만큼 아이들에게 즐거운 시간은 없다. 가능한 한 천천히 걸으며 둘레의 자연과 이야기를 나누고 놀면 그만이다. 일찍 집에 돌아가 봐야 엄마, 아빠의 일손을 거들 것밖에 없다. 지천으로 핀 진달래꽃은 군것질거리가 돼주고, 멋대로 자란 산벚꽃 가지는 동무에게 줄 꽃다발 선물이 된다. 들녘에 흡사 푸른 융단을 깔아놓은 듯한 풀밭에 클로버 꽃이 피어나면 저 마다 그것을 따서 꽃반지 꽃목걸이를 만든다.

둠벙에 바글거리던 올챙이들은 그사이 꼬리를 감추면서 네 발 달린 헤엄장이가 돼 있다. 냇가 돌밭에는 종달새들이 알을 품을 집을 짓느라고 분주하다. 환하게 내리쬐는 햇살을 보곤 겨우내 잠만 자던 뱀들이 돌 틈 사이로 삐죽이 고개를 내민다. 짓궂은 아이들이 뱀 꼬리를 잡고 빙빙 돌리거나 줄에 묶어 지나가는 여학생들을 놀려먹는다.

아이들이 저마다 제 집 소를 끌고 나와 풀을 먹이러 뒷산 언덕에 올라가는 것도 이맘때다. 소는 소대로 놀게 풀어놓은 아이들은 서로 패를 나눠 기마전을 벌이든가 공차기를 하면서 저희들끼리 신나게 논다. 물자가 귀하던 시절이라 공놀이를 하려고 해도 공다운 공이 없다. 새끼줄을 둥글게 엮어 만든 것이 공을 대신한다.

여름이 되면 놀잇감이 한층 많아지고 먹을 것도 흔해진다. 잠방이를 적시며 첨벙첨벙 물장난을 치며 노는 것은 금세 싫증이 난다. 활을 만들어 물고기를 잡는 일은 긴장감도 있고 먹을거리를 얻는다는 보람도 있다. 활이라고 해야 긴 막대기 끝에 뾰족한 쇠꼬챙이 몇 개를 박은 것이 고작이다. 손잡이에 고무줄이 달려 있다. 손가락을 고무줄에 걸어 막대기를 쏜다. 큼직한 돌멩이 아래에는 어김없이 동사리, 모래무지 같은 물고기들이 숨어있게 마련. 숨을 죽이고 조심스레 돌을 들치면 물고기는 꼼짝을 않고 그대로 있다. 활로 녀석의 등짝을 겨눌 때면 전신에 아찔한 긴장감이 뻗친다.

녹음이 우거진 산속을 헤매다보면 달콤한 산딸기를 찾는 일도 어렵지 않다. "여기, 산딸기다아——" 숲을 울리는 아이들의 고함소리가 이내 메아리로 들린다. 빨갛게 익은 소담한 딸기를 송이째 입에 쑤셔 넣다 보면 입술 언저리가 어느새 퍼렇게 물이 든다. 얼마나 많이들 먹었는지 너도나도 도깨비 같은 얼굴을 하고선 서로가 마주보고 깔깔 웃는다.

키대로 자란 밀, 보리의 이삭이 고개를 숙이는 때면 아이들의 밀밭서리, 쌀보리서리가 시작된다. 잘 익은 밀과 쌀보리의 이삭을 뽑아 와서 불에 거슬러 먹는 것이다. 물론 밭 임자는 따로 있다. 마른 나뭇가지를 주워 모아 불을 지핀 뒤, 불꽃에 그 이삭들을 대강만 거슬러도 속 알갱이들이 먹음직스럽게 익는다. 불에 거슬린 것을 손바닥에 놓고 비비면 타버린 겉껍질이 떨어져 나가고 알맹이만 남는다. 이렇게 몇 줌을 먹다보면 금세 입 주위가 시커멓게 변한다. 콩서리를 할 적에는 밑불에 구워야 더 맛이 있다. 불이 꺼진 뒤 재를 잘 헤쳐보아야 익은 콩알 하나하나를 찾을 수 있다. 모닥불을 끌 적에는 사내아이들 대개가 제 고추를 꺼내 오줌발을 갈기는데 이튿날 이 모닥불 흔적만 보고 또 먹을 게 남아있는가 싶어 잿더미를 헤치는 아이들도 없지 않다.

알맹이 먹기를 마친 아이들은 서로 토인처럼 생긴 얼굴을 보며 멋쩍게 웃다가 누가 먼저랄 것도 없이 냇물로 뛰어든다.

아이들이 하는 서리는 여기서 그치지 않는다. 참외, 수박, 옥수수는 물론이고 심지어는 닭, 토끼에까지 손을 뻗친다. 그 시절 남의 집 밤나무며 감나무에 달려있는 것을 몰래 따먹는 것은 서리 축에도 들지 않았다. 공들여 가꾸지 않아도 절로 열매가 영그는 그것들에 대해서는 아예 내 것, 네 것의 개념이 희박했다.

여름이 가고, 들녘에 벼들이 익어 가면 메뚜기 잡기가 한창이다. 벼 이삭에 붙어 있는 메뚜기는 날개까지 달고 있지만 잽싼 아이들의 손길에서 달아날 재주가 없다. 날개를 떼고 빨갛게 익힌 메뚜기만큼 고소하고 맛있는 별미거리는 드물다. 형과 누나들은 곧잘 그것을 도시락반찬으로 가져가기도 한다. 가을철에 잡는 미꾸라지도 메뚜기와 함께 당시의 아이들에겐 없어서 안 될 단백질 공급원이었다. 도랑의 풀숲에 숨어 사는 날랜 미꾸라지를 잡으려면 남다른 요령과 인내가 필요했다. 먼저 싸리나무 가지를 엮어 통발을 만든다. 통발의 주둥이는 넓고 크지만 꼬리 쪽은 꽁꽁 묶여 있다. 들어가기는 쉬우나 다시 나올 수가 없는 구조다. 해지기 전 도랑에 가서 찰흙을 쌓아 작은 둑을 만든다. 물길이 둑을 타넘도록 만드는 것이다. 둑 가운데 홈을 파서 통발을 설치한 뒤 주위를 나뭇가지로 덮어 위장한다. 이렇게 놔두면 깊은 밤 미꾸라지들이 물살을 타고 둑을 오르다가 죄다 통발 안으로 들어가게 된다. 아침에 가서 통발을 걷으면, 두셋 사발을 그득 담을만한 양의 미꾸라지를 잡을 수 있다. 어른들은 이를 갖고 추어탕을 끓이는 것이 예사이지만 아이들은 색다른 맛을 보기 위해 곧잘 호박잎에 싸서 아궁이 불에 구워 먹기도 한다.

모든 것이 꽁꽁 얼어붙는 추운 겨울이 왔다고 해서 아이들이 방안에서만 지내는 법이 없다. 겨울의 놀이 중 얼음지치기보다 재미나는 것은 없다. 강과 못, 무논이 다 얼음으로 덮이기에 썰매를 탈 수 있는 곳은 사방에 널려 있다. 판자를 주워 와서 썰매의 좌판을 만들기는 쉽지만 속도를 좌우하는 두 쪽의 받침판을 만들기가 녹녹치 않다. 무엇보다 얼음과 썰매 사이의 마찰력을 줄여주는 굵은 철사를 구하는 일이 쉽지 않다. 용케 철사를 구했다면 그것을 망치로 두드려 곧게 편 다음 한쪽 끝을 불에 달궈 받침대 각목에 박아야 한다. 이후 이것이 벗겨지지 않도록 못을 쳐서 잘 고정시킨다. 남은 철사 토막은 끝을 날카롭게 해서 한 쌍의 나무막대기에 각각 꽂아 창으로 쓸 수 있도록 해야 한다.

제대로 공력을 들여 만든 썰매만이 썰매 달리기에서 빛을 발한다. 끝이 보이지 않는 드넓은 빙판에서 속력을 다 해 썰매를 달리노라면 살을 에는 강풍도 영하의 추위도 전혀 두렵지 않다. 빛살처럼 달리는 속도감에서 그 모두를 능가하는 쾌감을 맛볼 수 있기 때문이다.

어린 사냥꾼 흉내는 또 어떠한가. 고무줄 새총을 만들어 참새 사냥에 나서는 것이다. 새총도 잘 만들어야 하지만 탄환으로 쓸 돌멩이도 잘 골라 항시 주머니에 넣고 다녀야 한다. 탱자나무 울타리에 앉은 새떼를 보았다. 토담 너머에 몸을 숨긴 채 새총으로 녀석들을 겨눈다. 새들은 무수히 많지만 표적은 단 하나다. 숨을 죽인 채 한껏 고무줄을 당겼다가 돌멩이를 날린다. 참새는 털 손질을 잘 한 뒤 소금을 뿌려 구워 먹는 것이 제 격이다. 살점은 별로 없지만 입안에서 도는 그 고소하면서도 단 육감은 소고기, 돼지고기가 따를 수 없다.

뒷밭에 묻어두었던 배추꼬랑지(뿌리)를 파내어 칼로 깎아먹노라면 밤도 점점 깊어간다. 소리 없이 내린 함박눈이 마당에 쌓이는 줄도 모르는 겨울밤이다. 그때는 왜 그리 눈이 많이 내렸는지 모르겠다.

꿈 많은 시절, 트럼펫을 불며

진량중학교에 진학했다.

내 집에서 중학교까지는 초등학교에 가는 것보다 더 가까웠다. 지금도 그 학교는 경부고속도로 경산휴게소 길 건너편에 그대로 있다.

또래들 중에는 더러 중학 과정부터 대구의 학교로 진학하는 이들이 있었지만 가정 형편이 여의치 못했던 나는 하숙을 하든 통학을 하든 대구로 가는 일은 엄두조차 내지 못했다. 당시에 경산 진량에서 대구를 가려면 금호강을 건너가서 청천역에서 대구선 기차를 타는 길밖에 없었다. 대구선은 일제시기에 개통된 철로로 동대구역과 영천역을 연결하고 있었다. 동대구를 기점으로 해서 동촌, 반야월, 청천, 하양, 금호의 역들을 거쳐 영천에 이르며, 서쪽으로는 경부선과 동쪽으로는 중앙선과 각각 연결되었다.

내 집에서 가장 가까운 역이 청천역인데 10리 거리였다. 어린아이가 10리길을 걸어가서 통학열차를 타고 대구를 오르내리는 것은 결코 쉬운 일일 수 없었다. 그래서 나는 집에서 가까운 진량중학교를 다니기로 했던 것이다.

당시 교장은 김문조(金文祚) 선생님으로서 치과 전문의를 거쳤으며 의학박사 학위도 지니고 있었다. 중학시절 그 분은 나한테도 적지 않은 영향을 미쳤다. 아침 조회 때 마다 그 분은 "하면 된다."는 말을 귀에 못이 박힐 정도를 들려주었는데 어린 나로서도 감응되는 바가 컸다. 교장 선생님은 의지와 노력으로 성공을 거둔 이들의 이야기를 많이 들려주었다. 나는 그 얘기들을 하나하나 가슴에 새기면서 '하면 된다.'는 명제를 마침내 내 좌우명으로 삼기에 이르렀다.

훨씬 훗날, 내가 부산조선공업주식회사 서울 주재 상무이사로 근무하던 시절, 기회 있을 때마다 부하 직원들에게 "하면 된다."고 입버릇처럼 말했던 것도 그 때문이었다.

너나 할 것 없이, 우리의 세상살이는 깊은 밤 첩첩산중을 헤매는 것처럼 어렵고 험할 수밖에 없다. 그렇다고 넘어야 할 산을 넘지 아니하고 건너야 할 골을 건너지 않고 그 자리에 주저앉으면 되겠는가. 새옹지마(塞翁之馬)의 교훈이 있듯이 길이 끊어진 듯한 절벽에도 통로는 있게 마련이고, 급류가 흐르는 골짝에도 얕은 데는 분명 있다. 그래서 절망적인 상황 속에서 눈을 똑바로 뜨고 길을 찾는 이에게는 반드시 앞길이 열리게 돼 있는 것이다.

나는 일찌감치 보고 배웠다. 선조를 받들고 부모를 섬기는 일, 그리고 어른과 동료, 아랫사람을 대하는 도리 하나하나를 내 아버지가 몸소 실천해 보이셨기 때문이다. 몸에서 우러나오는 공경과 정성으로 제사를 모시는 것도 그 한 예가 된다. 제삿날이면, 아버지는 먼저 몸을 깨끗이 한 뒤 산소부터 올라가신다. 한 동안 묘소 앞에서 공손히 두 손을 모으고 서서 돌아가신 분을 추념한 뒤, 무덤 둘레에 자란 잔디를 한 옴큼 뜯어서 산을 내려와 그것으로 모사(茅沙) 그릇을 만든다. 제사를 지낼 때 술 방울을 떨어뜨릴 수 있게 모래를 담은 띠 그릇이 모사다. 이후 제례(祭禮)에 따라 정성으로 제사를 지내는 것이다.

중학 1학년 때였다. 제사를 앞두고 나는 제물을 장만하러 가시는 아버지를 따라 하양(河陽) 장으로 갔다. 그 무렵 나는 이미 지방과 축문을 쓰는 일에 능숙해 있었으며 제사를 모시는 절차에 대해서도 어른들 못잖게 꿰고 있었다.

금호강 너머의 하양도 집에서 10리 거리였다. 이것저것 제수용 물품들을 장만한 뒤, 큼직한 광어 한 마리를 집으로 들고 오는 것이 내 몫이었다. 머리와 꼬리를 새끼줄로 묶어서 어깨에 걸쳐 메고 힘겹게 논길을 걸어오던 때였다. 수리둑 중간에 있는 버티미 마을을 지날 즈음이었다. 갑자기 참을 수 없는 요의(尿意)를 느꼈다. 아버지는 벌써 저만치 앞서 걸어가고 있었다. 나는 별 생각 없이 광어를 풀밭에 내려놓고 논 자락을 향해 소변을 봤다. 때마침 아버지가 그 모습을 본 것 같았다.

다가오는 나를 보곤 꾸중이 이만저만 아니었다. 제상에 올릴 어육을 그렇게 함부로 땅바닥에 내려놓는 법이 어디 있느냐는 것이었다. 게다가 정갈치 못하게 오줌까지 누었으니 그런 불효막심이 없다는 말씀이었다.

어린 나이였지만 나도 뒤늦게 내 잘못을 깨닫고는 집으로 오는 내내 얼굴을 들지 못했다.

그 당시 진량중학교는 여느 시골 학교와 달리 악대부가 있었다. 학교에 행사가 있을 때마다 큰북 작은북을 두드리고 심벌즈를 치는 것은 말할 것 없고 트롬본, 튜바, 클라리넷을 불면서 위풍당당하게 행진하는 그들 악대부는 모든 학생들에게 선망의 적이 되었다.

나는 신입생이 되었을 때부터 그 멋있는 악대부에 들고 싶었다. 그러나 보나마나 아버지가 크게 반대할 것이 뻔했기에 집에는 상의조차 못했으며 또 나 스스로 악대부를 찾아갈 용기를 내지 못했다. 그런데 기회는 의외로 빨리 왔다. 신입 악대부원을 뽑는다는 것이었다. 부원 조건이란 것도 꼭 나한테 맞춘 것만 같았다. 학업 성적이 우수하고 학교에서 가까운 거리에 거주하는 학생이라야 가능하다고 했기 때문이었다. 비로소 나는 용기를 내어 악대부를 찾아갔으며 그 자리에서 가입이 허락되었다.

악대부 지도교사는 장한표 선생님이었으며 내가 배우고 익혀야 할 악기는 트럼펫이었다. 트럼펫은 기원전 2000년경 이집트의 그림에 등장할 정도로 역사가 오래된 금관악기다. 이는 금관 악기 중에서도 가장 높은 음을 낼 뿐만 아니라 그 음색은 매우 씩씩하고 쾌활하여 남성적인 느낌이 강하다. 그러나 연주법에 따라서는 달콤하고 부드러운 음을 낼 수도 있다. 처음 배울 때는 여간 힘이 들지 않지만 맑고도 화려한 소리를 내는 이 악기에 빠져들다 보면 그 어려움쯤은 얼마든지 잊을 수 있었다.

나는 매일이다시피 수업이 끝나기 무섭게 악대부로 뛰어가서 연주를 연습했다. 열심히 하는 만큼 진보도 빨랐기에 석 달이 지나지 않아서 나는 쉬운 곡들을 내 식으로 독주할 수도 있었다.

악대부 생활은 그리 길지 않았다.

뒤늦게 사정을 알게 된 아버지가 이만저만 화를 내지 않았다. 광대처럼 악기나 불고 있다가 공부는 언제 하느냐는 것이었다. 그때만 해도 중학교건 고등학교건 모두 시험을 쳐서 학생들을 선발하던 시절이었다. 따라서 우수학생이 많이 진학하는 순서에 의해 학교들의 순위도 매겨져 있었다. 예컨대 대구의 경북고등학교 같은 학교는 전국적인 명문으로써 시내 및 도내의 중학생 중에서도 최상위의 학생들만 입학을 할 수 있었다.

다음 날, 아버지는 학교에 찾아가서 장한표 선생에게 따져들었다. 공부 열심히 하고 있는 학생을 왜 꼬드겨서 쓸데없는 악기 연주나 시키느냐는 것이었다. 장 선생이 좋은 말로 아버지의 오해를 풀려고 했지만 전혀 먹혀들지 않았다.

당장에 그만두지 않으면 아예 학교엘 보내지 않겠다는 아버지의 엄포(?)에 결국 장 선생도 손을 들었으며 그 길로 나는 악대부를 떠났다. 장 선생님께 미안한 일이고 나 스스로 아쉬움이 많았지만 달리 방도가 없었다.

두렵고 설레는 입시 때가 다가왔다. 중학 과정에서도 나는 하루도 빠지지 않고 열심히 학교를 다녔기에 남들이 쉬 받지 못하는 3년 개근상을 받을 수 있었다.

고교 지원서를 쓰던 무렵, 나는 자신이 없음에도 불구하고 아버지가 원하는 경북고에 지원서를 내기로 마음을 정하고 있었다. 그런데 뜻밖의 일이 터졌다.

우리 학교에서는 아무도 경북고에 지원하지 못한다는 사실을 그 무렵에야 알게 됐던 것이다. 이유인즉슨, 경북고등학교에는 개교 5년 미만인 중학교 졸업학생들의 원서를 받지 않는다는 규정이 있다는 것이었다. 내가 다니던 진량중학이 거기에 해당됐다. 지금 같으면 말도 안 되는 규정이라고 해서 소송을 마다하지 않을 수도 있지만 당시에는 이런 규정마저도 법인 양 통하곤 했다.

일이 이렇게 됐음에도 내 아버지의 고집은 완강했다. 경북고에 가지 못할 바에는 고교 진학을 포기하겠다고 호통을 쳤던 것이다. 어쨌든 대구의 고등학교에 진학을 하고 싶었던 나로서는 또 하나의 암초를 만난 셈이었다. 원서 작업을 하고 있던 중학교에서도 아버지의 이러한 반응에 당황하여 어쩔 줄을 몰라 했다. 뒤늦게 학교에서는 대륜고와 개성고로 나누어 원서를 제출하였는데 내 또래들 중에서 12명이 계성고등학교에, 10명이 대륜고등학교에 응시 원서를 냈다. 둘 다 대구에 있는 고등학교로서 역사와 명성을 가지고 있었다. 나는 아버지의 허락도 받지 않은 채 대륜고에 원서를 썼다.

수험표를 받는 날, 나는 야반도주를 하듯이 밤중에 집을 나서서 무작정 대구로 갔다. 어떻게 대구를 갔는지는 지금도 기억이 없다.

대구에 도착한 뒤에는 경찰인 사촌형이 근무하는 동인동 파출소를 찾아갔다. 그런데 사촌형은 비번이어서 출근을 않고 있었다. 동료 경찰이 연락을 취해 주었다. 한 시간쯤 지나서 형이 자전거를 타고 파출소로 달려왔다. 대강 사정을 들은 형은 나를 자전거 뒷자리에 태우고 대륜고등학교로 달렸다. 수험표는 그렇게 내 손에 쥐었다.

그날 밤은 형 집에서 잠을 자고 다음 날 학교에 가서 입학시험을 쳤다.

4교시 시험을 치른 뒤, 바람을 쐬려고 수험장을 빠져나왔을 때였다. 여러 명의 부형들이 운동장 한 쪽의 철봉대 근처를 서성거리고 있는데 그 중에 낯익은 분이 눈에 띠었다. 단정하게 두루마기를 차려 입은 아버지였다. 순간 나는 가슴이 철렁 내려앉았다. 어떻게 아신 것일까. 분명 나를 잡아가려고 오신 것 같았다. 아버지의 눈에 뜨이면 그동안의 내 수고가 말짱 헛일이 될 것이 뻔했다. 나는 황급히 복도 안쪽으로 몸을 숨겼다.

시험이 모두 끝날 때까지 아버지는 그 자리를 지키고 계셨다. 운동장을 가로질러 갈 때, 아버지도 나를 본 모양이었다. 아버지도 천천히 내 쪽으로 걸어오셨다.

네 이놈, 이게 무슨 짓이냐!, 호통이 떨어질 것을 각오하고 있었는데 그게 아니었다.

"시험은 잘 쳤냐?"

은근하면서도 부드러운 음성이었다. 뜻밖의 말에 내가 놀라 아버지를 쳐다보았다. 아버지의 안면 어디에도 노기란 찾아 볼 수 없었다. 모든 것을 체념한 듯한 눈빛. 그 아버지가 나를 보며 물었다.

"뭐 묵을래?"

비로소 내 전신에서 긴장이 빠져나가면서 잊고 있던 고단함과 허기가 밀려들었다.

금호강 따라 흐르는 추억

대구 대륜고등학교는 1921년 9월 애국지사 홍주일(洪宙一), 김영서(金永瑞), 정운기(鄭雲騏) 등 세 분이 인재양성을 통한 국권회복을 목적으로 사설학원 강습소인 교남학원을 설립한 데 기원을 두고 있다. 당시 대구부 팔운정에 있던 우현서루(友弦書樓)를 가교사로 하여, 정운기 선생이 설립자 겸 초대 교장에 취임하였다. '빼앗긴 들에도 봄은 오는가.'를 쓴 민족시인 이상화가 당시의 교사였으며, 독립운동가였던 '청포도'의 시인 이육사가 이 학교를 졸업했다. 전 중앙정보부장 김재규, 문예비평가 이원조, 전 국회의장 이만섭, 전 국무총리 한승수 등이 다 이 학교 출신들이다.

대륜이란 학교 이름은 1940년부터 사용하였으며 1942년 대구 수성동으로 교사를 이전하였다. 현재는 대구시 만촌동에 있다.

고교 3년 동안 나는 통학, 하숙, 자취 등 시내에 제 집이 없는 학생이 겪을 수 있는 생활체험을 모두 해보았다.

입학 초기에는 대구 교외의 촌아이들이 대개 그러하듯 나도 통학생으로서 시골집과 시내 학교를 오갔다.

앞에서 잠시 언급했듯이 진량 화전의 내 집에서 기차역이 있는 청천까지는 10리 거리였다. 촌에서의 10리길은 그리 먼 거리가 아니지만 내 통학 길에는 남들이 겪지 않는 난관이 있었으니 그것은 강을 건너는 것이었다. 우리 마을 뒤 들판 끝에 누운 금호강은 비록 큰 강이라고 할 수는 없지만 그렇다고 바짓가랑이를 걷어 올리고 건널 수 있는 하천도 아니었다. 길이 120킬로미터의 이 강은 포항시 죽장면에서 발원하여 영천을 관통한 뒤 팔공산 남쪽 기슭을 휘돌고 이어 대구 북부지역을 감아 돈 뒤 대구의 서쪽 시계(市界)에서 낙동강과 합류한다. 지금은 진량과 청천 사이에 남하교가 놓여 있어서 사람과 물량이 오감에 아무런 불편이 없지만 그 시절에는 나룻배 하나가 강을 건너는 유일한 수단이었다.

나루터에는 어느 때든 배를 부리는 사공이 있었다. 동네 아이들까지 '하 씨 아제'라고 불렀던 그 쉰 남짓의 사공은 키가 작았고 조금 얽은 얼굴이었다. 뜨내기 행인이라면 배를 탈 때마다 응당 배삯을 지불해야 마땅했지만 우리 같은 동네 아이들은 그런 운임조차 치를 필요가 없었다. 머슴에게 세경을 주듯이 집집에서 한 해 뱃삯에 해당하는 곡식을 미리 주었기 때문이었다.

예닐곱 사람만 타도 가라앉을 듯 작고 볼품없는 나룻배이지만 마을 주민들한테는 오래 신은 신발처럼 요긴하고 정이 가는 것이었다. 그러나 이 배도 홍수가 지고 강이 범람하면 아무런 구실을 할 수 없었다. 이런 때면, 강을 건너가 통학열차를 타야 하는 학생들은 아예 등교를 포기하거나 경산을 돌아가는 시외버스 하나에 의지할 수밖에 없었다.

청천역을 통과하는 통학열차를 말 그대로 대구의 각급 학교에 다니는 학생들로 언제나 붐볐다. 출퇴근 하는 근로자는 많지가 않았다. 당시만 해도 열차가 제 시간을 지키는 경우가 드물었다. 10분, 20분 연착하는 일이 예사였던 것이다. 열차를 놓치면 그날 학교 수업은 파장이나 다를 바 없었다. 다음 열차가 언제 올지 기약을 할 수 없었던 것이다.

교복을 입은 학생들로 통로마저 발 디딜 틈이 없는 차내에서는 남학생들의 짓궂은 장난과 여학생끼리의 소곤거림이 그치지 않았다. 좌석에 앉은 몇몇 학생들만 책을 펴놓고 있을 뿐이다. 열차가 덜컹거리고 흔들릴 때마다 일부러 여학생에게 몸을 기대는 머슴애들도 없지 않았다. "사리마다(팬티의 일본말) 고무줄 끊어졌다!" 누군가 소리치면 여기저기서 폭소가 터지기도 했다.

동대구역에서 열차를 내린 뒤에는 3킬로쯤 되는 수성동의 학교까지 뜀박질을 하는 것이 예사였다. 시내버스가 있었지만 복잡한 버스에 시달리며 가느니보다는 그것이 되레 마음이 편했다. 버스비를 아낀다는 생각도 없지 않았다.

손목시계라는 것도 드물고 귀하기만 하던 시절이었기에 길가 상점의 유리창 너머에 있는 벽시계들이 다 내 시계들이었다. 뛰고 걷는 가운데도 그 시계들을 쳐다보면서 지각인가 아닌가를 가늠했다.

이후 하숙을 구한 덕에 1학년을 마치기도 전에 통학생활을 접었던 나는 3학년에 올라가서 다시 통학생으로 복귀했다. 이 두 번째의 통학시절에는 거의 매일 내 조카와 같이 다녔다. 경북고등학교에 다니는 조카는 나와 한 살 차이 밖에 나지 않았지만 남들 앞에서도 꼬박꼬박 나를 '아제'라고 불렀다. 워낙 공부를 잘 하고 또 좋아하는 편이어서 조카는 통학열차 안에서도 책을 들여다보는 경우가 대부분이었다. 자연 나도 그를 따라서 책을 가까이 할 수밖에 없었다.

그 통학열차에 단골 여학생이 한 명 있었다. 청천에 있는 과수원집 딸이었는데 경북여고에 다녔다. 얼굴은 크게 예쁘지도 않았지만 그렇다고 밉상은 절대 아니었다. 거의 매일이다시피 얼굴을 마주치면서도 짧게나마 얘기를 해 본 적이 없는 처지인데 그녀만은 나에 대해서 아는 것이 있는 모양이었다.

그 여학생은 이전부터 자꾸 내 눈에 뜨이는 행동을 했다. 학교를 파해 청천으로 돌아올 때도 서로 같은 통학열차를 이용했는데 차에서 내릴 때 마다 그녀는 꼭 내 앞을 걸어갔다. 앞서 걷는 그녀와는 항상 2-30보 거리가 있었다. 간혹 그녀가 뒤를 돌아보며 묘한 표정을 짓기도 했지만 숙맥 중에서도 숙맥에 속했던 나는 그럴 때 마다 먼 데로 시선을 돌리기가 일쑤였다.

더러 내가 대구역에서 내려 다른 일을 보고 뒤늦게 대합실을 빠져 나올 때도 그녀는 꼭 내 앞에 있었다. 역사 밖에서 그녀가 몰래 나를 지켜보며 기다리지 않고서야 가능한 일이 아니었다. 나는 왜 그녀의 마음을 헤아리지 못했던 것일까. 공부하는 학생이 이성교제를 한다면 마치 무슨 범죄를 저지르는 것처럼 여겼던 당시의 풍조 때문이었는지도 모른다. 벌써 이성에 대해 눈을 뜬 나이였기에 이성에 대해 설렘을 갖고 그를 그리워하고 가까이 다가가고자 함은 당연한 욕망인데도 불구하고 당시의 도덕률에 억매여 아닌 척 태연을 가장하고 보고도 애써 외면했다고 해도 틀린 말은 아닐 성싶다.

그녀와 나의 인연은 그뿐이었다. 그녀 또한 어디서 어떤 생애를 펼쳤는지도 전혀 알지 못한다.

고등학교 2학년으로 올라가던 해 2월, 아버지가 세상을 떠났다.

지금 생각해 보면, 금호강의 물고기를 특히 좋아하시어 생식도 마다하지 않았던 아버지가 간디스토마에 감염되고 이어 간암으로 진전되어 그렇게 허망하게 목숨을 놓았던 것으로 보인다.

어머니의 충격과 슬픔도 그랬지만 하루아침에 집안 의 가장 큰 남정네가 돼 버 린 나의 절망감은 이루 말할 수 없었다.

고교시절, 그림과의 첫 인연

시골에서 태어나 자라다 보니 절로 접하는 것이 아름다운의 자연의 풍경이었다. 자연이 빚어내는 이 풍경화는 여느 화가들도 흉내내지 못할 완벽한 구도와 절묘한 기법을 다 갖추고 있었다. 나는 일찍이 이들 자연의 그림만 익히 익혔을 뿐 달리 그림 공부를 한 적은 없었다. 고교 2학년 때 크리스마스카드 그리기 교내대회가 있었다.

서양화 전공의 박명조 선생이 지도하는 대륜고 미술부는 이전부터 전국적인 명성을 얻고 있었다. 전국 규모의 미술대회에서 해마다 큰 상들을 휩쓸어온 덕분이었다. 그 영향 때문인지는 몰라도 학교에서는 12월이 다가오면 연례행사로 크리스마스카드 전시회를 열었다. 전시회에 내걸 작품은 전교생의 응모작 중에서 가려 뽑았다. 그해 겨울, 나는 언덕 위에 선 교회당을 그린 그림으로 전교 2등상을 받았다. 그림에 대해서는 문외한이나 다를 바 없었던 내가 그런 큰 상을 받으리라곤 꿈에도 생각해 보질 못했던 일이었기에 홀로 가슴 벅찬 기쁨을 누렸던 기억은 지금도 생생하다.

거침없이 흐르는 세월 속에 나도 어느덧 고등학교 졸업을 맞게 되었다. 이 시기, 나의 대학 진학 문제를 걱정하고 계시던 외할아버지가 우리 집을 찾아오셨다.

"네가 대학을 가려면 여기 남아 있는 논밭을 다 팔아야 할 텐데 어떡하겠니."

내 처지를 안타까워하면서도 내 집안 사정을 더 딱하게 여기던 외할아버지의 말씀이었다. 나는 그 분의 말씀에 백 번 수긍을 할 수밖

에 없었다. 내 한 몸의 영화를 위해서 식구들을 헐벗고 굶주리게 할
수는 없는 일이었다.

대학 진학을 포기하였지만 꿈은 잃지 않았기에 혼자서도 공부는
계속했다. 다음해에 건국대학교에 합격을 하였지만 끝내 등록을 하
지 못했다.

농촌재건운동에 뛰어들어

고등학교를 졸업하던 해 봄, 5.16 군사 쿠데타가 일어나 육군소장 박정희를 필두로 한 군부세력이 정권을 장악했다. 그 한 해 전에는 4.19 학생의거가 있어서 이승만의 자유당 정권이 붕괴되었다. 이승만의 실각 이후, 민주당 정권이 들어섰지만 무능과 방종에 따른 사회 혼란으로 하루도 조용할 날이 없었다. 이에 군부가 들고 일어나 정권을 무너뜨린 것이 5.16군사정변이었다.

군사정권이 들면서부터 우리 사회는 전반적인 변화를 겪게 되는데 농촌사회라고 해서 예외일 수는 없었다. 정부가 주도해서 펴나가기 시작한 농촌계몽운동도 그 중 하나였으며 그 중심에 내가 적극 가담하여 활동한 4H운동이 있었다.

대학에 진학하지 못하고 집안에 들앉았다고 해서 나는 빈둥거리며 놀기만 할 성격이며 체질이 아니었다. 일이 없더라도 만들어 저지르는 것이 내 성격이었다. 당초부터 나는 축산에 관심이 컸다. 많지 않은 논밭에서 얻을 수 있는 수익은 수고에 비해 턱없이 적을 수밖에 없었다. 그 노력과 시간을 남들이 잘 하지 않는 축산에다 투자한다면 빠른 시간 안에 가시적인 성과를 거둘 수 있다는 것이 내 요량이었다. 물론 축산에도 새로운 방법과 기술을 과감히 도입해야 한다는 것이 내 생각이었다.

축산으로 내 집안을 일으켜 세운다는 포부와 의지로 먼저 소와 돼지, 닭을 키웠다. 손에 쥔 것이 없으니 처음부터 욕심을 부릴 수는 없었다. 소 한 마리, 돼지 두 마리, 닭 50마리가 내 꿈의 시작이었다. 사료 값을 아끼기 위해 남의 집에서 구정물까지 얻어오는 일을 마다하지 않았다. 밭에 버려진 채소들도 모두 내 손으로 거둬들였다. 닭들은 온종일 집 뒤 야산에 풀어놓아 스스로 먹잇감을 찾게 하였다. 방목으로 키운 닭이 훨씬 튼튼하고 육질이 좋다는 사실도 나는 알고 있었다.

그래도 일손이 남는다 싶어 토끼 사육에 관심을 둘 무렵, 내가 주동이 되어 우리 마을의 4H 클럽을 결성하였다. 가축을 키우고 농촌활동을 함에 있어서도 하나보다는 둘, 둘보다는 셋의 힘과 지혜를 모으는 것이 중요했다. 게다가 4H클럽은 청소년들에 의한 자치활동의 단체이지만 국가가 적극 장려 지원하는 조직임을 잘 알고 있었다. 군, 면 혹은 농촌지도소의 작은 도움을 얻기 위해서도 이러한 자발적인 노력과 계획이 필요했다.

4H운동이란 곧 4H클럽 활동을 말한다. 대개 청소년들이 참여하는 이 단체는 20세기 초 미국의 농촌 젊은이들 사이에서 생겨나서 1924년경 일반화 되었다. 네 개의 클로버 잎에 하얀 색의 'H'자가 크게 새겨져 있는 로고와 이 로고가 부착된 모자와 제복을 입은 젊은이들이 외치는 다음의 맹세에서 4H클럽의 지향점과 실천의지가 잘 나타난다.

"나는 나의 클럽과 나의 공동체와 나의 나라를 위하여, 나의 머리(Head)를 더 명철하게 생각하는데, 나의 가슴(Heart)을 더 위대한 자부심을 가지는데, 나의 손(Hand)을 더 큰 봉사를 하는데, 나의 건강(Health)을 더 나은 삶을 위해 바치기로 맹세한다."

4H클럽이 하는 활동은 50여 가지가 넘는데 농촌활동 중에는 농작

물 재배, 화원 가꾸기, 가금(家禽) 키우기, 암퇘지와 새끼돼지의 구
매·사육·관리, 낙농우 키우기, 판매용 식용우 키우기 등이 포함
돼 있었다.

　우리나라에서는 일제강점기부터 4H클럽이 결성되었지만 본격적
인 활동이 있었던 것은 1960년대 이후였다. 민간주도형의 지역사회
운동이었지만 정부가 농촌 청소년들에 대한 사회교육을 목표로 장
려 육성한 것으로 농촌지도사업의 중요한 모체가 되었다. 4H클럽
운동은 처음부터 농촌의 청소년지도사업을 목표로 사회교육적인 면
을 강조한 운동이었다. 부락을 단위조직으로 하여 군연합회, 도연합
회, 중앙협의회로 조직되어 있었지만 핵심적 운동단위는 부락이었
고, 부락 청소년층에서 자생적인 지도자가 나왔다. 1970년대 정부
주도로 새마을운동의 주역을 담당한 농촌지도층은 대부분 4H클럽
운동을 통해 육성된 인재들이었다.

　우리 마을의 4H클럽은 곧 진량 4H클럽 연합회의 일원이 되었으
며 머잖아 나는 연합회장으로 선출되었다.

　회장이 된 후 내 일상도 완전히 바뀌었다. 회원들과 함께 매일같
이 면내의 마을을 돌며 당시 국가시책의 하나였던 산아제한 홍보를
하는 것이 당면한 과제였다. 세상이 바뀌어 지금은 아이를 많이 낳
은 가정이 환대를 받는 시대가 되었지만 그 당시만 해도 급격히 불
어나는 인구문제를 해결하기 위해서 각 가정마다 출산을 제한하는
것이 급선무였다. 정부에서부터 막대한 예산을 들여 이를 홍보하였
으며 정부 시책을 따르는 가정에는 남다른 혜택을 주기까지 하였다.
처음에는 "둘만 낳아 잘 기르자."는 슬로건을 내걸고 산아제한의 필

요성을 역설하였지만 머잖아 "하나만 낳아 잘 기르자."로 슬로건이 바뀔 정도로 과다한 인구는 국가의 근간을 흔들 정도의 위중한 문제가 돼 있었다.

축산을 장려하고 농사법의 개량을 선전하는 것도 4H클럽이 해야 하는 주된 일이었다. 여기에는 지역별 농촌지도소가 든든한 후원이 돼 주었다.

나는 연합회장으로서 선전 홍보에 앞서는 한편 스스로 솔선수범을 보이는 일에도 게으르지 않았다.

사육하던 가축의 수를 늘려가는 한편 전부터 생각해 오던 토끼 사육을 실행에 옮겼다. 150마리의 토끼를 도입하여 정성껏 키웠다. 육용 토끼의 사육이 농가소득 증진에 기여할 것이란 내 믿음은 변함이 없었다. 두 달여가 지난 뒤 키우던 토끼 한 마리를 잡아 직접 토끼탕을 만들어 보았다. 고기를 많이 넣은 탕 한 그릇을 그동안 물심양면 도움을 주신 외할아버지께 대접하였는데 이를 맛보신 외할버지는 '맛이 괜찮다.'며 칭찬의 말씀을 아끼지 않았다. 이전까지만 해도 토끼 고기를 어떻게 먹느냐고 고개를 저으시던 외할아버지였기에 나는 이 칭찬을 나에 대한 남다른 격려로 받아들일 수밖에 없었다.

농촌지도소의 소개로 미군부대서 분양 받은 일명 '붉은 돼지' 듀록 저지(Durce-jersey) 한 마리도 따로 사육했다. 미국 동부지역이 원산지인 이 돼지는 체구가 크고 등이 다소 아치형으로 굽어 있는데 털이 대체로 적색에서 암적색을 띠고 있기에 흔히 붉은 돼지로 불렸다. 체질이 강건하여 병을 잘 이기는데다 육질이 좋고 빨리 자라기 때문에 우리네 농가에서도 인기가 있는 품종이었다. 나는 몇 달 뒤에 이를 인공수정 시켜 11마리의 새끼를 얻었다. 이들 새끼는 이웃 농가에 분양함으로써 짭짤한 수입을 얻을 수 있었다.

나는 이 무렵 돼지의 인공수정은 물론 거세의 기술까지 터득하고 있었다. 조기에 수퇘지를 거세하는 것은 돼지고기의 육질을 향상시키는 방법의 하나로써 일찌감치 사용되었지만 농가 스스로 이를 할 줄 아는 경우는 많지 않았다.

1960년대 후반, 농촌진흥청이 통일벼를 개발하여 농가 보급에 나섰을 적에 나는 누구보다 앞서 이를 도입 경작하여 이전보다 두 배가 넘는 산출을 얻는 경험을 했다.

신품종 통일벼는 한국인이 즐겨 먹는 자포니카(Japonica)와 다수확 품종인 인디카(Indica)를 교배한 것으로 시험재배를 통해 다수확성이 확인되면서 '기적의 쌀'로 주목을 받았다. 통일벼는 여러 차례의 시험재배를 거쳐 1972년부터 전국적으로 확대 보급되었으며 정부는 시장가격보다 높은 가격에 쌀을 수매하여 신품종 재배를 촉진시켰다. 이후 신품종은 전국적으로 재배되면서 쌀 수확량을 높였으며 이에 힘입어 1977년에 이르러 우리나라는 쌀의 완전 자급을 달성하게 되었다.

경작지와 사육하는 가축의 수를 늘리다 보니 내 한 몸으로 감당하기가 어렵게 되었다. 하는 수 없이 상주하는 일꾼을 두고 일을 계속해 나갔다.

겨울철의 가축 사료를 확보하기 위해 간이 사일로를 짓고 거기다 고구마 줄기를 넣어 발효시킨 엔실리지를 생산하기 시작한 것도 나름 획기적인 일이었다. 다른 사료와 섞은 이 엔실리지가 얼마나 맛

있었던지 먹이통만 들고 다가가도 소들은 혀를 내밀고 야단을 쳤다.

4H활동을 비롯한 나의 이러한 농촌운동은 머잖아 주위로부터 인정을 받게 되었으며 무엇보다 다행스러운 것은 농촌지도소가 나를 신임하여 든든한 지원자가 돼 준 일이었다. 농촌지도소에서는 내 수고를 덜어준다면서 하늘색 자전거 한 대까지 무상으로 대여해 주었다. 그 자전거를 타고 이 마을 저 마을을 달릴 때면 나 스스로 농촌의 선각 지도자가 된 듯 같은 뿌듯함도 없지 않았다.

농촌 행사가 있을 때면 더러 장재호 경산 군수마저 나를 옆에 앉히고 칭찬을 아끼지 않았다. 그런 도움과 격려에 힘 입어 나는 1962년 경상북도 4H 경진대회에서 벼농사 부문 1등, 종합 2등 수상의 영예를 안을 수 있었다.

행복했던 군 복무 시절

대한민국의 젊은이라며 누구나 한 번은 꼭 짊어져야 할 신성한 책무, 군 복무의 때가 나에게도 찾아왔다.

나는 벌려놓은 일들을 동생과 어머니께 떠맡기고는 미련 없이 논산신병훈련소에 입소했다. 마지막 병과 판정을 받을 때였다. 전방 철책선 근무가 싫지는 않았지만 가능하면 제대 후에도 유용하게 써먹을 수 있는 의무 병과 같은 것을 받고 싶었다. 후방에라도 떨어져 자주 어머니를 찾아 볼 수만 있어도 더 없는 다행일 것 같았다. 그러기 위해서라도 내가 할 수 있는 방법을 다 찾아볼 필요가 있었다.

군 입대 직전, 4H 연합회 활동을 함께 하면서 가까이 지낸 여부회장이 제 친오빠가 육군 소령으로서 논산훈련소에 있으니 기회가 닿거든 찾아보라고 했던 말을 떠올렸다. 신병 대기 때는 워낙 경황이 없어서 그를 찾고 싶어도 찾을 겨를이 없었다.

하늘이 내 정성을 알아 요행을 주신 것일까. 병과 판정을 받겠다고 판정관실에 들어갔을 때였다. 책상 위에 놓인 명패가 무심코 눈에 들어왔는데 거기 적힌 이름이 바로 그 오빠의 것이 아닌가! 하늘처럼 우러러 보이는 판정 장교가 내가 찾던 당자임을 안 순간부터 콩닥콩닥 가슴이 절로 뛰었다.

판정관 앞에 선 나는 주저하지 않고 여부회장의 이름을 말하고 인사를 올렸다. 주저할 필요가 없었다. 그래? 판정관이 나를 쳐다보며 잠깐 미소를 지었다. 반가운 기색을 숨기지 않는 것을 보곤 나는 내 희망 병과를 떳떳이 말했다.

그 덕분이었을까. 나는 세 명만 뽑는 의무병과의 일원이 되었다. 그때의 기쁨을 어떻게 형언할 수 있을까. 의무병과의 신병들은 대구로 가서 다시 교육을 받는 것이 상례였다. 대구에 가기만 하면 내 집이 지척이었다. 기뻐할 어머니와 동생들의 모습이 눈앞에 선히 그려졌다.

배출대에서 한 주일을 기다린 뒤, 밤 열차를 타고 달려가 도착한 곳은 뜻밖에도 대구가 아닌 부산의 화학학교였다. 의무충자가 없어서 화학병과로 바뀐 것이었다. 부산화학학교에서 두 달간 화생방교육을 받은 후 대구에 있는 2군 사령부에 배속되었다. 뜻한바 대구 근무의 꿈이 이루어진 것이었다.

대기병으로 있을 때였다. 작전과 선임하사가 5관구에 약품 수령을 갈 때 내가 사역병으로 따라 갔다. 때마침 선임하사는 시내 나온 김에 잠깐 제 집에 들렀다 오겠다고 말했다. 원대동 어디쯤이었다. 하사가 집안으로 들어가는 모습을 본 뒤, 나는 골목 끝 구멍가게에서 권련 담배 세 갑을 샀다. 부대로 돌아오는 차 안에서 그것을 선임하사에게 내밀었더니 그가 눈을 동그랗게 뜨며 놀라워했다.

"니가 이런 짓도 할 줄 알아?"

말은 그랬지만 싫은 빛이 아니었다. 그것이 약효가 됐던 것일까. 며칠 뒤 나는 이등병 처지에 작전과 서무조수로 배치되었다. 작전과 근무병들은 모두 하사, 병장들이었지만 내게는 큰 어려움이 없었다. 더 다행인 것은 그들 모두 제대를 코앞에 두고 있다는 사실이었다.

그들이 차례차례 제대를 하자 후임 이등병들이 속속 들어왔다. 두 달간의 내 '쫄병'생활도 이로써 끝이 났다. 그 덕에 내 시간도 꽤 생겨서 집안 제사 때가 되면 진량으로 달려갈 수도 있게 되었다.

당시만 해도 2군 사령부의 식당, 세탁소 등은 민간인들이 운영하였다. 그로 인해 민간인들의 출입이 빈번했다. 그들에게는 군부대 자체가 요긴한 영업 고객이었다. 민간인의 출입 가부를 결정하는 신원조회를 내가 담당하였기에 그들에게는 내가 상감님 같은 권세가였다. 이를 기화로 부대 회식이 있을 때마다 빵과 음료, 만두, 자장면 등을 무상으로 공급할 수가 있었으니 나는 내무반에서도 중요한 위치가 될 수밖에 없었다. 그뿐이랴. 장교식당을 운영하는 사장이 자기 딸아이와 데이트를 해보라고 권해서 그녀와 데이트를 하는 호강도 누렸다. 대구여고를 나온 그 딸아이는 키가 좀 작았지만 얼굴이 곱상하고 성격이 명랑하였다.

그녀와의 만남은 채 일 년이 되지 않아 내가 제대를 하여 서울로 떠나면서 끝이 났다. 그녀 또한 어느새 일흔 넘은 할머니가 되어 초등학교, 중학교 다니는 손자손녀를 바라보며 그 예전의 미소를 짓고 있을 지도 모를 일이다.

군에서 내가 하는 주된 일은 비밀문서를 관리하고 주요 차트 등을 작성하는 것이었다. 그 일에 있어서도 나는 항상 상부의 인정을 받았기에 정기 감사에서 곧잘 1등상을 받고 했다. 내가 15일 포상휴가를 받아 시골집을 찾아가는 때면 특히 어머니가 기뻐하셨는데 어머니는 이 모두가 조상음덕이란 말씀도 빠트리지 않았다.

7년간의 공무원 생활

군 복무를 마치고 고향으로 돌아왔다.

제대 후의 내 고향생활도 입대 전과 크게 다르지 않았다. 그러나 그 사이 내 꿈과 지향은 크게 달라져 있었다. 과학적인 영농과 축산을 통해 내 집안을 일으키고 봉사와 지도로 이웃의 삶을 개량하겠다는 당초의 내 꿈이 엄혹한 현실 앞에서 굴절을 겪었다고 해도 과언이 아니다.

비록 나의 영농과 축산이 남들과 달리 선도적인 것이라 해도 분명한계가 있었기 때문이었다. 고작 열 마지기 안팎의 논과 열 마리도 안 되는 소, 돼지로 크게 할 수 있는 일이 없었다. 식구들 입에 풀칠은 할 수 있을지언정 더 나은 삶을 보장할 수 없었던 것이다. 봉사를 통한 사회활동이란 것도 그랬다. 나의 활동 범위는 촌마을을 벗어나기 어려웠으며 그 효과는 미미하고 더디기만 했다.

혈기왕성한 나로서는 이 좁고 더디며 힘만 드는 일에 갑갑증을 내고 쉬 지칠 수밖에 없었다. 그해 가을, 일꾼들과 더불어 몇 날 며칠 고된 벼 베기를 하는 때에는 이런 회의가 더욱 심하게 들었다. 이러다가 나도 촌 머슴이나 농투성이가 되어 뼈 빠지는 고생만 하다가 이름도 없이 사라지고 말겠구나! 절로 나오는 자탄을 어쩔 수 없었다.

한 주일 넘게 밤잠을 설치며 고뇌를 하다가 마침내 결심을 했다.

'사람은 태어나면 서울로 보내고, 말은 제주도로 보내라.'는 말이 있듯이, 나 또한 '큰 물'에 가서 버텨보겠다는 마음을 굳혔던 것이다. 3년에 가까운 군 생활이 나에게 이런 안목과 자신감을 주었음을 부인할 수 없다.

대학을 다니지 못했고 지닌 돈냥도 없지만 남들과 싸워서 지지 않고 살아남을 수 있다는 오기와 자신은 있었다.

서울로 가야한다는 일념으로 나는 어머니께는 취직을 하러 서울 간다는 말만 드렸다.

달리 짐 보따리도 없었다. 물들인 군복 두 벌만 챙겨서 상경 완행 열차를 탔다.

당장의 의지처는 마포에서 약방을 경영하는 사촌형밖에 없었다. 한 달만 먹여주고 재워 달라는 부탁을 하곤 곧바로 일자리를 찾아 나섰다. 그리고 일주일 만에 종로 행정학원에 등록했다.

어느 날, 학원장이 나를 불러 국군보안사령부에서 행정요원을 선발하는 시험이 곧 있을 것 같으니 거기에 응시해보라는 권유를 했다. 원장의 친구가 그 정보를 주고 갔다는 것이었다.

나는 흔쾌히 이를 받아들였다. 현역 복무 때도 보안업무를 담당한 바 있었으니 이 일은 결코 내게 낯선 것이 아니었다. 당시까지도 보안 규정들을 달달 외고 있었으므로 시험에도 자신이 있었다.

응시 결과, 예상한 대로 거의 만점 수준으로 합격을 했다. 시험문제는 비밀관리, 작전 등 대부분 보안에 관한 것이었는데 군 시절 내가 취급해 보지 않은 것이 없었다.

시골에 돌아가서 서류 준비를 한 뒤, 한 달 가량 보안소집교육을 받았다. 선발시험 성적이 좋았던 나는 교육기간 동안 학생장에 임명되어 그 역할을 충실히 했다. 그 시절 학생대장이 훗날 12.12사태 때 주동의 한 사람으로서 신군부의 핵심이 됐던 허삼수 대위였다.

교육을 마친 뒤에는 정식으로 4급 갑 문관으로 임용되었다. 여느 교육생들이 4급 을 혹은 5급으로 임용된 데 비해 나는 훨씬 좋은 대우였다.

1년 뒤, 3급 을에 진급이 되어 보안학교 장교기초반 48기에 입교하였으며 여기서도 나는 1등의 성적으로 수료했다.

수료 때도 일화가 있었다. 수료식에서 1등상을 내가 받는다는 사실을 알고 있었는데 식이 있기 하루 전 교수부장이 나를 불렀다. 부장이 내게 이르길, 1등 수료는 현역에게 있어서는 진급과도 결부되는 것이니 1등상을 2등의 정 대위에게 양보하는 것이 어떻겠느냐는 것이었다. 군 생활을 해본 나로서는 그 말을 이해 못할 바 아니었다. 순순히 내가 양보한다는 뜻을 밝히자 교수부장이 직접 내 손을 잡으며 칭찬을 했고 곁에 있던 정 대위가 누구보다 고마워했다. 그렇게 해서 수료식에서는 정 대위가 1등상을 받았지만 부상인 오리엔트 손목시계는 선물로 내게 돌아왔다.

좋은 일을 베풀면 그것이 갑절 좋은 일로 되돌아온다는 말이 맞다.

이후 정 대위는 보안사령관의 비서관이 되었다. 사령부의 실세 중에서도 실세가 된 것이다. 그를 계기로 민원 등 어려운 일이 있으면 나는 그에게 상의를 하였으며 정 대위 또한 힘닿는 데까지 나를 도와주었다.

특히 권력기관에서 일한다고 해서 고향 친인척의 청탁이 적지 않았는데 그것은 대부분 자식들의 보직에 관련된 것이었다. 그 중에서도 뿌리치지 못할 것이 있을라치면 내가 정 대위에게 단위 부대장 소개를 부탁하였으며 정 대위는 내 청이라면 거의 거절치 않았다.

고향에서 내 평판이 더욱 좋아지면서 어깨에 힘이 들어간 이는 바로 내 어머니였다. 홀로 사는 아낙이라고 섭섭한 일도 자주 겪었던 어머니가 어느새 마을에서 말 빨 있는 여인네로 통했던 것도 그 즈음이었다.

"이 모두가 눈물 콧물 쏟으면서도 내가 조상님들을 잘 모신 덕택이지 뭐겠노."

어머니가 자주 하시던 말씀이었다. 어머니는 그때까지도 고조부, 증조부부터 제사라는 제사는 홀로 다 감당하고 있었다.

나도 어머니의 말씀에 깊이 공감한다. 내가 탈 없이 그리고 열심히 7년 간의 문관생활을 할 수 있었던 것이 다 조상음덕이었다는 말도 그래서 되레 고맙게 받아들이는 것이다.

책 읽는 습관

　보안사 문관 시절, 내 인생 행로에 크게 영향을 미치는 두 가지 일이 있었으니 그 중에서도 가장 큰 일은 평생의 반려자를 만난 것이었다. 어느새 50년의 세월이 흘렀지만 그동안 희로애락을 함께 해온 아내 김태옥을 그 시절에 만났다. 집안친지의 소개로 선을 보고 시골의 순박함이 마음에 들었고 맏이로서 우리 5남매를 화합할 수 있는 사람을 아내로 맞이하는 문제가 제일 중요했기에 결정하고 혼례를 1969년 4월 20일 대구의 고려 예식장에서 올렸다. 아내는 경산 고산면 출신으로 나와 고향이 같고 집안 형편도 크게 다르지 않아 결정했고 공무원의 박봉으로 누님결혼, 남동생, 여동생, 막내 남동생까지 어려운 살림살이에도 불평없어 자녀들을 키워냈으며 묵묵히 내조해 주었기에 오늘의 내가 있을 수 있었다.

　또 하나는 당시 새로 보안사령관으로 부임한 강창성 장군의 영향이었다. 알려진 바와 같이 그는 5.16 군사정변에는 직접 가담치 않았지만 중앙정보학교장, 제5사단장, 육군정보참모부 차장, 중앙정보부 보안차장보 등 요직을 역임한 정보통의 무장이었다. 그가 보안사령관으로 부임해 온 것이 1971년 9월이었는데 그는 부임과 동시에 아주 특별한 명을 내렸다. 사령부의 하사관급 이상의 모든 군인과 문관들이 매달 한 권 이상의 책을 읽고 그 독후감을 제출하라는 것이었다. 보안부대에 근무하는 사람은 일반 부대의 사람들과 달라야 하고 항시 공부를 해서 자기 향상을 꾀해야 한다는 이유에서였다.

군 기관에서 우선적으로 독서의 기풍을 진작시킨다는 조치가 쉬 납득이 되지 않았지만 최고 책임자의 명이니 조직 구성원으로서 싫든 좋든 따르지 않을 수 없었다. 나도 처음에는 학교 숙제를 하듯이 의무적으로 책을 읽고 소감을 써냈다. 두세 달 그렇게 하다 보니 나도 모르게 점점 책 읽는 재미에 빠져들었다. 정치, 철학, 문학, 역사 등 분야를 가리지 않았다. 한 권만 읽어도 될 것을 나 혼자 두 권 세 권으로 분량을 늘려나갔다. 독후감 쓰는 일도 더 이상 성 가신 일만은 아니었다. 책을 읽으며 가졌던 느낌과 생각을 나 나름으로 글로 정리하는 작업은 더 큰 보람을 주기도 하였다. 이 일이 있었기에 독서에 더 집중할 수 있었고 읽는 틈틈이 메모를 하는 습관도 키울 수 있었다.

책을 읽고 독후감 같은 것을 쓰려면 무엇보다 오랜 시간 느긋이 그리고 끈기 있게 한 자리에 붙어 앉아 있는 습관을 키울 필요가 있었다. 의자에서 자주 엉덩이는 떼는 버릇이 있어서는 독서가 가능치 않았다. 또 책 내용이 재미가 없어서 지루하기만 하거나 더러 독서 자체가 따분하게 느껴질 때가 있더라도 한 번 붙잡은 책은 끝장까지 읽고 만다는 집념을 가질 필요가 있었다. 물론 나한테도 위기는 몇 차례 있었다. 도통 글의 내용이 머리에 들어오지 않고 갑갑하기만 해서 금방이라도 책을 내 팽개치고 싶은 때가 없지 않았던 것이다. 그럴 때 마다 나는 이것이 나에 대한 시련이요 시험이라는 생각을 했다. 내가 나를 이기지 못한다면 무슨 큰일을 할 수 있단 말인가. 이렇게 마음을 고쳐먹곤 새로운 마음으로 책상머리에 앉기를 한두 번 하지 않았다. 정히 지루하고 답답할라치면 금세 책장을 넘길 수 있는 가벼운 무협소설이나 연애소설이라도 읽었다. 아무리 황당무계한 무협소설이라고 해도 그 중에는 한두 구절 새겨 가질 만한 대목은 있게 마련이었다. 이야기를 따라 마음껏 공상의 날개를 펴 볼 수 있는 것도 그들 통속물이 가지는 장점이었다. 나중에는 작명, 사주, 관상에 관한 책들까지 독파할 수 있었던 까닭도 이런 너그러운 독서태도에서 비롯되었다.

돌이켜 보아도, 그 2-3년 동안 나는 평생에서 가장 많은 독서량을 가졌으며, 이것이 음으로 양으로 내 일상과 삶에 지대한 영향을 미치게 되었다. 뒤늦게 사령관의 명령이 가지는 깊은 뜻을 헤아릴 수 있었으며 두고두고 그에 대한 고마움을 갖게 된 이유도 거기에 있었다.

이렇듯 문관 시절에 얻은 독서 습관은 훗날 내가 일반 기업에 근무할 때도 그리고 서예학원을 차려서 후학들을 지도할 때까지도 계속 이어졌음은 물론이다. 서예학원을 운영할 때는 나 스스로 한 주일에 책 한 권 읽기의 계획을 세워 실천에 옮겼으며, 이는 이후 12년간 지속되었다.

어림잡아 내가 읽은 책이 6백 권이 넘을 것이란 자랑 아닌 자랑을 나름으로 갖게 된 것도 다 이런 사정들 때문임을 나는 숨기지 않는다.

전국방첩포스터 공모전에서 1등을 하다.

보안사 문관 시절, 또 하나 기억나는 일이 있다. 1970년 2월 국군보안사령부(당시 사령관은 고 김재규 장군이었다.)에서 주관한 전국방첩포스터공모전에서 내가 1등상을 받은 일이다. 나는 상에 대한 기대는 추호도 않은 채 그림을 그리고 표어 문구를 넣어 응모했던 것뿐인데 뜻밖에도 최고상을 받게 되어 스스로 얼떨떨할 수밖에 없었다. 그림에 대한 기초도 없이 크리스마스카드를 만들어 전교 2등상을 받았던 고등학교 때의 일이 생각나게 하는 사건(?)이었다. 아마도 내 속에 잠재된 미적 감각과 세상에 대한 안목이 이러한 결과들을 초래했다고 여기지 않을 수 없었다.

1969년도에는 재미로 크리스마스카드를 몇 장 만들어 보기로 했는데 하다 보니 나도 모르게 1천 2백 장이나 그리게 되었다. 겉 그림을 가능한 한 간결하게 하고 안에는 새해 복 많이 받으라는 문구들을 넣은 속지까지 붙였다.

완성하고 보니 내가 보기에도 그냥 버리기 아까웠다. 12월에 들면서 그것들을 종로 책방에 내다팔았는데 놀랍게도 9백여 장이나 팔렸다.

독서를 통한 작명가 행세

지난 시기, 나는 12년 동안 한 주일에 책 한 권 읽기를 실천한 일이 있었다. 지금 기억으로도 한 주도 건너 뛴 일이 없었다.

1980년대만 해도 책을 가득 실은 수레를 끌고 이곳저곳을 다니면서 책을 빌려주는 장사꾼이 있었다. 한 권 대여료가 1,000원 정도했는데 부피가 커서 기간 내 다 읽지 못하면 1,000원을 내고 기간을 연장하면서 새로운 책 한 권도 더 빌릴 수가 있었다.

이렇게 빌린 책은 돈이 아까워서라도 밤을 새며 읽은 기억도 난다. 가져온 책이 마음에 들지 않아 고르다 보면 관상법, 작명법 등에 관한 책들을 쥘 수도 있었다. [얼굴의 미학] 같은 책은 언론사 기자가 쓴 것인데 흥미로운 내용이 많이 들어 있었다.

[정통 작명법]을 탐독한 뒤, 내가 다닌 산 이름들을 거기에 맞춰 풀어보니 썩 잘 맞았다. 이름 하나하나가 예사로 지어지는 것이 아님을 알 수 있었다.

서예원장을 하다 보면 이름을 지어 달라는 분들도 많고 제자들의 호를 지어 주는 일도 자주 있다. 이럴 때도 이 책은 요긴하게 쓰인다.

집안에서 조카, 손자, 손녀가 태어나면 그 이름 짓는 일은 으레 내 몫이 되었다. 애써 이름을 지어주고도 이들한테는 작명 값을 받을 수가 없었다. 가까운 친지 몇은 나한테 부탁하기 어려웠던지 아는 작명소에 가서 사주도 보고 돈을 주고 이름까지 받아왔다. 뒤늦게 내가 아이들의 이름을 지어주면서 작명소에서 지은 이름과 내가 지은 것 중에서 마음대로 선택해서 쓰라고 했는데 일곱 명 모두가 내가 지은 이름을 호적에 올리고 지금도 그것을 사용하고 있다.

지연, 현승, 덕수, 경찬, 도훈, 소현, 윤상 등이 그것인데 지금까지 내가 작명했다고 드러내지 않았으니 나는 숨어 있는 작명가인 셈이다.

많은 사람들을 접하다 보니 내 관상학 공부도 조금은 도움이 되었다. 특히 여자들의 귓바퀴를 보고서 당신은 부모를 모시지 않겠다, 모시겠다고 말하면 맞다면서 관상을 봐 달라는 이들도 있었다. 처녀들에게는 남자를 고를 때 이마와 코를 잘 보라고 권하기도 했다. 이마가 반듯하고 훤하면 생애의 운이 좋게 마련이다. 코도 바르고 커야 한다. 세계 여러 나라의 큰 인물들을 떠올려 볼 필요가 있다. 무엇보다 눈이 선해 보여야 한다. 문대통령도 내가 볼 때는 눈이 잘 생겼다. 함부로 말 할 수 없는 부분도 많기에 나머지는 접어 둔다.

아무튼 관상학도 참고삼아 공부하면 재미도 있고 유익하다. 책을 가까이 하다 보면 절로 아는 게 많아진다. 이보다 좋은 벗이 또 있겠는가. 최근 내가 읽은 제임스 왓슨의 [지루한 사람과 어울리지 마라] 또한 남들에게 권하고 싶은 의미 있고도 흥미로운 책이다. 노벨 생리의학상을 수상한 과학자의 글이지만 전혀 지루하지 않아서 좋다.

부동산과의 인연

  나의 본격적인 서울생활은 1969년 4월 결혼과 함께 단칸 방 하나를 얻어 살면서부터 시작됐다. 이전에는 하숙생 생활을 면치 못했다.

  이후 1973년 7월에는 경기도 시흥군 서면 광명리 87-16 지번에 방 3개 짜리 작은 단독주택을 구입하였다. 개봉역에서 전철을 타고 시청역까지 통근하게 된 것도 이때부터다. 3년 뒤인 76년 6월에는 광명리 6-82 지번의 모서리 땅을 구입하여 집을 지었다. 손바닥 만한 가게가 딸린 집이었다. 이곳에서 1년여 살다가 77년 11월 인근 철산리 56-245번지의 2층집을 구입하여 이사를 했다. 축대 위에 지은 집이라 전망이 꽤 좋았다.

  아이들이 자라서 중학교에 진학할 무렵에는 강남 8학군 지역으로 이사를 가야 되겠다는 생각을 굳혔다. 먼저 적당한 땅을 구입한 뒤 집을 짓기로 하였다. 그리하여 강남구 방배동 919-4번지에 대지 71

1980년 세번째 지은집(방배동)

평 건평 69평의 규모로 지하 방 3개를 둔 2층집을 직접 지었다. 집이 완성된 것은 1980년 7월 7일이었다. 이전에 살던 철산동 집은 팔지 않고 이사했다. 이후에도 철산동 집이 쉽게 팔리지 않아서 자금 부담으로 조금 고생도 했지만 부산조선공업 이사로 근무하면서 열심히 뛰었다. 건강저축을 위해 반포에 있는 테니스장을 찾아 열심히 테니스 운동을 시작한 것도 이때부터였다. 아이들 또한 강남 8학군 학교에 진학을 하여 적응을 잘 해나가고 있었다.

1976년부터 80년까지 5년 동안 집을 3채나 지었으니 큰일을 한 셈이다. 나 자신은 일 하는 재미로 견뎠지만 지나고 보니 내 아내가 적잖이 고생했다는 것을 알 수 있었다. 겁이 없었다고 해야 하나, 여지가 보이면 밀고 들어가는 탱크정신이라고나 할까. 아무튼, 열심히 일한다는 나의 긍정적인 사고가 이런 일도 성사시켰다고 생각한다.

어머니의 건강관계로 1998년 남양주로 이사한 이래 지금까지 20년을 그곳에서 살고 있다.

내가 두 번째로 부동산과 인연을 맺은 것은 2009년의 일이다. 임대아파트 분양에 인연이 닿았던 것이다. 당초 나는 평당 300만원 미만에 분양된 아파트를 사기 시작했으며, 이후 17채를 사고팔고 하여 지금은 9채를 지니고 있다. 제주도에 있는 3채의 아파트는 구입 후 중국인들의 관심으로 집값이 많이 상승했다.

집을 여러 채 지니고 있다 보면 말썽거리도 자주 생겼다. 특히 보일러가 문제였다. 나는 매사를 긍정적으로 생각하는 편이라 응당 그런 일이 생길 수 있다고 여겨 보일러가 고장 났다고 하면 제 때 고쳐주기를 주저하지 않았다. 또 새로 이사 오는 사람이 도배를 해달라고 하면 "내 집인데 도배를 해드리죠." 하고 적극 처리를 해주었으므로 크게 문제 될 것이 없었다. 어떤 이는 스트레스를 받지 않느냐고 하지만, 돈에 욕심을 가지지 않으면 물 흐르는 듯 마음에 걸림이 없다.

이제는 나도 정리수순을 밟고 있지만, 부동산 사업은 급히 서두르지 않는 것이 중요하다. 먼 데를 보고 느긋하게 기다릴 줄 알아야 좋은 결과를 얻을 수 있다.

㈜부산조선공업에 뿌린 씨앗

공직에서 물러난 후 나는 ㈜부산조선공업에 입사를 했다. 공개채용을 거친 것도 아니고 누구의 소개에 의한 것도 아니었다. 고 김재원(2001년 작고) 사장이 먼 친척이 된다는 사실만 알고 이력서를 들고 찾아갔다. 1973년 봄이었다. 용케 사장을 만날 수 있었다. 나는 찾아온 이유를 밝히고 회사를 위해서 일할 수 있는 기회를 달라고 부탁했다.

당돌한 내 태도에 김 사장도 꽤나 놀란 것 같았다. 이력서를 훑어본 그가 조선에 대해서 아는 게 있느냐고 물었는데 나는 아는 게 없다고 솔직히 대답했다. "그렇지만 빠른 시일 내 업무를 파악해서 누구보다 더 열심히 일할 것입니다."라는 내 말을 듣고는 퍽 흡족하다는 표정을 지었다.

돌아가서 기다려 보라는 얘기만 듣고 사장실을 나왔는데 이틀 후 입사를 허락한다는 기별이 왔다. 먼 친척뻘이라는 점이며 무모하달 정도의 내 용기가 작용을 했을 수도 있지만 군 관련 공직에 있었다는 내 전력이 적잖게 사장의 마음에 들었을 수도 있었다.

조선업이 주 업무이니 만큼 본사는 부산 영도구에 있었지만 나는 서울사무소 근무로 정해졌다. 초임 직책이 업무계장이었다. 서울사무소에는 상무 한 사람, 직원이 둘 있었으며 내가 말단이었다. 당시만 해도 부산조선공업은 우리나라 6대 조선업체의 하나로 손꼽힐 정도로 규모가 있는 회사였다.

나는 사장에게 말했던 바처럼 곧바로 조선 관련 실무와 무역에 관한 책자 두 권을 구입해서 집중적으로 읽어나가기 시작했다. 내용을 모조리 내 머리 속에 집어넣는데 꼬박 두 달이 걸렸다. 그런 중에도 다른 사람보다 먼저 출근하고 늦게 퇴근하면서 맹렬히 일을 배워나 갔다. 나의 주된 업무는 선박건조에 필요한 자재들을 구입, 조달하는 것이었다. 입사 5개월째 무렵이었다. 업무 때문에 상공부의 조선 과장을 만나서 한 시간 넘게 이야기를 나누고 돌아왔다. 그 다음날 사장이 전화를 걸어와 상공부에 가서 무슨 말을 했느냐고 물었고 나는 사실 그대로 대답을 했다.

"허허, 나는 상공부에 자네 친형이라도 있는 줄 알았다네."

사장의 설명을 듣고 보니 그럴 만도 했다. 상공부의 담당 과장이 사장에게 전화를 걸어 항의조로 말하길, 그런 유능한 인재를 어떻게 계장 자리에 앉혀놓고 있느냐고 하더란다. 아마도 그 과장은 내가 실무 경력이 3-4년은 된 줄로 알았던 모양이었다.

정부 관리의 덕은 아니지만, 나의 승진 속도는 남들보다 훨씬 빨랐던 것이 사실이다. 입사 1년 만에 과장이 되었으며 그 후 5개월 만에 차장으로 승진했다. 다시 1년 뒤에는 서울사무소장이 되었으며 머잖아 이사, 상무이사에까지 올랐다. 남달리 일을 열심히 한 데다 회사에 끼친 공로도 눈에 보일 정도였기에 나의 빠른 승진에 대해 시비를 걸거나 불만을 토로하는 이는 거의 없었다.

1975년, 나는 조선산업합리화 자금 5억여 원을 상공부에서 배정 받아 운용하면서 조선소 옆에 있던 대한제분의 대지 1만여 평을 매입, 회사로 귀속시켰다. 이 토지에다 1만5천 톤급 선박 건조를 위한 도크를 건설함으로서 부산조선공업을 명실상부 최상위 수준의 선박

건조 회사의 반열에 들 수 있게 하였다. 이밖에 부산공업주식회사, 내외해운주식회사 등의 자회사를 세워 회사를 그룹 규모로 키우는 것은 물론 이에 따른 영업 창출과 수익 증대를 꾀하는 일에도 나는 주도적인 역할을 다 했다.

자랑 같지만, 내가 입사하여 일한 10여 년 만에 부산조선공업은 10배 이상의 사세(社勢) 확장의 결실을 거두었다.

회사가 정상 궤도에 올라 발전을 거듭해 가는 것은 곧 내가 바랐던 일임에도 불구하고 이는 또 회사와 나의 결별을 재촉하는 것임도 나는 뒤늦게 깨달았다.

회사의 경영이 탄탄하게 되자 본사에서는 더 이상 서울사무소에 상무를 둘 필요가 없다면서 그 직제를 없애고 나를 부산 본사의 관리상무로 내려오라는 인사 명령을 내렸다.

나는 난감할 수밖에 없었다. 오래 터 잡아 온 서울을 버리고 부산으로 이주하는 것이 현실적으로 쉬운 일이 아니었다. 게다가 아이들의 학업을 위해 어렵게 강남 8학군으로 옮겨 사는 것이 얼마 되지 않았는데 이 모든 걸 포기할 수는 없었다. 가족들을 두고 혼자 부산으로 간다면 결국 두 집 살림을 하는 것인데 그런다고 해서 회사에서 봉급을 더 주는 것도 아니었다.

이런저런 고민 끝에 나는 결국 회사를 떠나 새로운 길을 걷기로 결심했다.

부산조선공업 재직시 일으킨 변혁

자랑 같지만, 부산조선공업이 서울에서 영업을 총괄하는 나로 인해서 큰 변화를 겪고 도약의 발판을 마련했던 것은 사실이다. 공격적인 사업을 펼쳐 나가는 도중에는 사장으로부터 "니가 사장이가?" 하는 핀잔 아닌 핀잔까지 종종 들었던 것도 그 때문이었다.

사업의 중요 정보는 아무래도 부산 현장보다는 서울의 중앙 부서에서 더 빨리 수집하고 분석할 수 있었다. 이 정보와 분석을 토대로 하여 나는 경영주에게 새로운 도전이며 앞서가는 경영을 요구할 수 있었다. 일을 크게 벌이고 싶지 않은 경영주라고 해도 두 번 세 번 건의하고 설득하면 마지못해 오케이를 해주곤 했다. 이러한 과정을 거쳐 부산조선공업은 완전히 그룹 차원의 회사로 몸집을 키워 나갔다.

당시 1,500평의 조선소 부지가 11,500평으로 확대되었으며 따라서 D/W 1,000톤에 불과했던 선박 건조능력이 15,000톤으로 급격히 신장하였다. 여분의 능력으로 부산공업주식회사를 새로 만들고 산소 공장을 일본에서 들여왔다. 또 선박사업을 확장하기 위해 내외해운주식회사를 신설하였다. 이어서 조선소의 필수 장비인 크레인을 수입하기 위하여 상공부의 기별 공고를 바꾸는 작업부터 시작하였다. 그 결과 회사는 다량의 중고 크레인을 수입하여 큰 자산을 만들었다.

가시적인 결과를 목도한 사장이 서울에 올라와 나를 서울소장에서 이사로 진급시켰으며, 회사를 키우는데 애를 썼다며 격려의 말을 아끼지 않았다.

1975년 당시 25톤 크레인 두 대만 있으면 월 임대 수입이 1,000만 원이 넘었다. 그런데 회사에서는 한꺼번에 30대를 수입했으니 현금 수입이 대단할 수밖에 없었다. 그 무렵 우리나라 상공부는 국내 기계공업을 육성한다는 정책을 펴면서 외국산 기계 수입을 엄격히 규제하고 있었다. 여기에는 중고제품도 포함돼 있었다.

 당시는 일본 조선업계가 불황이라서 조선소의 주요 장비인 크레인 등이 헐값에 시중에 나오고 있다는 정보가 있었다. 나는 이 호기를 놓쳐서는 안 된다고 여기고 상공부부터 뛰어다녔다. 일정 기간에 얼마의 물량만 수입할 수 있다는 상공부 수입과의 기별 공고 규제를 푸는 일이 급선무였던 것이다. 담당 공무원들과 언쟁을 벌이고 설득을 펼친 끝에 6개월 만에 이 규제를 풀었다. 물론 '조선소용에 한함'이라는 단서가 붙어 있었다.

 바라던 결과를 갖고 회사로 돌아온 내가 사장과 협의를 했는데 뜻밖에도 사장이 난색을 표했다. 거금을 들여 그 중고 장비를 들여 올 필요가 뭐 있느냐는 것이었다. 도대체 내 말을 들으려 하지 않았다. 그렇지만 나는 포기를 않고 사장을 설득했다. 세 번이나 강청을 드리자 사장도 마지못한 듯 일본에 가서 가격을 알아보고 결정하겠다는 말을 했다. 일본에 간 사장이 지인을 통해 알아본 결과 10톤짜리 크레인 한 대의 가격이 1,500만원이었다. 현지에서 두 대를 가계약하고 돌아온 사장이 국내 가격을 알아보니 중고라도 3,000만원이 넘는다는 것이었다. 사업가인 사장이 가만히 있을 턱이 없었다. 다음부터는 수입허가를 더 받아내라고 나를 닦달하기 시작했다.

 회사를 위해서 신이 나 뛰어다녔던 나로서도 퇴직 후 간혹 그 당시

내 몫으로 크레인 두 대만 잡아뒀어도
한 평생을 편안히 살 수 있었을 텐데 하
고 생각할 때가 있었다.

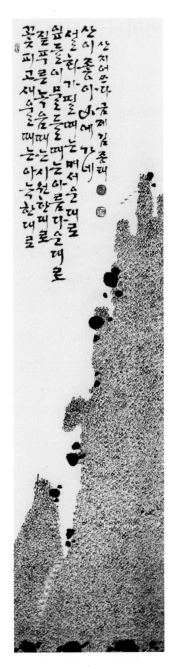

어머니를 떠나보내고

　어머니는 누구에게든 변하지 않는 고향 산천 같은 존재이며, 언제 어느 때든 넉넉하고 따스한 품으로 안아주는 큰 산과 다름이 없다. 어려서부터 유교적 가풍의 세례를 받고 자란 내 어머니는 송나라 교양서 [익지서(益智書)]가 가르치는바 부녀자가 가져야할 네 가지 덕 [四德]을 다 갖춘 분이었다. 옛 사람이 말했다. 여자의 첫 번째 덕이 부덕(婦德)이요, 그 둘째가 부용(婦容)이며, 셋째가 부언(婦言)이고, 넷째가 부공(婦工)이라고. 청렴하여 절개가 있고 분수를 지켜 몸을 정돈하며 몸가짐에 있어서 부끄러움을 알고 행동을 법도에 맞게 하는 것이 부덕(婦德)이요, 먼지나 때를 깨끗이 빨아 옷차림을 정결하게 하며 제 때에 목욕하여 몸에 더러움이 없는 것이 부용(婦容)이라고 하였다. 또 말은 가려서 하여, 예의에 어긋나는 말을 하지 않고 꼭 해야 할 때에 말해서 사람들이 그 말을 싫어하지 않는 것이 부언(婦言)이라고 하였으며 그리고 가사에 전념하여 술 마시기를 좋아하지 않고 맛 좋은 음식을 갖추어서 손님을 잘 접대하는 것이 부공(婦工)이라고 하였다. 게다가 내 어머니는 산골 가난한 집으로 시집을 온 업보를 짊어진 채 눈을 뜨기 바쁘게 논밭에 나가 농사를 지어야 했으며, 쉴 참도 없이 자식들을 돌보고 가축을 살펴야 했다.

　지아비를 먼저 떠나보낸 어머니가 그나마 힘든 노동에서 풀려난 것은 자식들이 장성한 다음이었다. 이전까지만 해도 어머니는 집안 일에서 조금이라도 여유가 생길라치면 남의 포도밭에 가서 품팔이를 하는 것조차 마다하지 않았다. 일당이라고 해서 몇 만원이라도 벌면 그것을 우체국에 가서 꼬박꼬박 저금을 하던 어머니였다. 누구한테 얼마를 빌려주었는가도 일일이 적어 놓을 줄 알던 꼼꼼한 성격을 지니고 있었다.

2남 3녀를 뒀던 어머니는 자녀들이 모두 대처에 나가 살 적에도 홀로 시골집을 지켰다. "촌부가 도시에 나가서 답답해서 어떻게 살겠는가. 내 손으로 밥해 먹고 여기 저기 마실 다니는 것이 내 낙이니까 아예 그런 소리는 꺼내지도 말아라." 이제는 아들집에 와서 며느리가 해주는 밥을 먹으며 편히 지내시라고 말할 때 마다 한사코 손을 내젓던 어머니였다. 그 어머니가 여든둘 노령인 때 뜻밖의 교통사고를 당해 병상에 눕고 말았다. 고향 마을길을 건너다가 그런 불행을 당했다. 사고의 후유증은 심했다. 뇌졸증 진단과 함께 반신마비의 증세가 나타났다. 이른바 중풍이었다. 자식들한테는 청천벽력과 같은 일이 아닐 수 없었다. 그때부터 길고도 고통스러운 투병생활이 시작되었는데 그 병고(病苦)는 곁에서 지켜보는 이의 심장이 녹아날 정도였으니 당사자는 어찌 하였을까!

병상에 누워
숨죽인 풀잎처럼 누워
눈, 귀, 입이 없다
침대에 묶인 팔, 다리
안개 속 더듬듯
아들자식 쳐다보고
보소, 이것 좀 풀어주소, 야!
이슬 맺히는 눈
어머니.

그때의 정황을 그린 졸시 〈어머니.1〉의 부분이다. 사실이 그랬다. 운신이 어려운 어머니는 자식조차 제대로 알아보지 못했다. 그 안타까운 모습을 보면서 자식들은 남몰래 눈물을 훔칠 수밖에 없었다.

반 년에 가까운 병원 생활을 마치고 퇴원을 했지만 더 이상 어머니를 시골집에 홀로 둘 수는 없었다. 다들 생계 꾸리기가 바쁜 자식들인지라 누군가 곁에 붙어 앉아서 수발을 들 형편도 되지 못했다.

먼저 나는 어머니를 서울의 내 집으로 모셔왔다. 그리곤 나는 아내와 상의를 한 뒤 도심 바깥으로 이사를 하기로 결심했다. 아직은 거동조차 못 하는 어머니였지만 언젠가는 다시 걷고 웃음을 지을 어머니를 생각하면 고향 마을처럼 공기가 좋고 한적한 곳으로 옮겨가는 것이 좋을 성싶었다.

여기저기를 물색하고 있는 때에 내 딸아이가 좋은 소식 하나를 전해 주었다. 자기가 다니는 회사에서 남양주시 오남읍에 아파트를 지었는데 분양이 안 된 집이 몇 채 있다는 것이었다. 그 길로 나는 딸애와 함께 현장을 가보았다. 남양주시 오남읍. 그곳은 내가 생각했던 것보다 훨씬 입지조건이 좋았다. 사방이 산으로 둘러싸고 있는 아늑한 분지, 동쪽에는 천마산과 철마산이 나란히 서 있었다. 곳곳에 아파트며 전원주택이 들어서고 있었지만 여전히 시골 분위기가 물씬 풍겨났다. 특히 아파트 앞 야산의 풍경이 더 없이 아름다워 보였다. 서울을 내왕하는 교통편도 수월하게 돼 있었다.

이곳으로 이사를 한 뒤부터 나는 가능한 한 외출을 삼가고 어머니의 재활을 돕는 데 힘을 쏟았다. 그 좋아하던 산행도 그만 두었으며 아울러 샛별산악회의 산행대장직도 내려놓았다. 대신 아침저녁으로 어머니께 걸음걸이 연습을 시키는가 하면 함께 경로당에 가서 이웃들을 사귀기도 했다.

이러한 정성 덕이었을까. 남양주로 이사한 뒤부터 어머니의 병세는 하루가 다르게 호전돼 갔다. 1년이 못 돼 말씀을 제대로 하는가 하면 지팡이를 짚은 채 혼자 아파트 산책로를 걷기도 했다. 하루하루 예전의 모습을 되찾아가는 모습을 보는 것만큼 큰 기쁨이 내게는 없었다. 이태 후에는 어머니 혼자 아파트 경로당에 가시어 그곳 할머니들과 화투를 치며 놀 수도 있게 되었다.

어머니는 90세에 세상을 떠났다. 남양주에서 산 지 7년만이었다. 여러 사람들의 노력과 도움으로 병세가 많이 호전되기는 벗어났지만 세월에서 오는 노환은 누구도 막아낼 수가 없었다. 또 뇌졸중이 왔다. 숨을 거둘 때까지 1년여 어머니는 다시 자리보전을 하고 누웠다. 당신 스스로 화장실에도 갈 수 없었기에 대소변을 받아내는 일부터가 맏이인 내 차지였다. 아침 6시 눈을 뜨기가 무섭게 나는 어머니의 기저귀를 갈아드려야 했으며 수시로 욕실로 모시고 가서 전신을 씻겨 드려야 했다. 누워 계시는 때에도 옆에 지키고 앉아 손발을 문질러드리고 팔다리 운동을 시키곤 했다. 역한 냄새 때문에 더러 나도 모르게 얼굴을 찡그리곤 했지만 그럴 때 마다 나는 생각을 고쳐먹었다. 나 어릴 적에는 내 어머니가 나의 똥오줌을 다 받아냈는데 내가 그 은혜를 못 갚을 게 무어냐는 생각을 하면 그 악취도 악취로만 느껴지질 않았다. 나는 내 어머니의 병간호를 하는 동안 내 체면을 생각해 본 바 없고 내 고단함과 답답함에 짜증을 내 본 일이 없었다. 이것이 효를 실천하는 일이란 생각조차 추호도 하지 않았다. 이는 마땅히 자식된 도리이며 사람의 거죽을 덮어쓴 자가 마땅히 해야 할 일이란 생각밖에 없었다. 그 과정이 어머니에게도 나에게도 어렵고 힘든 것이 분명하지만 남들이 쉬 못하는 그 일을 통해 가지는 모자지간의 특별한 교감이야말로 천만금보다 귀하고 보람된 것이었음을 잊지 않는다.

어머니는 이제 모든 고통을 떠나 경북 영천시에 있는 선영에 누워 계신다. 이승과 저승으로 갈린 지 오래 되었지만 어머니에 대한 내 사무치는 그리움은 조금도 변하지 않는다.

내 절친한 친구 하나가 곧잘 '종태를 울리려면 어머니 이야기만 하면 된다.'고 나를 놀릴 정도로 나는 어머니의 추억 앞에서는 늘 울보가 되고 만다.

어머니 영정 사진

어머님의 마지막 소원

경산 고향 마을에 살고 계실 때 마을에 친구 한 분이 돌아가셨는데 조화가 많이 들어 와서 줄을 세워 놓은 정도로 꽃이 많아서 그 모습을 보고 나도 죽으면 저렇게 많은 꽃을 받았으면 좋겠다고 입버릇처럼 말씀하셨는데 말씀이 현실이 되었다. 어머님은 동부병원 장례식장에서 모셨는데 조화가 많이 들어와 입구부터 접견실과 손님 모시는 자리까지 빙 둘러가고 그것도 자리가 부족해서 옆방이 비었는데 그곳까지 둘러 세워졌다. 조화가 참 많이 들어와 어머님의 염원이 이루어 진 것 같아 상주로서 대단히 기쁘게 생각했다. 처음 병원측에서 5개만 들여 놓으라고 통제를 했지만, 너무 많은 꽃이 들어오니

사촌형제들 가족 어머니 회갑전

통세를 하지 않았고, 옆방도 비었으니 그곳까지 사용하라고 장례식
장측에서 허락했다. 상주들이 옛날식으로 삼베 굴관제복을 하고 있
으니 대단히 높은 사람의 집안 장례식이 아닌가 하고 허락된 것 같
았다.

누님, 나, 동생 집사람, 제수

선영 관리에 쏟는 동생의 애정

　살아생전 내 아버지는 부모님 산소를 비롯하여 선영을 돌보는 일에 남다른 정성을 쏟았기에 문중에서도 칭송이 자자했다. 자식들의 오늘이 있게 된 것이 모두 조상님의 음덕이라고 여겼던 아버지는 살림에 조금 여유라도 생길라치면 남들처럼 논밭을 장만하는 대신 임야를 구입해서 조상님이 음택(陰宅)를 꾸미는데 더 많은 신경을 쓰곤 하였다. 그뿐이 아니었다. 전통적인 제례(祭禮)의 계승 실천을 중시하였기에 예법에 따라 효성을 다하여 제사를 모시곤 하였다. 나는 어릴 적부터 아버지의 그런 모습을 보면서 전통의 가치를 몸으로 익혀 나갔으며 그것은 훗날 나의 소중한 정신적 자양으로 축적되었다.

　근래, 고향의 선영은 오랜 기간 대구에서 경찰공무원으로 봉직한 뒤 정년으로 은퇴한 동생이 돌보고 있다. 서울에 거주하는 나로서는 마음이 있어도 자유롭게 산소를 오갈 수 없는 처지에 있었다. 많은 이들이 겪어 봤듯이 산소관리에서도 가장 번거롭고 어려운 일이 벌초다. 봄 여름철에 잡초만큼 잘 자라는 것이 없기 때문이다. 그러나 내 동생은 이 일을 귀찮다 여기지 않고 묵묵히 잘도 해나가고 있다. 벌초 때가 되면 동생은 언제나 형인 내게 먼저 연락을 취하곤 솔선수범 예초기를 들고 산소를 찾아간다. 어느덧 그 동생도 칠순 나이를 넘겼다. 그 나이에 위험한 기계를 들고 억센 풀들과 싸우는 동생의 모습을 떠올리면 나로서는 안타까운 마음밖에 없다. 날씨는 또 얼마나 더운가. 해가 갈수록 동생도 점점 지쳐 갈 수밖에 없다. 품을 사서 하자고 내가 권하지만 동생은 잘 듣지를 않는다. 돈이 문제가 아니라 정성이 문제라고 여기는 듯싶다.

다른 집에서는 대개 일 년에 한두 번 벌초하는 게 예사인데 내 동생한테는 그것이 성에 차지 않는다. 잡초가 산소를 범하는 것을 보고 마는 성미가 아니기 때문이다. 깔끔하게 잔디만 있어야 직성이 풀리는 것이다. 그리하여 잡초가 자라면 몇 번이라도 제초제를 뿌리고 예초기를 돌린다. 내 짐작이지만, 동생은 이렇듯 한 해에 다섯 번 이상 벌초를 한다.

힘이 들기는 하지만 이렇게 산소를 깨끗이 하고 돌아오면 절로 심신이 가벼워진다는 것이 동생의 말이다. 누가 봐도 놀랄 정도로 깔끔한 우리 조상님의 선영은 이렇게 내 동생의 땀으로 유지되고 있다. 천상의 아버지도 동생의 이 수고를 지켜보며 퍽 기뻐하리라 믿는다.

우리집 선산전경 (할아버지, 할머니, 큰아버지, 어머니,
아래 아버지, 어머니, 막내 묘)

앞서 간 동생을 추억하며

아우 수한(守漢)은 쉰다섯 나이에 우리 곁을 떠났다. 췌장암이었다. 예전 같으면 살 만큼 살았다고 할 나이이지만 100세 시대를 운운하는 지금에 보면 지극히 안타까운 죽음일 수밖에 없다. 나와는 열세 살 적지 않은 나이 차이이지만 나는 그 아우와 누구보다 가깝게 지냈다. 비록 남들처럼 초등학교와 중학교를 함께 다니지 못하고 물놀이, 천렵, 썰매타기를 같이 한 경험이 없어도 그는 내가 가장 아끼는 동생이었으며 우리 집안의 소중한 막내아들이었다. 어려서부터 심성이 곱고 착했던 그는 형과 누나의 말을 잘 따랐으며 특히 맏이인 내가 객지를 떠돌 적에는 나 대신 어린 그가 어머니를 모시고 고향집을 든든히 지키기도 하였다.

그는 고등학교 진학 때 처음으로 서울로 올라왔다. 내 집에서 거처를 하면서 학교를 다녔는데 교육환경이 열악한 시골에서 초등과 중학 과정을 거쳤음에도 불구하고 2등으로 입학하고 장학금도 받고 우수한 학업성적을 거두었다.

서울의 인창고등학교를 졸업하고 성균관대학교의 기계공학과에 진학하면서부터 그는 우리 집안의 기대주가 되었다. 나 또한 아우에게 거는 기대가 컸다. 그래서 기회가 있을 적마다 나는 그에게 졸업 후에는 사업가로 나서서 집안을 일으켜 달라는 부탁을 하곤 했다. 대학 재학 때는 학업에 매진한다고 아예 독서실에서 숙식을 다 하였으며 그 덕에 그는 매 학기 장학금을 받으며 학교를 다녔다. 대학시절에 ROTC의 과정을 마쳤기에 그는 졸업 후 장교에 임관되어 군 복무를 했다.

제대 후, 그는 ㈜대우조선에 입사하여 빠른 기간에 상무 직위까지 올랐다. 타고난 근면 성실함에다 명민한 분석력과 강력한 추진력까지 갖추었기에 승승장구하는 그의 앞날에는 거칠 것이 없어 보였다. 그런데 뜻하지 않은 일이 사내에서 일어났다. 조선 분야의 전무가 모종의 사건에 연루되어 직위 해제되면서부터 그가 막중한 전무직을 대행하게 되었던 것이다. 당시 1천억 원이 넘은 예산을 운용하는 중책이 그에게 맡겨졌다. 치밀, 정확만을 추구하는 그에게는 대충대충 일 처리란 있을 수 없었다. 그날부터 그는 아예 밤잠을 버리고 회사 일에만 매달렸다. 주말이며 공휴일조차 없었다.

이 과중한 업무수행과 그에 따른 스트레스가 병마를 끌고 왔음을 누가 모르랴! 어느 날부터 표 나게 몸이 수척해 갔으며 낯빛마저 변하기 시작했다. 음식마저 제대로 먹지 못했다. 피곤하다, 힘들다는 말을 입에 달고 다니면서도 병원에 가 볼 생각을 하지 않았다. 그 지경에서도 그의 업무는 잠시도 그를 가만 놔두질 않았다.

결국 그는 병원에 실려 가는 처지가 되었으며 청천벽력과도 같은 진단 결과가 나왔다. 그때 가졌던 내 절망감을 어찌 언설로 표현할 수 있으랴! 그의 아내며 어린 두 딸이 받았을 충격은 더 말할 나위가 없다.

사형선고와 다를 바 없다는 진단을 받고도 가족들은 희망을 버리지 않았다. 물에 빠진 이가 지푸라기라도 붙잡는다는 심정으로 갖은 방법을 다 써 보았다. 이틀이 멀다 하고 병석의 그를 찾았던 나 또한 무신론자임에도 불구하고 그를 살려달라고 빌고 또 빌었다. 그의 목숨을 구할 수만 있다면 못할 일이 없을 듯싶었다. 내 아우도 살겠다는 의지가 강했다. 그 견디기 힘들다는 항암 치료과정을 묵묵히 참아낼 수 있었던 것도 그 의지 때문이었다. 지극한 고통을 내색하는 법도 없었다. 그런 그의 모습을 지켜보는 나는 절로 가슴이 미어지고 생살이 뜯겨나가는 느낌뿐이었다.

주위의 모든 노력도 허사였다. 그는 투병 반 년 만에 조용히 숨을 거두었다. 생명을 준 하늘이 착하고 능력 있는 이의 그것부터 일찍 거두어 가는 이치를 알 수 없다. 분명한 것은, 사랑하는 아우를 잃은 나는 세상의 절반을 잃은 듯 허허롭기 짝이 없다는 것뿐이었다. 그 절망과 안타까움이 내 당뇨병을 불러왔지만, 나는 이 병을 통해 앞서 떠나간 내 아우를 두고두고 추억하게 된다.

나처럼 생전에 어진 동생을 먼저 떠나보낸 박목월(朴木月) 선생이 그 동생을 그리며 쓴 시 한 편이 지금도 절절히 내 가슴을 울린다.

관(棺)이 내렸다.
깊은 가슴 안에 밧줄로 달아내리듯
주여
용납하옵소서
머리맡에 성경을 얹어주고
나는 옷자락에 흙을 받아
좌르르. 하직했다.

그 후로
그를 꿈에서 만났다.
턱이 긴 얼굴이 나를 돌아보고
형(兄)님!

불렀다.
오오냐, 나는 전신으로 대답했다.
그래도 그는 못 들었으리라
이제
네 음성을
나만 듣는 여기는 눈과 비가 오는 세상.

너는 어디로 갔느냐
그 어질고 안쓰럽고 다정한 눈짓을 하고
형님!
부르는 목소리는 들리는데
내 목소리는 미치지 못하는
다만 여기는
열매가 떨어지면
툭, 하고 소리가 들리는 세상.

　　　　　　－박목월 시 〈하관(下棺)〉 전문

남부럽지 않은 자식 농사

나는 슬하에 딸 하나와 아들 둘을 두었다. 셋은 각각 3년 터울이다.

대학교 다닐 때에도 용돈 한 번 넉넉히 주지 못한 아버지였기에 인생의 멘토 역할인들 제대로 할 수 있었으랴마는 세 자녀 모두 큰 탈 없이 장성하여 저 마다 일가를 이뤄 잘들 살고 있으니 대견하고 고마울 따름이다.

돌이켜 보아도 나는 완고하기만 한 아버지였다. 따라서 내 아이들은 여느 젊은이들처럼 자유스러운 연애도 자기 적성에 맞게해야 되는데 내가 조건을 확인하고 허락을 받아 결혼을 했다.

큰딸 미경이는 1970년생으로서 대학에서 환경공학을 전공하였다. 졸업 후 전공을 살려 ㈜한신공영에 입사하였으며 이후 환경팀장까지 지냈다. 사내 결혼을 하여 아들 둘을 두었는데 이 아이들이 중학에 진학할 무렵 회사를 그만 두었다. 3대 외동아들에게 시집을 가서 아들 둘을 두었으니 시댁의 기쁨은 얼마나 컸으랴. 시부모께서 죽어도 여한이 없다는 말씀까지 하셨다니 그 흡족함은 미루어 짐작할 수 있다.

분가해서 살면서도 딸아이는 대전에 계시는 시부모를 잘 공경하며 생활하고 있다. 매주 월, 목요일이면 빠지지 않고 안부 인사를 올리며, 여름휴가 때는 어김없이 시댁 두 어른을 모시고 여행을 가기도 한다. 이렇듯 친가, 시가를 가리지 않고 효성을 다 하는 그녀가 나한테는 기특하고 대견하기만 하다.

생활습관 또한 제 어머니를 닮았는지 알뜰하기 짝이 없다. 아껴 쓰는 것이 아예 몸에 배어있어서 식료품을 사기 위해 마트에 가더라도 꼭 저녁 10시가 지나서 간다. 50% 할인 상품을 사기 위해서다. 남양주에 있는 내 집에 올 적에도 이런 버릇은 바뀌지 않는다. 내 집 앞에 있는 노브랜드(NO BRAND) 상점에서 파는 생수의 가격이 제 사는 동리보다 싸다면서 그 무거운 것을 잔뜩 사갖고 돌아가기도 하는 것이다.

이런 알뜰함 때문인지 몰라도 딸애는 중랑구 상봉동의 43평 아파트를 빚 없이 장만해서 다복하게 살고 있다. 사위는 한신공영의 건축현장소장인데 돈을 잘 모른다. 집을 어떻게 마련했느냐고 친구들이 묻기라도 하면 자기는 잘 모르니 집사람한테 물어보라고 할 정도다.

큰아들 형건은 '힘찬병원'에서 정형외과 전문의로 일하고 있다.

충남대학교 의과대학을 졸업했으며 삼성의료원에서 인턴, 레지던트 과정을 밟았다. 인턴 때부터 나는 아들에게 정형외과로 진로를 정할 것을 권했다. 정형외과에는 생명을 다투는 위급 환자가 없으니만큼 의사로서 스트레스 받을 일도 적을 것이라는 요량에서였다. 그리고 명색이 의사라면 수술을 해서 환자의 아픔을 덜어주는 것보다 좋은 일이 있겠느냐고 했는데 아들이 내 말을 잘 따라 주었다.

삼성의료원에서 레지던트 자격을 딴 뒤 군의관으로 입대하였으며 국군통합병원 정형외과 과장으로 있다가 군복무를 마쳤다. 중매로 며느리 희영을 만난 것이 그 무렵이었다. 무남독녀인 그녀의 아버지는 외과병원장이었다.

아버지가 외과병원장인데다 그녀 스스로 몇 년간 미국생활을 했다는 얘기를 듣곤 나도 내심 약간의 걱정이 없지 않았다. 자유분방하고 철없는 여자아이면 어떡하나 하는 생각 때문이었다. 허나 당자는 물론 그 부모님을 직접 만나보고 나서는 이것이 기우에 지나지 않음을 곧바로 알았다. 한눈에 봐도 두 분은 인품이 높았으며 여자는 좋은 부모한테서 넉넉한 사랑을 받으며 바르게 자랐음을 알 수 있었던 것이다. 모든 면이 마음에 쏙 들었던 나는 아들에게 그녀와의 혼인을 적극 권하기까지 했다.

내 눈이 틀리지 않았음은 그녀가 며느리로 내 식구가 되었을 때 거듭 확인할 수 있었다. 예의염치가 몸에 배인 그녀는 매사에 반듯하며 마음씨는 밝고 따뜻했다. 언젠가 내 아내가 내게 말했다. "당신이 지금껏 한 일 중에서 가장 잘 한 일이 뭔지 아세요? 바로 희영이를 우리 며느리로 들인 거예요."

며느리 희영인 우리 부부한테는 딸애와 진 배 없다. 집에 올 적마다 그녀는 따뜻하게 시어머니를 안으며 "어머님, 고생이 많으시죠?" 하는 인사를 잊지 않는다. 평생 그런 대접을 받아본 일이 없는 아내로서는 절로 눈물이 글썽글썽하지 않을 수 없다.

산행을 좋아하는 아내는 산에 갈 적마다 약수터의 물을 길어왔다. 식수로 쓰면 좋다는 이유에서였다. 어느 날은 내가 며느리 있는 자리에서 아내에게 핀잔을 줬다. "산중 샘물이라고 해서 다 좋은 게 아냐. 오히려 몸에 나쁠 수도 있는데 뭐 하러 그걸 힘들게 들고 와?" 그러자 며느리가 얼른 나를 거들었다. "네 어머니, 그 무거운 걸 짊어지고 오시다가 넘어지거나 허리를 다치시면 어떡해요. 제가 안전한 생수를 배달시켜 드릴 테니까 앞으론 그 물을 드세요." 그 길로 희영이 마트에 뛰어가서 생수 배달을 주문했다. 나중에 생수가 배달

돼 온 걸 보고 우리 부부는 함께 입을 딱 벌리고 말았다. 2리터 페트병이 100개도 넘었기 때문이었다. 집에 있는 물을 먹어치우는데도 몇 개월이 걸리다보니 아내는 더 이상 약수터 물을 길어올 엄두를 내지 못했다.

의사가 된 아들에게 말한 바 있었다. 내가 서예학원을 하면서 돈을 제대로 벌지 못해 네 어머니한테 생활비도 제대로 주지 못했다. 이제 네가 의사가 되었으니 나 대신 생활비를 줘야 한다. 아들이 이를 명심했음인가. 아들의 월급 일부가 매달 며느리의 손을 통해 내 아내한테 전해지고 있음을 알고 있다.

올(2018년) 봄, 내 아내는 며느리, 손자와 함께 셋이서 유럽 여행을 다녀왔다. 여행 중에도 극진히 시어머니를 챙기는 며느리를 보곤 가이드가 말하더란다. "여태껏 며느리가 시어머니 모시고 여행 오시는 경우는 보질 못했어요."

참한 며느리를 맞아들인 기쁨은 이렇듯 크고 오래 간다.

막내아들 성건이는 홍익대학교 컴퓨터공학과를 졸업하고 현재는 삼성계열사에서 컴퓨터 관련의 일을 하고 있다. 차장 직위다. 대학을 진학할 때부터 나는 그에게 컴퓨터 전공을 권했다. 미래 산업을 주도하는 것도 결국은 컴퓨터일 수밖에 없다는 이유에서였다.

그도 여자를 만나고 결혼을 생각해야 할 무렵, 나는 또 그에게 지혜로운 여자를 만나야 한다는 말을 거푸 들려주었다. "지혜로운 여자를 만나면 삼대가 편해진다."는 말을 강조했던 것이다.

천만다행으로 그 또한 지혜롭고 예의바르고 어여쁜 여자를 만났다. 나무랄 데 없는 규수였는데 당초에는 한 가지 걸리는 점이 있었다. 우리 집안이 불교 쪽인데 비해 여자의 아버지가 교회 목사님이라는 사실이었다. 나는 먼저 아내와 상의를 하지 않을 수 없었다. 봉선사 경전반에 다닌 지가 벌써 10년도 넘는 아내가 뜻밖에 통큰 말을 해서 나를 놀라게 했다. "종교의 벽을 다 허물고 살면 되지 뭘 걱정이세요."

산을 좋아해서 그 사이 3백 좌가 훨씬 넘는 전국의 산을 오른 산악인으로서 나는 산보다 더 많은 절을 찾은 바 있다. 그러나 나는 구경꾼일 뿐 신앙을 가진 이는 아니었다. 그렇지만 종교가 집안 구성원들 사이에는 무서운 장벽이 될 수 있다는 사실을 잘 알고 있었기에 아들이 사귄다는 여자를 만나서 얘기를 들어보지 않을 수 없었다.

"우리 집안은 부모 자식은 물론 형제간이 화합하고 정을 북돋우는 걸 가장 중시한다네. 혹 신앙 때문에 결혼을 하고 나서도 오늘은 교회에 뭔 행사가 있다면서 자꾸 집안일에 빠지고 하면 가족들의 화합에도 문제가 있지 않을까?"

염려를 지우지 못한 내 물음의 뜻을 그녀가 잘 알고 있었다. 환한 미소를 지은 그녀가 분명한 어조로 대답했다.

"아버님, 아무 걱정 않으셔도 되시겠습니다. 로마에 가면 로마법을 따른다는 말이 있질 않습니까. 저도 그렇게 로마법을 따르도록 할 것입니다."

순간, 나로서도 감복되는 바가 컸다. 그 자리서 나는 그녀를 내 가족으로 받아들일 것을 마음먹었다.

막내 내외도 어느새 딸, 아들을 두고 있다. 위례신도시의 아파트 하나를 분양받아 예쁘게 꾸며놓고 잘 살고 있다.

슬하에 셋이 이렇듯 저들의 가정을 꾸리고 건강하고 행복하게 살고 있으니 이것이 말년의 부모가 누리는 최상의 복인 듯싶다.

명절 후 형제들

수상집 발행 기념

운명의 동반자와 함께

건강, 지식, 금전 세 가지 저축의 생활화

우리 부부가 경기도 남양주로 옮겨 산 지도 어언 스무 해가 돼 간다. 길다면 길고 짧다면 짧은 이 세월을 살면서 우리 부부는 세 가지를 몸으로 실천하고자 애썼다. 그 하나가 건강을 위해서 운동을 게을리 하지 않는 것이며, 또 하나는 머리가 녹슬지 않도록 책 읽은 일을 생활화 하는 것이며 나머지 하나가 근검, 절약을 잊지 않는 것이었다.

남양주에 이사를 하면서부터 나는 20여 년 간 아침마다 즐겨 해오던 테니스를 접고 그 대신 아내와 함께 집 앞의 산을 올랐다. 천마산의 서북쪽 줄기에 있는 관음봉이 바로 우리 내외가 날마다 찾는 산봉이었다. 크고 높은 산봉우리는 아니지만 왕복 2시간이 좋이 걸리는 산행이었다. 산행을 시작한 초기만 하더라도 나는 큰 힘 들이지 않고 산을 오르내릴 수 있었지만 아내는 내 걸음의 반도 따라오지 못했다. 고생스럽게 살림만 하던 아내로서는 그럴 수밖에 없었다. 내가 능선 하나를 타 넘어 쉬고 있을라치면 그제야 멀리서 아내가 숨을 헐떡이며 걸어오는 모습이 보이곤 했다. 그런 간격이 유지된 것은 일 년여 계속됐던 것 같다. 그러나 나날의 산행으로 아내도 차츰 다리 힘이 붙고 요령이 생긴 것일까. 어느 때부턴가 먼 길을 걸은 뒤에도 아내는 한 발짝도 뒤처지는 법 없이 나와 보행을 나란히 할 수 있게 되었다.

스무 해가 지난 지금 그 아내는 '산다람쥐'가 되어 있다. 그에 반해

등산 후

나는 5년 전 산책길에서 개에게 물려 무릎 관절을 다치는 불의의 사고를 당하고부터는 아예 산길을 걷기조차 못하는 처지가 돼 버렸다. 그 후 무릎 회복을 위해 거꾸로 매달리기 운동을 열심히 하여 어느 정도 효험을 얻었으며 이로 인해 생긴 디스크도 경과가 좋아서 이제는 3시간 정도 산행을 하여도 괜찮을 정도가 되었다. 80세가 되기 전에 다시 산을 탈 수 있다는 신념 하나로 부지런히 운동을 하고 있는 것이다. 이를 나는 건강을 위한 운동저축이라고 여긴다.

내 아내의 건강저축도 남다른 편이다.

남양주 생활에서 아내 또한 자연과 벗하는 법을 터득했다. 한 주일에 세 번, 서너 시간의 산행을 하는 것이 곧 아내의 건강저축이다. 집 근처에 있는 산은 능선에 오르기까지가 좀 어렵지만 일단 오르고 나면 평지 길과 다름이 없어 왔다 갔다 하기가 참 좋다. 이 코스를 내왕하면서 더러는 시원한 바람골에서 쉬기도 하고 양말을 벗고 볕을 쬐며 일광욕을 하기도 한다. 산행에서 운동만 챙기는 것도 아니다. 자연 자체가 건강 식품창고이기 때문이다. 봄에는 두릅이며 다래 순, 고사리를 채취해 와서 식구들을 온통 봄 향기에 젖게 한다. 일부는 말려 두었다가 훗날 먹기도 한다. 가을이면 도토리와 밤을 줍는 재미가 쏠쏠하다. 쉼터에서 껍질을 깐 도토리는 집에서 도토리묵을 쑤어 먹는다. 손이 많이 가는 일임에도 불구하고 아내는 싫은 빛 한 번 없이 솜씨 좋게 묵을 빚어낸다. 주어온 알밤은 손자 손녀들이 오면 간식으로 내어 놓기도 한다.

이렇듯 즐겁게 자연을 벗하면서 자연이 내어주는 것을 고맙게 받아들이는 것이 내 아내가 가지는 건강저축이다. 탈 없이 수십 년을 건강하게 지내는 비결도 바로 여기에 있다.

근검, 절약을 실천하고 있는 당사자는 또한 내 아내다. 아내의 이러한 실천은 정말 남다르다. 예컨대 아내는 전기를 아끼기 위해 세탁기를 거의 사용치 않는다. 직접 손빨래를 하는 것이다. 텔레비전도 꼭 보는 시간에만 보며 끌 때는 반드시 전원 코드까지 뽑는다. 불필요한 전등을 끄는 것은 기본이다. 내가 남양주시 오남리의 한신2차 세대의 대표로 있을 때만 해도 우리 집은 전기료 적게 나오는 집으로 이름이 나 있었다. 32평형 아파트의 월 사용료가 1만원 안팎이었기 때문이었다. 요즘도 아내는 내 뒤를 쫓아다니면서 불을 끄기 바쁘다. 아닌 게 아니라 나는 근래 들어 점점 불 끄는 일을 잊는 경우가 잦았다.

금전 저축과 그 증식에 관해서는 또 하나 나의 예를 들 수 있다.

어느 날, 나는 한 달 30만원 저축으로 1천만 원 모으기를 작심하고 우체국을 찾아가서 3년 만기 적금을 들었다. 한 해가 지난 뒤에는 똑

같은 목적과 조건을 가지고 새로운 계좌 하나를 더 열었으며, 또 일 년 뒤에는 또 다른 적금을 시작했다. 결국 3년 만기 1천만 원 적립 구좌가 셋으로 불어난 셈이다. 사실 나로서도 매달 60만원, 90만원을 저금한다는 일이 쉽지가 않았지만 뜻한 바는 꼭 이루겠다는 단단한 결심이 있었기에 10원을 아껴 가면서 이 돈들을 장만했다. 고진감래(苦盡甘來)라고 했던가. 마침내 5년 뒤에는 3천만 원의 거금이 내 통장에 쌓였다.

나는 이 통장을 아내에게 넘겨주었다. 그동안 알뜰하게 살림 사느라고 고생한 당신에게 목돈 한 번 준 적이 없어 늘 미안했다는 말도 빠트리지 않았다. 자초지종 설명을 듣고 난 아내가 덤덤한 낯으로 내게 말했다.

"그 고생을 해가면서 뭔 돈을 이렇게 모았어요? 나는 여직 살아온 대로 살면 되니까 이 돈은 당신이나 쓰세요. 당신이야말로 이제 친구들이며 제자들한테 얻어먹지만 말고 베풀면서 살아야 되지 않겠어요."

아내의 뜻이 하도 완강해서 나도 결국은 고맙다면서 그 돈을 도로 받고 말았다.

사무실에 나온 뒤에도 나는 이 애써 모은 돈을 어떻게 잘 쓸까를 고민하다가 아래층에 있는 교보증권 지점을 찾아갔는데 거기서 박 대리를 만났다. 전부터 간단히 인사를 나누던 사이였다. 나는 주식의 '주'자도 모르는 사람이니 당신이 알아서 굴려 줄 수 있겠느냐고 상의를 했더니 그가 흔쾌히 그리 하겠다고 했다.

두 달 후 다시 그를 찾아가서 어떻게 잘 돼 가고 있느냐고 물어보

앉는데 그가 뜻밖의 말을 했다. 투자가 잘못 되어 잔고가 2천만 원으로 줄어 있다는 것이었다. 가슴이 철렁 내려앉았던 것도 잠깐, 나도 모르게 화가 치밀어 올랐다. 전문가가 투자를 했다면서 어떻게 두 달 사이에 천만 원을 날려버린단 말인가! 어떻게 모은 돈인가를 생각하면 속에서부터 열불이 끓지 않을 수 없었다. 손해 본 천만 원을 당신이 물어내라고까지 말했다. 주식을 사고 팔 때는 나와 상의를 해야 되는 것 아니냐며 그에게 따져 묻기도 했다.

한참을 그런 뒤에는 이 친구와 시비를 해봤자 소용이 없다는 걸 알고 지점장을 찾아갔다. 지점장에게 전후 이야기를 다 한 뒤에는 내 돈 천만 원을 물어내지 않으면 소비자센터에 고발을 하고 말겠다는 엄포를 놓기까지 했는데 지점장이 퍽 난감해 했다.

마침내 지점장은 차장 한 사람을 불러 사정을 전하곤 이제부터 당신이 금제 선생의 구좌를 맡아 관리하는 것이 어떻겠느냐고 물었다. 수수료를 면제해 준다는 언질도 있었다. 나 차장이란 사람이었는데 인상이 여간 후덕해 보이질 않았다. 남의 돈 갖고 장난칠 사람은 전혀 아닌 것 같아서 나도 지점장의 말을 따르기로 했다. 나 차장한테는 따로 잘 부탁한다는 당부를 하고 내 사무실로 돌아왔다.

진짜 전문가는 따로 있었던 모양이다. 나 차장은 자주 종목을 바꾸지도 않았다. 매도 매수의 주문을 낼 때는 꼭 나에게 연락을 해서 그래야 될 이유를 설명하곤 했다. 5개월 지난 뒤, 놀랍게도 내 주식은 7천만 원으로 올라 있었다. 그 즉시 나는 원금 3천만 원만 구좌에 두고 이익금 4천만 원을 회수했다.

이 수익금이 훗날 이어지는 나의 임대주택 사업의 종자돈이 되었다.

나는 현재 9채의 중형주택을 보유한 임대주택사업자로 되어 있다. 비록 소형이기는 했지만 많을 때는 16채의 주택을 가진 적도 있었다. 그동안 소형을 중형으로 바꾸는 등 몇 차례 사업 정리를 했다.

나는 그 많은 주택을 사면서도 내 발로 직접 그 집을 가 본 적이 한 번도 없다. 중계해 주는 사람을 전적으로 믿었기 때문이다.

집을 살 때도 나 나름의 원칙이 있었다. 큰 단지에 있는 아파트집이며 남향이어야 한다는 것이 가장 큰 조건이었다. 오후에 집안에 그늘이 들면 특히 안 된다. 나는 중계인이 찍어온 사진과 등기등본, 지적도 등을 통해 이런 사항들을 꼼꼼히 확인했다.

이렇듯 중계인을 믿고 일을 위임하면 그들은 마치 자기 집을 사는 것처럼 더욱 세심하게 일을 처리한다는 사실을 나는 알고 있었다. 실제로 나한테 이사장님이 존경스럽다면서 제 집 일인 양 일을 말끔하게 진행해 준 중계인이 있었다.

이런 행동이 나로서도 조금은 대범한 것이긴 하지만 거기엔 또 그럴만한 이유가 있었다. 10년 만기가 된 임대주택이 시장에 나오면 늦어도 2, 3일 안에 임자가 나타나 채어가 버리는 것이 통례다. 물건이 괜찮고 사야겠다는 판단이 서면 지체 없이 계약에 나서야 하는 것이다. 나머지 필요한 사항들은 그 뒤 시간을 벌어서 따져나가면 된다.

근래는 제주도에 있는 3채의 아파트가 조금은 효자노릇을 하고 있다.

의사인 아들이 우리 집의 생활비를 감당하고부터는 아내도 나에게는 일절 돈 얘기를 하지 않는다.

내 아내는 부처님 전에 기도를 열심히 할 뿐만 아니라 경전 공부도 게을리 하지 않는다. 매일 아침저녁으로 한 시간 넘겨 불경을 읊는 모습은 보는 이를 숙연케 할 정도다. 매주 목요일이면 봉선사에 가서 경전 공부를 하는데 이 세월이 어느덧 20년이 되었다.

아내의 기도처럼 나는 나대로 나라의 문화예술 발전에 일조를 하고 서예계를 위한 일에만 열중을 하면 되는 것이다. 2017년 내가 '경기도를 빛낸 자랑스러운 경기도민'으로 선정될 수 있었던 것도 모두 이 덕분 아닐까 여긴다.

아내가 보물인 양 지니고 다니는 불경 책은 이미 낡을 대로 낡았다. 안팎의 종이들에 보풀이 일고 더러는 색이 바래져 있기도 하다. 부처님 앞에서 모두를 비운 아내는 스스로 보살행을 실천하고 있다.

나는 사람을 한 번 믿으면 전적으로 믿고 그 잘 잘못을 따지지 않는다. 여하한 일이건 시간이 지나면 그 일 또한 지나가게 마련이다. 잘 잘못은 그것을 저지른 본인이 더 잘 알고 있다.

해동서예학회와 한국서예신문 그리고 한국서예명가에서 일하는 사람들은 대부분 자발적으로 일을 한다. 나는 그들이 스스로 알아서 할 수 있도록 최대한 배려하기만 하면 되는 것이다. 나는 이들 모두가 자신이 사장이라는 책임감과 주인의식으로 맡은 바 책무를 다 하고 있다는 믿음을 갖고 있다.

어느 날이었다. 사무국장 호정 선생이 아침 사무실 청소를 하다가 실수로 내가 아껴 쓰던 단계연 벼루를 떨어뜨려 한쪽 모서리를 깨어 버리고 말았다. 몇 십만 원의 가격보다 평소 내가 소중히 다루던 것임을 누구보다 잘 아는 그로서는 한 순간 하늘이 노랗게 변하는 것을 느꼈을 것이다.

큰일났어요... 그가 떨리는 음성으로 전화를 걸어 소식을 전했다.

내가 태연하게 대답했다.

"그 벼루가 수명이 다 되었나 보군..."

지금도 호정 선생은 기회가 있을 때마다 다른 사람들에게 이 일을 전하면서 나를 칭찬하지만 나는 누구한테서 칭찬을 들으려고 이러지를 않는다. 일이 저질러진 뒤에는 무엇을 하든 아무 소용이 없다. 벼루가 깨졌다고 해서 화를 낸들 그 벼루가 온전한 모습으로 돌아오겠는가. 그럴 바에야 벼루를 깨서 가슴 졸이는 이웃을 다독거려 주는 것이 화를 내는 것보다 백 번 나은 일이 아니겠는가. 나는 이 또한 마음을 비운 자세라고 여길 따름이다.

'마음을 비우면 욕심도 따라 나간다.'는 말을 항상 가슴에 새기고 산다.

일본여행길

나의 술버릇

예전 나 어린 시절만 해도 시골 농가에서는 직접 술을 빚는 일이 잦았다. 명절이나 제사, 잔치 때 쓰기 위해서였다. 그러나 식량이 절대적으로 부족했던 시기였으므로 정부에서는 이러한 민가에서의 양조(釀造)를 엄히 금하였으며 단속반원들이 수시로 집집을 뒤지기까지 했다. 단속이 아무리 심하다 해도 흔히 밀주(密酒)라고 하는 민가의 술 제조를 완전히 근절시키기는 어려웠다.

우리 집에서도 더러 술을 빚었는데 농주(農酒)라고 불린 그것은 오늘날의 막걸리와 다를 바 없었다. 나름 내 어머니는 이 술 빚는 솜씨도 남달리 좋았다고 여긴다. 나는 어려서부터 내 집 따뜻한 아랫목에 놓인 술항아리를 자주 봤다. 커다란 이불을 두르고 있는 그 술독에서는 항시 쿰쿰하면서 구수하기까지 한 술 냄새가 풍겨났다. 술이 익어가고 있었던 것이다.

아버지는 술을 마시긴 했지만 한두 잔에서 그쳤을 뿐 과음을 하는 법이 없었다. 나도 아버지를 닮았다고나 할까. 오랜 기간 술을 접해 왔지만 지금까지 술에 취해서 갈 지(之) 자 걸음을 걸어본 기억이 없기 때문이다. 흔히들 술에도 체질이 있다고 하는데 내 몸은 술을 잘 받을 뿐만 아니라 그를 소화 분해하는 능력도 썩 괜찮다고 생각한다.

술은 누구와 언제 어디서 마시느냐에 따라 그 맛과 흥취가 달라지는데 나한테는 좋은 벗들과 산을 오르내리며 마시는 술맛이 으뜸인 듯싶다. '버릇'이란 제목을 붙인 내 시에서도 이러한 산주(山酒)의 흥취가 잘 나타난다.

참이슬 들고 입산주(入山酒) 해야지
힘들면 중간주(中間酒) 해야지
정상점(頂上點) 밟고는 정상주(頂上酒) 해야지
허리 펴고 자리 펴며 하산주(下山酒) 해야지

정기적으로 산행을 할 때면 나는 일행과 함께 정상에서 꼭 산제(山
祭)를 지낸다. 제를 마친 뒤에는 간식을 먹으며 음주를 곁들이기 마
련인데 이럴 때 나는 꼭 머그잔 하나를 들고 나선다. 산꾼들은 다들
체력이 좋다보니 술에 있어서도 두주불사인 경우가 많았다. 오랜 기
간 산악회 회장의 일을 맡다보니 "회장님, 한 잔 하십시오." "이 술
은 중국에서 가져온 아주 특별한 것이랍니다." 하면서 서로 서로 권
하기 일쑤다. 우리의 산행에서는 보통 예닐곱 가지의 술이 등장한
다. 막걸리, 소주, 맥주, 양주, 고량주 그리고 집에서 만들었다고 하
는 담금주 등등. 여러 사람이 다투어 권하는 갖가지 술을 기분 좋다
고 다 받아 마셨다간 큰일이 날 수밖에 없다. 그래서 나는 무슨 술이
든 머그잔 한 잔에만 받아 조금씩 마시는 것이다. 그러면 일행들도
더 이상 술을 권하지 않는다. 산에 다니면서 내가 생각해 낸, 술 적
게 마시는 방법의 하나다.

부산조선공업에 근무할 때는 특히 손님 접대가 많았다. 하루도 술
을 안 마시는 날이 없을 지경이었다. 이렇듯 365일 술과 전쟁을 치
르다 보니 나중엔 아예 술 먹는 근성이 생겨났다. 그래서 접대가 없
는 날이면 친구들이 회사 근처에 와서 마시곤 했다. 찾아가서 사람
을 만나고 술을 마시자고 권하는 자체가 회사의 영업이었다. 모임과
행사마다 쫓아다니는 것도 마찬가지였다.

이렇게 왕성한 사회활동을 할 무렵에는 12월에 가지는 송년회 횟수만 해도 스무 번이 넘기 예사였다. 12월 한 달 중 27번 송년회를 가진 것이 내 기록이다. 하루에 두 번, 세 번 술자리를 가진 경우도 있었다.

어느새 그것도 다 예전이 일이 됐다. 내 나이 칠십을 훌쩍 넘고 보니 그 많던 송년회도 두세 번으로 줄어들었다. 그래서 아내한테서 듣는 얘기가 있다. 예전의 그 많던 술친구들은 다 어디 갔느냐는 것이다. 술을 마시지 않으면 자연 친구들도 떨어져 나가게 마련이다.

요즘 나는 소주잔을 잘 쥐지 않는다. 잔이 작아서 홀짝 마시고 나면 금세 잔이 비워지기 때문이다. 잔에 술이 없으면 옆사람 앞사람이 틈 주지 않고 잔을 채워주는 우리네 음주풍습이다. 술을 많이 마시지 않기 위해 나는 소주잔을 멀리하고 맥주잔으로 대신한다. 잔에다 소주 한 잔을 따르고 나머지는 맥주로 채운다. 시쳇말로 '폭탄주'라는 것인데 이것이 나한테는 과도한 음주를 막아주는 좋은 방법이 된다. 폭탄주는 술맛이 훨씬 좋을 뿐만 아니라 홀짝홀짝 조금씩 마셔도 남들의 눈총을 받지 않아서 좋다. 폭탄주 잔을 놓고 있으면 주위에서 억지로 술을 권하지도 않는다. 이 한두 잔의 폭탄주가 근래 내 음주 정량이다.

음주의 양이 적다보니 술맛을 제대로 느낄 겨를이 없고 취흥도 생기지 않는다. '2차'를 가고 싶은 마음도 없다. 이제는 술과의 전쟁도 끝나가고 있는 셈이다.

"술아, 가거라, 혼자 가거라, 나는 좀 뒤에 가겠다."

적적한 심정이 없지 않으나 내가 만든 노래의 가사처럼 그 좋던 술

마저 먼저 떠나보내야 하는 것이 우리네 인생이 아닐까 싶다.

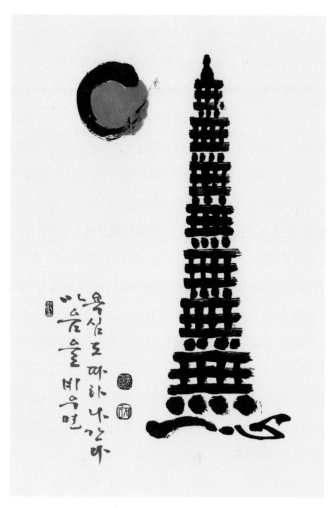

無一心 • 50×70cm

초지일관

향나무는 자기를 도끼로 찍어도 향기를 버리지 않는다. '나의 술버릇'에서도 잠깐 밝힌 바 있지만 지금 생각해 봐도 70년대 무렵 내가 부산조선공업에 있을 때 가장 자주 술을 접하고 많이 마셨던 것 같다. 젊기도 했거니와 업무 관계로 손님을 접대하는 일이 빈번했기 때문이었다. 당시만 해도 관(官)이나 금융권 인사들을 접대할라치면 이른바 '방석집'이라고 불리는 유흥업소에 가서 여자들의 술시중을 받으면서 술을 마시는 일이 상례가 돼 있었다. 나 스스로 부산조선 재직 11년 동안 습관이 되어 있었으니 술대접은 당연히 그렇게 하는 줄로만 알고 있었다.

회사를 그만두고 서예학원을 열어 운영하다보니 더 이상 다른 사람을 접대할 일도 없었고 또 나를 접대하겠다는 사람도 없었다. 오직 서예공부와 지도에만 전념하다보니 어느새 습관이 되어 버렸다. 따라서 지금까지 33년의 세월을 흘려보내면서도 단 한 번도 그 예전과 같은 유흥업소는 찾아 가 본 일이 없다.

한 번은 나한테서 서예 공부를 하고 있던 삼성그룹의 한 부장과 식사를 같이 하면서 술 이야기를 화제에 올린 일이 있었다. 얘기 도중 내가 예전의 일을 말하면서 그 후 방석집에는 한 번도 발을 들여 본 적이 없다고 하였더니 자기가 한 번 꼭 모시겠다고 했다. 그런데 방석집에도 가보기 전에 그 분이 정년퇴직을 하고 다른 사업을 하는 바람에 서예와도 인연을 끊고 말았다.

해동서예대전 행사를 마치고 나면 더러 수상자가 식사 대접을 하겠다고 찾아오는 경우가 있었다. "회장님 좋은데 가시지요." 하고 권하면 나는 "가볍게 하는 게 좋습니다." 하면서 된장찌개나 청국장을 맛있게 하는 집을 찾아가기 예사다. 식사를 하면서도 수상자는 미안한 마음을 감추지 못하지만 나는 이런 대접이 홀가분하고 좋다. 세상에는 공짜가 없다는 것을 잘 알기 때문이다. 괜한 일로 내가 다른 사람에게 부담을 줘서 안 되는 것처럼 나 또한 부담을 안을 필요가 없는 것이다. 잠시의 즐거움이 어떤 빚으로 돌아올지 모르니 차라리 초지일관 하는 게 좋다는 것이 내 삶의 방식이었다.

간혹, 지금의 술 문화는 서른 해 전과 얼마나 달라졌을까 호기심이 생길 때도 있기는 하다.

늦깎이 방통대 대학생

나는 현재(2018년) 대학 재학생이다. 한국방송통신대학 일본학과 3학년 학생이다. 내일모레면 팔순이 되는 노인네가 무슨 대학이냐고 어떤 이들은 웃을지도 모르지만 나는 이 늦은 나이에 대학생활을 하고 있음을 떳떳하게 밝히고 있다. 공부에는 나이가 없다, 죽는 날까지 하는 것이 공부라는 말이 있지 않던가. 남들은 늙었다고 하지 않는 공부를 나는 지금도 계속할 수 있음에 스스로 고마워 할 따름이다.

내 이력에서도 밝혔듯이, 나는 가정형편으로 다들 대학을 갈 나이에 대학 진학을 하지 못한 채 군 복무며 취업 일선에 나설 수밖에 없었다. 한 때는 나도 적잖은 좌절감을 가지기도 했지만 돌이켜 보아도 크게 잘못 된 일은 아니었다. 당시만 해도 대학은 별나게 공부를 잘 한다거나 집안이 유복한 이들만 가는 곳이었다. 그렇지 못한 젊은이들은 생업을 찾아 나설 수밖에 없었는데 그 비율은 열에 여덟은 됐다. 결코 나만의 불행이 아니었던 것이다. 그리고 다른 이들이 대학에서 학문을 깨치는 동안 나는 그들이 겪지 못한 사회생활을 하며 인생과 사회를 배워나갔다.

직장생활을 마감한 뒤에는 마흔 해 넘게 서예의 외길만을 걸었다. 그리하여 나름의 일가를 이루기도 하였는데 나라 안팎에서도 이를 기리어 여러 대학에서 나에게 명예 학위를 주거나 객원교수, 석좌교수 등으로 초치하기도 하였다. 나 또한 배움이 부족하다 싶을 때는 사회인이면 누구나 들 수 있는 특수대학원의 연구과정을 이수하기도 하였다. 그런 가운데도 내 가슴 속에는 나 또한 언제든 정규 대학에 가서 본격적인 공부를 하고 싶다는 열망이 꿈틀거렸다. 일흔이 넘은 나이에 방송통신대 진학을 결심한 것도 그 때문이었다.

한 번 마음을 굳힌 뒤에는 앞뒤 좌우를 살피지 않고 원서를 넣고 입학시험을 치렀다. 흔히들 말하길 방송통신대는 '들어가기는 쉬우나 졸업해서 나오기가 어려운 대학'이라고 한다. 그만큼 홀로 지속적으로 수학하기가 힘들 뿐만 아니라 대학의 학사 관리 또한 엄격하다는 것을 뜻한다. 그렇지만 나는 나를 믿었기에 학적을 가진 이후의 일에 대해서는 걱정을 하지 않았다.

일본학과를 선택한 데도 이유는 있었다. 비록 나는 해방 전 출생이긴 하지만 일본어를 학습한 세대는 아니다. 내가 초등학교에 입학할 무렵에 이미 우리나라는 일제의 사슬에서 벗어나 있었기 때문이었다. 나는 당당한 한글세대였다. 우리 모두에게 오래 묵은 원한이 있지만 일본은 한편으로 우리의 반면교사(反面教師)가 됨을 잊지 않는다. 일본은 지리적으로 우리와 가장 가깝고, 정치 경제 사회에 있어서 우리보다 앞서 있는 나라다. 예전의 나쁜 관계만을 들추어 경원시해서만은 우리는 결코 일본을 능가할 수도 따라잡을 수도 없음을 알아야 할 것이다. 일본을 제대로 아는 것, 여기서 우리가 일본을 이길 수 있는 힘을 배양하고 우리 자신이 갖고 있는 모순과 갈등을 해소할 수 있는 실마리를 찾을 수는 없을까? 내가 일본학과를 선택한 가장 근본적인 이유가 여기에 있었다.

알다시피, 방송통신대의 수강 방식은 대부분 인터넷을 통한 독학이다. 경험해 본 이는 알겠지만 사실 교수를 대면치 않고 그 음성만을 듣고 학습을 한다는 것이 결코 쉬운 일이 아니다. 음성 자체도 육성이 아니라 전파를 타고 전해지는 것이라 집중이 잘 되지 않는다.

아무튼 나는 수강신청을 마친 뒤부터는 매일같이 새벽 5시에 컴퓨터를 켜고 강의를 청취했다. 하루에 장장 3시간에 걸친 수강이었다. 각오를 단단히 한 바 있었지만 나로서도 힘에 부치는 때가 많았다. 나름 예습 복습도 잘 하는 편이었지만, 교수의 말이 귀에 들어오지 않는 경우가 잦았고 한 자리에 붙어 앉아 있는 일 자체가 고역스러운 때도 많았다. 젊은이로서도 쉽지 않다는 그 일을 칠십이 넘어서 하고 있으려니 어땠을까. 그렇지만 나는 포기한다는 생각은 추호도 하질 않았다. 어려우면 어려울수록 나는 이 또한 시련의 한 단계라 여기고 참고 견딘다. 학업에 진도가 없을 때면 세 시간이 아니라 일곱 시간을 컴퓨터를 붙잡고 씨름하기도 하였다.

콩나물시루에 물주기

지나간 일이지만 나한테는 1학년 과정이 가장 힘들었다. 정치, 문화 등 개론 과목이 대부분이었는데 아무리 집중을 하여도 내용 자체가 머리에 쏙쏙 박히질 않았다. 특히 사람 이름과 같은 고유명사는 모두 그게 그것 같아서 외우고 기억하기가 어려웠다. 결국 몇 몇 과목의 학점을 놓친 채 2학년이 되었다. 2학년의 학업 수준도 1학년 것과 크게 다르지는 않았다. 나는 틈날 때 마다 1학년 교재를 다시 꺼내 들고 복습을 계속해 나갔다. 백 번 읽어서 문리가 트이지 않는 책은 없다는 옛말을 떠올렸을 뿐만 아니라 우리네 주부들이 콩나물을 키우는 방법까지 연상했다. 콩나물을 키우려면 콩나물시루에 물을 자주 주는 것이 관건이다. 그런데 물을 끼얹으면 그 물은 시루를 적시기만 하고 금세 아래로 빠져 버린다. 언뜻 보면 헛수고만 계속하는 것 같은데 그 과정을 거치며 콩나물이 무럭무럭 자라는 것이다. 내가 생각하는 반복 학습이란 것도 이 '콩나물에 물주기'와 크게 다를 바가 없었다. 그렇게 1학년 교재를 읽고 또 읽다보니 점차 그동안 몰랐던 것을 알게 되고 눈에 보이지 않던 것이 훤하게 보이기 시작했다. 알고 깨닫게 되니 절로 흥미가 생기고 진척이 빨라졌다. 공부 방법에 요령을 터득한 나는 3학년에 올라와서는 2학년 교재를 거푸거푸 독파해 나갔다. 그러다 보니 더 이상 막히고 힘들 바도 없었다. 학업을 시작하면서부터 나는 다섯 시간 이상 수면을 취해 본 일이 없었다. 공부를 하다보면 잠자는 시간마저 아까워 절로 그런 습관이 들었다. 근래에는 조금 여유도 생겨서 일본어에 이어 중국어 공부에도 손을 뻗치고 있다.

아직도 내가 학생이란 사실이 고맙고 즐겁다. 여전히 나는 일본학과에서도 최고령 학생이지만 나는 내 나이를 생각해 본 일이 거의 없다. 학생들 모임에도 자주 참여치 않고 교수들과 사적 교류도 뜸한 편이지만 나는 나 자신이 창창한 배움의 길에 들어선 청년 학도와 다를 바 없다는 생각은 잠시도 잊지 않는다.

아름다운 인연, 잊히지 않는 얼굴들

해외문화사절단의 예술인들

1990년 학원총연합회의 서예분과위원장을 맡으면서부터 나는 문상주 총회장과 깊은 관계를 맺게 되었는데 이것이 인연이 되어 문회장이 역시 회장으로 있는 국제문화친선협회의 문화분과위원장이 되었다. 이때부터 나의 본격적인 국제적인 문화 활동이 시작되었다고 해도 과언이 아니다.

고 김영삼 대통령이 6.25참전 기념탑 제막식 참석차 미국을 방문하던 시기 나는 문화사절단의 서예대표가 되어 미국 현지에서 작품전시회를 갖는 한편 지역 교민들에게 가훈이며 좌우명을 써 주는 활동을 하였다.

고 김영삼대통령 방미문화사절단 서양화 고 김흥수 국악 안숙선씨와 김종태

당시 일행으로는 서양화가 고 김흥수 화백을 비롯하여 국악인 안숙선, 김덕수 사물패, 동양화를 하는 박용화 동국대 미대 학장, 요리 전문가 배윤자 등 여러 분들이 있었다.

우연한 기회에 안숙선 국창에게 내 글씨와 그림이 든 부채 하나를 선물했는데 나중 보니 안 씨가 호텔 로비에서 그 부채를 이 사람 저 사람에게 자랑하고 있었다. "금제 선생님이 저한테 주신 거예요." 하며 어린아이처럼 좋아하는 모습을 보니 오히려 내가 쑥스러울 정도였다. 나중에 알고 보니 안 국창이야말로 국전에서 서예 입선을 했을 정도로 이 분야에 조예가 깊은 분이었다. 귀국한 후에는 그 분이 '대춘향전'을 공연하면서 나에게 입장권 10장을 보내주는 세심함을 보여 주었다. 덕분에 나는 좋은 공연을 놓치지 않고 볼 수 있었다.

뉴욕에 체류할 때였다. 고 김흥수 화백이 모자를 하나 사고 싶은데 옆에서 한 번 봐 줄 수 있겠느냐며 동행을 부탁했다. 함께 찾아간 모자 가게는 마치 열차와 같은 구조였다. 가게 통로가 길게 안으로 이어지고 있었는데 양쪽으로는 계절과 남녀노소의 취향에 맞춰 색깔과 디자인을 달리한 모자들이 잔뜩 진열돼 있었다.

이 모자 저 모자를 써 보면서 즐거워하던 김 화백의 모습은 지금도 눈에 선하다. 귀국 후에는 그 분과 함께 식사를 하는 기회도 있었다. 김 화백의 집이 방배본동에 있었고 내 집은 방배 1동에 있었기에 식사를 마치고 귀가할 때는 김 화백의 볼보 차에 합승했다. 차 안에서도 김 화백은 젊은이 못지않은 활기를 보여주었다. "나 금제 선생하고 같이 가고 있어." 하고 김 화백이 집으로 전화를 하자 그 부인이 오는 길에 요구르트며 이것저것을 사갖고 오라고 부탁을 하는 모양이었다. 그러자 김화백은 기운찬 음성으로 "오케이, 오케이"을 연발했다.

추억은 어제 일처럼 생생한데 어느새 그 분도 고인이 되고 말았다.

애틀랜타에서 만난 신영교 회장

애틀랜타 올림픽 때에도 문화사절단으로 참가하였는데 현지에서 신영교 회장을 만난 일이 지금도 잊을 수 없는 추억이다. 그 분은 미국에서도 규모가 가장 큰 창고형 수퍼마켓을 운영하고 있었다. 문화사절단의 활동 사항은 현지 교민신문에도 상세히 보도가 되었기에 교민들은 행사의 내용들도 다들 잘 알고 있었다. 저녁 7시 무렵 행사가 시작된 후 내가 가훈 및 좌우명 써주고 있을 때였다. 한 신사분이 나를 찾아와서 '그들을 사랑하라'라는 글씨를 크게 써 달라고 부탁했다. 나는 반절지 크기의 화선지에다 붓으로 크게 글귀를 쓰고 낙관까지 해서 드렸는데 그는 거푸 감사하다는 인사를 하면서 저녁식사를 대접하겠다는 청을 했다. 괜찮다면서 몇 차례 고사를 하던 나도 그의 진심에서 나오는 간곡한 청을 마냥 거절할 수만은 없었다. 몇 시에 호텔로 모시러 오겠다는 말을 하고 떠난 그는 약속시간에 직접 벤을 몰고 호텔을 찾아왔다. 문상주 회장을 비롯한 몇몇 인사들이 나와 동행을 하였으며 가는 도중 그는 자신이 경영하는 업소에 들렀다 갈 것을 제의했고 우리 일행은 쾌히 그러자고 응했다. 우리가 찾아간 그의 창고형 슈퍼마켓은 미국에서도 가장 규모가 큰 것으로써 대지 6천 평에 건평이 2천5백 평에 달했다. 매장에는 우리나라에서 공수해온 깻잎, 미꾸라지 등과 함께 전 세계의 식품, 가구 등

없는 물건이 없었다. 우리는 거대한 매장과 엄청난 상품에 눈이 휘둥그레지지 않을 수 없었다.

이후 식사를 위해 찾아간 곳은 유명한 중화음식점이었다. 그곳엔 이미 또 다른 우리의 일행인 문화체육부 차관 및 올림픽 체육회 임원들이 먼저 와 있어서 우리는 다른 방으로 안내되었다. 반주를 곁들인 식사 자리에서 나는 신영교 회장과 많은 대화를 나눌 수 있었다. 미국 땅에서 어떻게 이런 큰 사업을 할 수 있게 되었느냐는 물음에서부터 취미가 뭐냐는 얘기까지 하는 과정에서 그는 뜻밖에도 사업을 실패한 이야기부터 꺼내 놓아서 주위의 이목을 집중시켰다.

20년 전, 미국에 이민을 왔던 그는 조그만 가게를 운영하면서 근근이 생활을 꾸려나갔다고 했다. 그런데 10년 전 교회에서 만난 장로 두 사람한테 사기를 당해서 그나마 갖고 있던 전 재산을 송두리째 잃고 말았다는 것이었다. 충격이 너무 크고 앞날에 대한 희망도 전혀

김창준 하원의원과

없었기에 죽기를 작정하고 집안에 틀어박혀 술만 퍼마셨다고 했다. 그렇게 일주일을 보내고 나니 방안에는 빈 술병만 가득 하더란다. 잠깐 잠이 들었던 것일까. 비몽사몽 중에 예수님이 현신하셨다. 그 분이 이르시길 "그들을 사랑하라, 그들을 사랑하라" 두 번 거푸 말씀하시질 않는가! 깜짝 놀라 잠이 깬 신 회장이 정신을 수습하고 주위를 둘러보았지만 예수님은 보이질 않았다. 그러나 생시에 그런 듯 그 분의 모습과 말씀은 너무도 생생하게 남아 있었다. 때마침 다음날이 일요일이었다. 마음을 가다듬은 신 회장이 교회를 찾아가 두 장로를 만났다. 당신들을 용서한다는 말을 전하자 감동한 두 사람이 신 회장의 손을 꼬옥 잡으면서 눈물을 흘렸다. 두 사람의 말로는 신 회장과 그런 일이 있은 후 자기들도 미국 사람에게 사기를 당해 모든 것을 잃었다고 했다. 그러면서 둘은 신 회장에게 너무 못된 짓을 저질러 어찌할 바를 모르겠다면서 작으나마 사죄할 방도를 찾겠다는 약조를 했다. 며칠 뒤 두 사람이 연락을 취해 왔다. 자기들이 6평짜리 가게 하나를 얻어놨으니 거기서 다시 일을 시작해 보는 것이 어떻겠느냐는 것이었다. 신 회장은 그들에게도 고맙다는 인사를 하곤 그 작은 가게에서 다시 장사를 시작했다. 이전에 가졌던 10년의 경험이 있는데다 참담한 좌절까지 겪어봤던 신 회장이었기 남들의 두 배 세 배 노력으로 가게를 꾸려나갔다. 각고의 노력은 헛되지 않았다. 가게는 하루 다르게 성장해 갔으며 10년 세월이 지나지 않아 전국 최대 규모의 창고형 슈퍼마켓으로 환골탈태하였다. 그 기간 신 회장이 겪었을 고초가 얼마나 컸을 지는 감히 짐작하기도 어렵다.

취미가 무엇이냐는 내 물음에 그가 간명하게 답했다.

"제 취미는 일입니다."

그 스스로 지난 10년 세월이 영화의 장면 같기만 하다는 말을 보탰다. 일에만 빠져 있다 보니 친구도 사귀질 못했는데 딱 한 명의 한국인 친구가 제 곁에 있다면서 "금제 선생님이 대구 분이시고 그 친구도 그 쪽에 고향을 두고 있으니 소개를 해드리고 싶습니다."고 했다.

다음날 신 회장의 유일한 친구라는 사람을 만나고는 내가 깜짝 놀랐다. 내가 보안사령부의 보안학교에 있을 때 사병으로 근무했던 황평국 그 사람이었기 때문이다. 제대 후 그가 동국제강에 근무하던 때에도 나와는 자주 만나곤 했었다. 머나먼 이국땅에서 뜻밖의 옛친구를 만났으니 내 반가움은 또 얼마나 컸겠는가.

동국제강을 그만 둔 뒤 그도 미국으로 이민을 왔으며 여기서 신영교 회장을 만났다는 이야기를 그로부터 들었다.

이후 내 전시장을 들른 그는 나의 캘리그래피 작품 '참 좋은 당신'를 보고는 너무 좋다면서 자기가 사겠다고 하였지만 내가 그럴 수 없었다. 이국에서 옛 친구를 만난 기념으로 그냥 친구의 손에 작품을 쥐어 주었다.

이튿날 그가 전화를 걸어 말했다. 그 작품을 자기 집 안방에 걸었는데 부인이 더 좋아하더란다. 그러면서 그 부인의 말을 대신 전해주었다. 좋은 작품을 받고 가만있으면 안 되니 하루 관광이라도 시켜드리고 작품 값은 따로 드려야 한다고.

꼭 시간을 내주어야 한다는 청을 받고는 나와 일행 셋이 시내 관광을 나섰다. 이곳저곳을 둘러보는 때에 유독 큰 성조기를 내걸고 있는 한 건물이 내 눈에 띄었다. 관공서인가 보다 여겼는데 그 건물이

바로 친구의 업소가 있는 곳이었다. 친구가 경영하는 인도어골프장
(실내골프연습장)이었다. 친구의 안내를 받아 안으로 들어가 봤더니
연습장 너비가 상상 밖으로 컸다. 이곳에서는 두 명의 프로 골퍼를
두고 있으며 잘 갖춰진 물품매장이 한몫하고 있었다.

골프를 치느냐는 친구의 물음에 나는 두 달 연습해 본 것밖에 없다
고 솔직히 대답했다. 그런데도 그는 골프를 쳐보시라고 하면서 올
세트의 골프 용품을 내게 선물로 주었다. 모자, 옷, 구두까지 다 갖
추고 있는 이 세트는 우리 돈 1천만 원대 고가였다. 따라서 친구의
안방에 걸린 내 작품은 지금껏 판매된 내 작품 중에서도 가장 비싼
작품이 되는 셈이었다.

신영교 회장은 KBS 방송에서도 여러 번 소개된 성공한 한국인이
다. 그 신 회장이 내가 귀국한 후 잠깐 한국을 다니러 온 일이 있었
다. 문상주 회장과 나는 미국에서 받은 융숭한 대접을 떠올리면서
어떻게 그를 환대할까 고민도 했지만 호텔 음식보다는 우리네 전통
음식을 대접하는 것이 좋겠다는 데 의견을 모았다. 그래서 무교동에
서 낙지며 순댓국, 오징어두루치기 등으로 그를 접대하였는데 신 회
장 또한 이들 음식을 즐겨 먹으며 좋아하는 모습을 보고 우리도 함
께 즐거워하였다.

미국 버밍햄의 한국인 입양아

버밍햄은 미국 앨라배마 주에서도 가장 큰 도시로서 미국 남부의 주
요 공업 중심지이다. 인구 220만 정도의 이 도시에서는 해마다 세계
여러 나라를 소개하는 문화행사를 벌여왔는데 2006년에는 한국의 날

을 지정하고 한 주일 동안 한국 관련의 여러 행사를 펼쳤다. 이에 우리나라에서도 문화사절단을 파견하는 등 지원을 아끼지 않았다.

'한국의 날' 행사 당일에는 특별히 현지 6.25 참전 용사들의 시가 행진이 있었으며 내가 포함돼 있는 문화사절단의 거리 퍼레이드도

버밍헴 한국의 날 거리 퍼레이드

버밍헴시 한국의날 행사

있었다. 여기서는 한국 어린이들의 전통무용까지 곁들여져 거리 관중들의 눈길을 끌었다.

행사 기간 동안 나는 시내 공원 박물관에서 작품전시회를 가졌다. 전시회에는 다양한 서예 작품과 함께 부채, 연 등의 한글 작품을 다수 선보였으며 이들 작품의 대부분은 현지 교민회에서 구매해 주었다.

전시 기간 중 하루, 나는 한복에 두루마기까지 갖춰 입은 채 '서예가 김종태'라는 영문 프랭카드를 걸고 현지 교민들을 상대로 가훈이며 좌우명을 써 주는 행사를 가졌다. 그런데 글씨를 부탁하기 위해 줄을 선 대부분 사람들이 한국인 입양아를 데리고 온 미국인 양부모라는 사실을 알곤 크게 놀라지 않을 수 없었다.

그 양부모들이 내게 하는 말도 크게 다르지 않았다. 자신들의 입양아들은 모두 한국에서 태어났다, 지금은 잘 모르지만 나중 성장하게 되면 반드시 대한민국의 고향 땅이며 친부모를 찾으려 할 것이다, 그 즈음에 한국의 텔레비전 같은 데 나가서 내 본래 이름은 무엇이다, 친부모는 누구다, 라고 얘기할라 치면 분명한 이름 석 자는 알고 있어야 되지 않겠느냐. 그때 쓰도록 하기 위하여 이름자만큼은 큼직하게 써달라는 것이었다.

먼 훗날까지 배려할 줄 아는 이들 양부모의 이야기를 들을 때마다 나는 가슴이 뭉클하는 감동을 받았다. 인류애를 실천할 줄 아는 미국인들을 고마운 마음으로 다시 바라보지 않을 수 없었다.

가두 퍼레이드를 하던 때도 나는 골목골목에서 나온 숱한 동양 아이들을 보곤 내심 의아해 했던 기억이 있었다. 하나같이 우리네 아이들과 똑같은 용모였는데 뒤늦게 이들 아이 대개가 우리나라에서 입양돼 온 아이들이었음을 알았으니 그 충격이 어떠했을까.

귀국 길에는 문화체육부 차관과도 이들 입양아 문제에 대한 이야기를 심도 있게 나누었다. 어떻게 하면 해외 입양을 줄이고 나아가 해외 입양아들에게는 어떻게 한국인의 정체성을 갖게 하느냐가 관건이란 점에 함께 공감을 했던 것이다.

이규태 전 조선일보 고문과의 인연

1980년 나는 커나가는 아이들에게 좀 더 나은 교육환경을 주고 싶다는 욕심에서 서울 서초구 방배1동의 빈 땅을 구입해서 집을 지었다. 이윽고 대지 71평에 69평의 건물이 완성되어 이사를 하면서부터 나도 비로소 강남 8학군 진입의 뜻을 이루었다. 이전까지 내가 살던 곳은 경기도 광명시였다.

강남 주민이 되면서부터 나는 친구의 권유로 반포 테니스클럽에 가입하여 테니스 운동을 즐기게 되었으며 이는 향후 20년이나 계속됐다.

저명한 문필가로써 조선일보사에서 논설위원, 주간, 상무, 고문을 다 거친 이규태 선배를 처음 만나 교류를 할 수 있었던 것이 바로 이 테니스클럽에서였다.

그 분과는 매일같이 아침 6시에 만나 1시간 정도 운동을 같이 하고 헤어졌다. 알려진 바처럼 그 분은 소탈하여 가식이 없을 뿐만 아니라 지극히 검소했다. 그 정도 사회적 지위를 가진 분이면 능히 골프를 즐길 법도 한데 그 이는 남들 다 하는 골프를 멀리 하고 테니스를 즐겼다. 하루는 내가 이 점이 궁금하여 왜 골프를 하지 않느냐고 물어보기도 했는데 그분의 대답이 명쾌했다.

"나한테는 이 정도 운동만으로도 충분한데 돈 많이 들고 시간 많이 빼앗기는 그 운동까지 해서 뭐 하겠느냐."

주관이 뚜렷한 그 분은 한 번 정하고 행한 일에는 변함이 없었다. 내가 알기로도 그 분은 이사를 참 여러 번 했다. 반포동, 방배동, 압구정동, 여의도, 한남동, 다시 방배동 등등. 이른바 서울에서도 요지라는 곳으로만 옮겨 다녔는데 중요한 건 그러면서도 반포테니스장을 한 번도 떠난 적이 없다는 사실이다. "운동은 알던 이들과 하는 것이 좋다."면서 굳이 먼 데서까지 택시를 타고 시간 맞춰 오곤 했던 것이다. 나 같은 사람은 택시비가 많이 들어서라도 그러지 못할 것 같다.

내가 (주)부산조선공업의 상무로 있던 시기, 나는 종종 그 분을 좀 더 나은 술집으로 모셔 접대를 하고자 했지만 번번이 그 분의 거절로 뜻을 이루지 못했다. 이른바 방석집 같은 델 가자고 하면 대뜸 그 분이 일갈했다.

"옆에 여자가 붙어 앉아서 종알거리면 술맛이 떨어져."

고, 이규태씨와 소주 한 잔

그래서 찾아가는 술집은 광화문 뒷골목 아니면 청진동의 허름한 선술집이기 일쑤였다. 식탁이라고 해야 드럼통을 반 잘라 막은 것이요 등받이 없는 의자가 있기도 했다. 소박한 안주를 놓고 소주잔을 나누기 십상이었는데 그럴 때는 술값도 그 분이 치르는 경우가 더 많았다. 술값을 지불할 때는 꼭 주머니에서 봉투 하나를 끄집어냈다. 어딘가에 가서 특강을 하고 받은 사례금 봉투였다. 술값을 치른 뒤 나머지는 봉투째 부인한테 준다는 그 분의 말이었다. 그 분은 돈에 대해서도 극히 초연했다.

생전에 그 분이 내게 말했다. 그동안 자신이 저술한 100여 권의 저서를 전집으로 묶어서 전국의 대학에 무상으로 제공하는 것이 여생의 꿈이라고...

끝내 꿈을 이루지 못한 채 그 분은 세상을 떠나고 말았다. 안타까운 일이 아닐 수 없다.

전 청와대 대변인 김학준 씨가 친구에게 들려 준 충고

김학준 전 청와대 대변인한테서 들은 이야기다. 무슨 일인가로 하얏트호텔 로비에서 이 분을 만났을 때였다. 이 분은 청와대에서 나온 후 인천대학교 총장, 동아일보 사장과 회장, KAIST 석좌교수를 역임하였다.

김학준 씨의 친구 중 한 사람이 서울 강남에 백화점이며 건물 등을 지닌 부자였다. 이 분이 어느 날 김학준 씨에게 말하더란다. 자기 아들이 고3이 되었는데도 여전히 공부를 하지 않는다고. 매일 공부는 않고 빈둥거리기만 하는 아들을 자극시켜 보겠다고 하루는 아들을 불러 말했단다. 네가 조금이라도 열심히 해서 어떤 대학이든 서울에 있는 대학에만 들어가면 그랜저 차 한 대를 사주고 게다가 한 달 500만원 한도의 신용카드를 주겠다고… 농 반 진 반의 약속이었는데 이외의 사태는 그 다음에 일어났다. 어떻게 무슨 노력을 했는지 몰라도 그 아들이 덜컥 서울 소재의 한 대학에 합격을 했던 것이다.

합격통지서를 받자마자 아들은 약속을 지키라면서 아버지를 졸라댔고 아버지 또한 찜찜한 마음이 없지 않았지만 이왕에 스스로 했던 약조인지라 하는 수 없이 차를 사 주고 신용카드를 건네줄 수밖에 없었다. 이때부터 아들은 친구들을 태우고 신나게 차를 끌고 다니면서 함부로 카드를 긁어대기 시작했다. 금세 카드의 사용 한도액을 넘겨버린 아들은 사용 액수를 늘려달라고 아버지를 졸라대기에 이르렀다. 이 이야기를 들려주는 친구의 말에는 걱정보다는 자랑이 더 많이 섞여 있었다는 것이 김학준 씨의 말이었다. 김학준 씨가 친구를 위해 짐짓 화를 내며 충고를 했다고 한다. "이 친구야, 자네가 아들을 죽이려고 작정을 했구나. 당장에 차를 회수하고 카드는 용돈 이상 쓰지 못하도록 한도액을 줄이도록 하게."

친구는 김학준 씨가 왜 그런 말을 하는지 까닭을 알면서도 지금 와서 어떻게 그럴 수 있느냐고 난감해 하더란다.

김학준 씨로부터 직접 이 이야기를 전해들은 나는 그 강남 부자가 좋은 친구를 둔 복마저 지녔다고 여기지 않을 수 없었다.

칭찬박사 문상주 씨

고려학원을 운영하는 문상주 씨는 학원 사업으로 큰 성공을 거둔 분이다. 이로써 그 분은 학원총연합회 총회장의 중책을 맡았을 뿐만 아니라 국제문화친선협회 회장으로서 우리 문화의 국제 선양에 크게 기여를 하였다.

문 회장한테는 남들이 가지지 못한 여러 장점들이 있지만 그 중에서도 큰 장점은 누구보다 칭찬을 잘 하는 점이라는 것이 내 생각이

금제 김종태 시인 등단 기념 및 출판기념회

뉴욕에서 한복패션쇼 고 노무현대통령 방미시

다. 공적, 사적인 자리를 가리지 않고 칭찬을 많이 하는 분이 문 회

장인 것이다. 회의를 주재할 때면 그 분은 특히 신참자들에 대한 칭

찬을 아끼지 않아 회의 분위기를 화기애애하게 만들었다. 때로는 듣

는 이가 몸 둘 바를 모를 정도로 과찬을 해주기까지 했다.

"칭찬을 하면 고래도 춤을 춘다."는 말을 평생에 실천해 온 분이

바로 문 회장이다.

천사행을 실천하는 권이종 박사

돈을 벌고자 광부가 되어 독일에 파견되었다가 그곳에서 형설지공

(螢雪之功)으로 박사 학위를 받고 국내에 돌아와 대학 교수를 지낸

권이종 박사야말로 입지전적인 인사가 아닐 수 없다.

이 분은 1964년 파독광부로 독일에 가서 메르크슈타인 광산에서

3년간 고된 작업을 하였으며 이후 독일 아헨대 대학원에서 석사, 박

사를 취득한 후 귀국하여 전북대학교 및 한국교원대학교 교수를 역

임하였으며 2006년 정년퇴임 후 현재는 아프리카아시아 난민교육

후원회(ADRF)의 회장으로 협약, 활동하고 있다.

나는 국제문화친선협회를 통하여 이 분과 교류를 가졌으며 이후

이 분은 해동서예학회의 행사는 물론 산악회 모임 등에도 자주 참석

해 주었다.

요즘 이 분은 아프리카, 아시아의 난민 어린이들의 교육 사업에 헌

신하고 있는데 박사가 이끌고 있는 ADRF는 특히 에티오피아, 필리

핀, 몽골 등지의 어린이 교육 후원에 온 힘을 쏟고 있다. 월 4만원이

면 이 지역 한 학생의 한 달 교육비는 물론 식비 일체를 감당할 수

있는 금액이 된다. 나도 한 때는 4명의 학생을 지원하기도 하였으며 해동서예학회를 통한 지원이 가능하도록 MOU 체결도 했다.

나와 결연이 된 아이들은 종종 감사하다는 인사말을 적은 영어편지를 보내오기도 하는데 이를 본 권 박사는 나를 보고 천사라고 말한다. 그런 칭찬을 받을 만한 일을 하지 못한 나로서는 여간 부담이 되지 않을 수 없다. 그러나 따져보면 이런 말도 아무나 할 수 있는 말이 아닌데 권 박사가 그러는 걸 보면 그 분 스스로 천사의 마음을 가졌기 때문이 아닌가 여겨진다. 언제 어디서 만나든 남을 배려해 주고 도움의 손길을 내밀 줄 아는 그 분이야말로 진정한 천사가 아닐까 싶다.

잊지 못할 정순빈 씨의 후의

나 자신이 한국방송대학 3학년에 적을 둔 늦깎이 대학생이지만 그래도 조금은 여유가 있다고 해서 지금도 두 명의 대학생들에게 장학지원을 하고 있다. 이렇게 장학금을 지급하는 배경에도 세상엔 공짜가 없다는 내 신념이 배어있다. 나 스스로 내 사무실로 찾아오는 고마운 분이나 도움을 주는 분들께는 그만한 은혜를 베풀고 예의를 지키는 생활을 해왔기 때문이다.

내가 서울 광화문의 세종로 1번지에서 금제서예학원을 운영하고 있을 때 내 딸과 아들 둘이 대학을 다녔다. 씀씀이가 커진 대학생이 됐지만 학원 운영 만으로도 빠듯한 생활을 꾸려가고 있던 나는 그들에게 학비 외에는 용돈 한 푼 줄 수가 없었다. 그래도 그들은 아비를 탓하지 아니하고 아르바이트 등을 해가며 용케도 대학생활을 이어

나갔다. 훗날 셋째 아들까지 이렇게 힘들게 대학을 마친 걸 생각하면 지금도 가슴이 아프다. 셋 다 휴학 한 번 하지 않고 무사히 대학을 마쳐 주었으니 나한테는 이런 고맙고 기특한 일이 없다.

나한테서 서예를 공부한 제자들 중에는 여든 고령의 한 분도 있었다. 천성에 욕심이 없고 베풀기를 좋아하시는 하동 정 씨 순빈 씨다. 생전의 고 정주영 회장도 하동 정 씨 종친회의 장학회를 맡고 있던 이 분을 각별히 대했다고 전해진다. 때로 고 정주영 회장이 수고비라면서 몇 백만 원을 쥐어주면 이 분은 결단코 혼자 쓰는 법이 없었다. 종친회의 모든 임원들을 불러 나누어 주었기 때문이다. 이렇듯 공평무사한데다 맡은 바 일에는 최선을 다 하였으니 모두가 존경하고 따르지 않을 수 없었다. 그 후덕이 아래로 흘러 자녀들도 모두 훌륭하게 되었다. 내 큰아들이 충남대학교 의과대학에 진학한 후부터 이 분은 학비에 보태 쓰라면서 학기 마다 1백만 원씩을 나에게 전해 주었는데 이 고마운 일은 6년간 계속되었다.

맏이가 충남대에 가게 된 데도 이유는 있었다. 내 형편이 너무 어려워서 사립대학에는 도저히 보낼 수가 없었기 때문이다. 중학을 졸업할 때만 해도 만점의 성적으로 전국 1위를 한 아들이었지만 서울대 의대 합격만은 장담 할 수가 없었다. 혹여 고배라도 마시면 어쩌나 싶어서 안전권에 있으며 장학금까지 받을 수 있는 충남대학을 택했다. 게다가 대학이 있는 대전은 서울 집에서도 가깝다는 이점도 있었다. 만약 정순빈 씨의 도움이 없었다면 그 아이가 대학을 제대로 다닐 수나 있었을까, 지금 생각하여도 아찔한 느낌이 들지 않을 수 없다. 그래서 이후 기회 있을 때 마다 아내며 아들에게 한 말이 있었다.

"나는 하동 정 씨 종친회의 장학금을 많이 받은 사람이다. 따라서 우리는 항시 고마운 마음을 가지면서 그 은혜를 갚을 마음을 꼭 가져야 한다."

아들이 아직 하지 않으니 내가 그 갚음을 시작했다.

대구의 대륜고등학교는 나의 모교이다.

나는 지난 3월(2018년), 이 학교를 졸업하고 서울대학교 사범대학 국어교육학과에 입학한 한 학생에게 장학금 100만원을 전달하고 앞으로 자주 만나자면서 식사도 함께 했다. 송시풍이라는 이 학생은 2017년 대학수학능력시험에서 문과 계열 1등을 하였지만 가정 형편이 어려웠다. 고교 졸업 때 받은 장학금 200백만 원을 부모님께 드리고 자신은 서울대 기숙사에 의탁해 학업을 밟고 있는 착하고 성실한 학생이었다. 고등학교 다닐 때 아르바이트로 모은 돈이 있기에 장학금은 부모님께 드려도 괜찮다는 그의 말이었다. 몸가짐이며 말씨까지 요사이 젊은이 같지 않다. 기숙사비는 본인 부담이므로 앞으로도 아르바이트는 계속 할 예정이라는 그의 말을 들으며 나는 이 학생이 훗날 나라의 듬직한 동량(棟梁)으로 잘 커나가기를 속으로 기원했다.

모든 걸 비우고 사는 정념 이원석 씨 내외 분

오랜 기간 공직에 몸담고 있던 정념 이원석 씨는 퇴임 후 사군자, 문인화를 공부하였는데 그 노력이 남달랐다. 그리하여 마침내 해동서예학회의 초대작가가 되었으며, 지금은 수도를 함께 하는 등 나와 좋은 인연을 맺어가고 있는 분이다.

건강의 문제도 있었지만, 특히 이원석 씨 부부는 남들이 부러워 할 정도로 일심동체의 삶을 살아가는 것으로 소문이 나 있다. 두 내외분은 지금도 틈날 때 마다 전국 유람을 다닌다. 봉고차를 캠핑카로 개조하여 끌고 다니기에 아무 때든 가고 싶은 곳을 갈 수 있고 따로 숙소를 구하는 수고를 할 필요도 없다. 자급자족의 여행이니 비용도 많이 들지 않는다. 연금생활을 하는 여유를 풍기기도 한다.

두 분은 불심(佛心)이 대단히 깊다. 한국서예인산학회의 정기 산행이 있던 어느 날 두 분이 참석했다. 여느 때 마냥 회장인 내가 간단한 인사말을 하고 일행들을 소개를 하는 때였다. 앞쪽에서부터 차례로 소개를 해나가고 있는데 정념 선생의 부인이 유독 환하게 웃으시는 게 아닌가. 나도 반갑고 고마운 마음에 "무재일시(無財一施) 하셨습니다." 하고 인사를 했다. 당장에는 아무 대답이 없었는데 뒤까지 인사를 마치고 돌아오니 정념 선생이 "아까 회장님이 무어라고 하셨습니까?" 하고 물었다. 불교에서는 '무재천시(無財千施)' 한다는 말을 자주 쓴다. 재물이 없어도 천 가지 보시를 할 수 있다는 말이다. 남을 기쁘게 하고 남을 칭찬해주는 것도 다 보시에 해당한다. 아까 부인께서 너무도 반갑게 환히 웃으시어 저를 즐겁게 해주었으니 그 또한 한 가지 보시가 아닌가 싶어 내가 그런 말을 했다고 하니 다들 한바탕 웃음을 쏟았다.

천성이 소박하고 맑은 두 분을 만난 것을 나는 두고두고 감사한다.

장상현, 최훈 – 존경과 감사를 드려야 할 선배분

고위 공직에 있었던 장상현, 최훈 두 분은 나한테 대선배가 되는 분들이다. 두 분 다 내가 ㈜부산조선공업에 근무하던 때 만났는데 나한테는 많은 가르침과 도움을 주었음에도 불구하고 일체의 부담을 주지 않은 고마운 분들이다.

이 분들과의 관계는 1973년부터 시작되어 40년이 넘는 지금까지 이어져 오고 있으며 그 존경과 감사의 마음은 종내 변함이 없다.

1983년 내가 부산조선공업을 퇴직하고 몇 개월이 지났을 무렵, 당시 청와대 산업담당 비서관으로 있던 장상현 선배가 어떻게 소식을 듣고는 내 집이 있는 방배동까지 걸음을 해주었다. 근처 다방에서 선배를 만났는데 뒤늦게 사정을 알았다면서 미안해했다. 서예학원을 차려서 아이들 공부를 시키기로 마음을 먹었다는 내 말을 듣고는 선배가 자기 일처럼 걱정을 했다. 학원을 해서 어떻게 그런 일이 가능하겠느냐며 다른 사업을 계획해 보라는 말씀까지 했다. 그 분의 걱정과 조언 하나하나가 진정으로 나를 생각한 데서 나온 것임을 알 수 있었다. 그 고마움을 어찌 세월이 지났다고 잊을 수 있으랴. 그 당시, 힘 있는 후원자가 뒤를 밀어준다면 어떤 사업이든 성공할 가능성이 컸지만 나는 이미 새로 차린 서예학원에 모든 힘을 쏟고 있던 터라 그 분의 권고에도 크게 마음이 흔들리지 않았다.

그 분이 동력자원부 차관을 지낼 적에도 나는 그분의 신세를 진 일이 있다.

최훈 전 철도청장이 내 고향 선배 분이라는 사실은 내가 처음 그 분을 만나고도 수십 년이 지난 뒤에야 우연히 알게 되었다. 교통부에서 공직을 시작한 최 선배는 과장에서 실·국장에 이르기까지 관광, 육운, 해운, 항공 등 교통부의 요직이란 요직은 모두 거친 엘리트 관료의 전형적인 인물이라고 할 수 있다. 철도청장을 끝으로 공직을 떠난 그 분은 이색적인 제2의 인생을 시작함으로 해서 세간의 관심을 끌었다. 프랑스 유학 시절부터 관심을 갖고 공부를 아끼지 않았던 와인에 대한 일반의 인식을 높이는데 노력을 경주했던 것이다. 보르도와인아카데미를 설립하여 전문적인 와인 교육을 펼치는가 하면 월간지 '와인저널'을 간행하여 와인에 대한 대중의 인식을 바꿔나가기도 한다. 그 분 스스로 왕성한 저술활동과 특강 등을 통하여 와인의 새로운 세계를 열어나가고 있는 것이다.

교통부 과장 시절 그 분이 내게 들려주었던 이야기는 나한테도 커다란 영향을 미쳤다. 당시 그 분은 매일 한 시간 이상씩 영어 공부를 한다는 얘기를 했다. 이 습관은 술을 마시고 귀가하는 때에도 바뀌지 않는다고 했다. 이런 꾸준한 외국어 공부 습관 덕이었을까. 그 분은 영어, 일어, 프랑스어, 중국어를 능숙하게 구사하는 것으로 알려져 있다.

다른 이들의 귀감이 되는 삶을 살아가는 그 분이 존경스럽지 않을 수 없다.

해동서예학회 정정숙 이사

당사자는 흔히 자신을 해동의 사무국장이라고 소개하지만 사실 그는 해동서예학회의 법정이사이다. 8년 가까이 나의 지근거리에 있으면서 나를 적극 보좌해 주고 있다. 서예작가로서 자기 세계를 넓혀 가는 한편 그는 남다른 친화력으로 대외활동도 많이 하고 있다.

이전 금성출판사 전산실에 근무한 경력으로 실무에 능통하다. 특히 그의 뛰어난 컴퓨터 운용 능력은 해동서예학회 운영에 큰 도움을 준다. 다른 단체보다 빠르고 정확한 일 처리가 가능한 것도 그에 기인하는 바 크다. 크게 드러남 없이 업무를 수행하는 그는 혹 실수라도 있을라치면 "이건 제가 잘못했습니다." 하고 솔직히 얘기하기도 한다. 나는 그의 이런 깔끔함, 진솔함이 좋아서 그를 믿고 일을 하고 있다. 궂은일도 마다 않는 그에 대해서 나는 언제나 감사한 마음 밖에 없다.

현재 그는 한국서예인산악회 회장을 겸하고 있다. 1995년 5월 28일 경기도 유명산 산행과 함께 창립된 서예인산악회는 어느덧 23년의 연륜을 가진다. 이 산악회는 여느 등산모임과 달리 창립 때부터 산신제를 곁들이는 산행을 하는 것으로 정평이 나있다. 힘들여 정상에 오르면 먼저 가져온 깃발을 걸고 음식을 차린 뒤 산신께 제를 올리는 것이 관례인 것이다. 여기에는 안전하게 산길을 열어 준 데 대한 감사와 나와 내 가정의 안녕과 행복을 추구하는 기원이 담겨 있다.

2003년 금강산 산행부터 참여한 정 이사는 백두대간을 완주한 실력파 등산인인데 산악회 회장직을 맡아서는 빼어난 리더쉽을 보이면서 책임을 다하고 있다.

백두에서 한라산까지

제295회 송년산행 – 청계산형제봉

한국문화답사단 단장 김을섭 작가

　김 단장은 주도면밀하게 일을 처리하는 능력자다. 어려운 일을 혼자 도맡아 하면서도 힘든 내색을 하지 않는다. 아나운서처럼 언변이 뛰어나며 그만큼 다른 사람과의 친화력도 좋다. 대단한 열성으로 단체를 이끄는 덕에 전화 통화만으로도 인원관리가 가능하다. 나와 먼저 통화를 한 후 목적지가 결정되면 그는 일사천리로 일을 진행시킨다. 계획에서부터 실천에 이르기까지 전혀 하자가 없다.

　나와 인연을 맺은 것은 내가 처음 답사단을 만들 때부터였다. 점점 나이가 들면서부터 나는 산악회 활동을 못할 때를 생각해서 문화답사단을 만들었다. 그것도 쉽지가 않은 일이었지만 김 단장이 많이 도와줘서 그 일도 가능해졌다.

문화답사단 와우정사

산악회든 문화답사단이든 이는 서예동호인들의 건강 및 우정의 증진을 위해 만든 단체이다. 실비로 운영되는 단체이기에 부담을 느끼는 동호인은 없다. 모두 서예를 하는 분들이라서 사람이 좋을 뿐만 아니라 다들 신사답다. 처음 참여하는 사람마저 낯선 느낌이 들지 않고 편안하다고 말한다.

김을섭 작가가 이렇게 도와주니 나도 이 일을 계속 할 수 있으니 고마울 따름이다.

미림화랑 박옥석 사장

나와의 인연은 1980년도부터이다.

화랑 겸 표구를 전문으로 하며 전문지식까지 갖춘 정부문화재 작품의 수리보전의 명인이다.

1980년에 내가 방배1동에 땅을 싸서 집을 짓고 거주하면서 작품 표구를 부탁하게 되었고, 84년도 서예학원을 개원하게 되어 서로 교류를 하게 된 것이 인연의 시작이다. 그로부터 30년의 세월이 흘렀으며, 대한민국 해동서화대전 작품의 표구를 전담하게 되어 지금까지 도와주고 있다. 일을 진행하면서 한 번도 잘못됨이 없었다. 해마다 치루는 공모대전 때마다 빈틈없이 일을 꼼꼼히 잘 처리하는 것은 박사장의 탁월한 능력이다. 나로서는 너무나 좋은 사람을 만난 것이 행운이고, 나의 복이다.

서로 나이가 들어가면서 서로 돕고 사는 관계가 되었고 30여 년을 변함없이 지내온 인연이 나에게는 참으로 고마운 사람이다.

지금은 한국서예인산악회 운영위원장직을 맡고 있으며, 회원 간의 융화에 남달리 심경을 써 주어서 산악회가 잘 운영되고 있다.

'경기도를 빛낸 자랑스러운 도민상'을 받다.

지난 2017년 7월 10일, 나는 과분하게도 내가 사는 경기도(도지사 남경필)로부터 '경기도를 빛낸 자랑스러운 도민상'을 받은 영예를 입었다.

이 상은 2011년 '자랑스러운 경기도민상'으로 출범, 2014년 지금의 명칭으로 변경된 상으로서, 경기도를 빛낸 자랑스런 도민 조례 및 시행규칙에 의거 2년 주기로 시상하는, 경기도에서 주는 표창 중 가장 높은 상이다. 2014년 3월 5일 개정된 경기도조례 제4696호에 의하면, 이 상은 "경기도민 중 국가와 경기도 발전을 위해 사회적으로 헌신·귀감이 된 사람을 각별하게 예우하고, 그 훌륭하고 자랑스러운 업적을 도민에게 알려 경기도의 정체성 확립과 자긍심 고취를 도모하고자 경기도를 빛낸 자랑스러운 도민을 선정"하여 수여한다고 되어 있다. 한편 타 시도의 최고 표창과는 달리, 경기도의 이 상을 받은 이는 자동적으로 다음과 같은 예우를 받는 것으로 돼 있다.

1. 증서 또는 상패
2. 경기도 명예의 전당에 헌액
3. 각종 위원회 위원 위촉
4. 도정 주요행사 참석 초청, 소개
5. 교육강사 초빙
6. 국내외 시찰 등의 혜택

경기도는 2017년 네 번째의 이 상 수상자를 선정하기 위하여 3월부터 후보자 33명을 대상으로 두 차례에 걸친 선정위원회의 엄정한 검증을 거쳐 최종 나를 포함 3인을 선정했다고 발표했다.

나와 함께 상을 받은 두 분은 상여, 회다지 소리를 복원한 장례문화 계승자 김우규 씨(고양시)와 한글로 '세계평화지도'를 제작해 한글의 우수성을 세계에 알린 세계평화작가 한한국 씨이다.

선정위원회는 나의 독창적인 한글서체인 선화체의 개발, 보급 활동과 함께 한국서예신문 발행 및 (사)해동서예학회를 기반으로 한국서예 발전과 국제예술교류활성화에 기여한 공로를 인정해 주었다.

이 상의 수상은, 그 전 해인 2016년 국내 정상의 시사지로 발돋음하고 있는 뉴스매거진 신문사(대표 이유신)가 각 분야에서 국가와 사회발전에 업적이 지대한 분이나, 희생과 봉사정신으로 우리 사회 귀감이 되는 분을 선정하여 그 공적을 기리는 뜻에서 제정한 '대한민국 인물대상(학술부문)' 수상에 뒤이은 것으로 나 개인한테는 지극히 영광스러운 일임이 분명하다. 그러나 여하한 상이든 그것이 한 개인의 영예를 높이는 데 그친다면 상을 주는 이나 받는 이 모두에게 아쉬움이 남을 수밖에 없을 것이다.

"이번 수상을 계기로 지난날을 되돌아보며 깨우침의 시간도 가졌고 그리고 앞으로 한국문화예술 발전을 위해 더욱 노력해야겠다는 다짐을 했습니다."

수상식에서 밝힌 감회와 같이, 나는 상이란 누군가의 업적을 치하할 뿐만 아니라 반성과 새로운 다짐을 일구는 계기가 돼 주는 데 더 큰 의미가 있다고 여긴다. 그런 뜻에서 나는 서예를 비롯한 다방면

의 문화 활동이며 사회봉사 활동에 있어서의 내 역할과 성과는 아직
도 미미한 단계에 있다고 자책하면서 더 나은 결실을 거두기 위한
노력을 부단히 이어나갈 수밖에 없다고 다짐을 하는 것이다.

2부

서예(書藝)로 세상과 통하다

학원총연합회 서예분과위원장을 맡다

1990년 무렵, 우리나라 학원총연합회 서예분과위원회는 운영이 제대로 되지 않아 해체 단계에 이르러 있었다. 상근 사무장에게 제때 월급을 지급할 수 없는 지경이었던 것이다. 당시 나는 이사로 있었는데 분과위원장의 임기가 만료되자 회장이 나에게 위원장직을 맡아 달라고 간청하였다.

고심 끝에 위원장직을 수락한 나는 분과의 회생을 위한 여러 방안들을 강구했으며 그 실천을 위한 노력을 경주하였다. 첫째, 적자의 원인을 분석한 뒤 지출을 줄이는데 힘을 쏟기로 하였다. 서예전 수상자에게 시상하는 한문 옥편과 국어사전을 구입하는 비용도 만만치 않았다. 이를 협찬으로 받아 시상하기로 계획한 나는 직접 동아출판사를 찾아가 상무를 만났다. 사정을 잘 설명하였더니 상무가 흔쾌히 협찬을 약속해 주었다. 두 번째는 서예대전의 위상을 높이기 위하여 국회의장상을 신청하여 대상 수상자에게 수여했다. 셋째, 대한항공과 아시아나항공을 찾아가 대상 및 우수상 수상자의 해외여행을 지원해 달라고 간청하였다. 교통부 지인의 도움까지 받아서 7매의 항공권을 협찬 받은 나는 뜻한 대로 수상자의 동경. 대만 여행을 무사히 추진할 수 있었다.

상품과 해외여행의 수상까지 협찬으로 해결하였으므로 대전을 치르면서도 크게 경비를 쓸 일이 없었다. 차츰 수익 사정이 좋아진 까닭에 내 임기 3년 동안 서예 분과는 적자에서 흑자로 전환할 수 있었다. 다음 분과위원장에게 업무를 인계할 때도 나는 전에 없이 마음이 홀가분하였다.

1991년 학원연합회 서예분과위원장 시절

수상자 대만 여행

병고(病苦)에서 찾은 서예의 길

부산조선공업에 입사한 지 2년쯤 되던 시기였다. 어느 날부턴가 갑자기 온 몸에 맥이 풀리듯 피곤이 엄습했다. 가만 앉아 있기도 힘들 정도였기에 회사의 업무를 수행하기는 더더욱 고되고 힘겨웠다. 게다가 식욕마저 딱 떨어져서 뭐 하나 입에 넣고 싶은 마음이 없었다. 어느 때는 등줄기로 식은땀이 흐르기조차 했다. 평소 건강에는 자신이 있었던 터라 갑작스런 이 증세에 내심 나도 놀랍고 우려되는 바 적지 않았다.

용기를 내서 인사동의 해정병원을 찾아갔는데 뜻밖에도 급성 B형 간염이라는 진단 결과가 나왔다. 격무에 시달리다 보면 곧잘 이 병에 걸리기 쉽다면서 의사가 절대 안정을 권했다. 간염을 잘 다스리지 못하면 만성간염, 간경화, 간암으로도 진행될 수도 있다는 사실을 알고 있었기에 나는 의사의 권유대로 입원 가료를 받기로 하였다.

이른 아침부터 밤늦게까지 일만 할 줄 알던 내가 어느 날부터 병원 침상에 누워서 눈만 멀뚱거리고 있으려니 이게 바로 산송장이 아닌가 싶기도 했다.

수액주사를 맞으면서 긴긴 하루하루를 보냈다. 귀에서는 전에 없던 이명이 들리는가 하면 수시로 잠이 들기는 하지만 깊은 잠을 이루기 어려웠다.

긴 세월을 산 나이는 못되었지만 나는 이 갑갑하고 지루한 병상생활에서 나를 되돌아 볼 수 있는 좋은 기회를 가졌다. 불우한 환경에서 지금껏 남들보다 더 성실히 그리고 더 열심히 살았다고 자부해

왔는데 지금 나의 이 몰골이 무엇인가? 도대체 내가 가지고 누릴 수 있는 것이 무엇인가? 분명 나도 이 세상에 소용되는 바가 있어서 소중한 한 생명을 얻어 태어났을 텐데 진정으로 내가 하고 싶은 일, 해야 될 일이 무엇인가? 회사를 위해서 내 모든 것을 던져서 일을 하는 것도 보람이 되고 의미있었다. 회사를 키우는 일은 곧 나라 경제를 발전시키는 데 이바지하는 것이기에 그랬다. 허나 그런다고 해서 종내 내가 회사의 주인이 될 수는 없을 테고 내 이름 하나가 남을 까닭이 없었다. 이윤과 능률만을 따지는 사기업이 내 장래를 온전히 보장해 줄 턱도 없었다. 차츰 나이를 더 먹고 그리하여 기력마저 달리다 보면 나 또한 쓸모없는 물건인 양 내팽개쳐지기 십상이었다.

내가 나를 지키고 나를 고양시킬 다른 길은 없는 것일까? 취미라도 좋다. 내가 하고 싶은 것이 무엇인가? – 내가 나 자신에게 묻고 또 물어보았다. 어느 날 자정이 넘은 시각, 여전히 잠을 이루지 못하고 어둔 병실의 천정을 바라보고 있는 때, 무슨 계시인 듯이 한 낯익은 그림이 생생하게 눈앞에 그려졌다.

제사를 지낼 때 마다 하얀 조각 한지에다 지방(紙榜)이며 축문을 쓴다고 한 글자 한 글자 한자를 옮겨 적고 있는 어린 내 모습이었다. 연필보다 훨씬 큰 붓을 쥐고선 방바닥에 엎드리다시피 몸을 숙인 채 또박또박 글자를 적고 있는 그 아이의 모습은 내가 보기에도 애처로울 정도였다. 두루마기 차림의 아버지 또한 근엄한 자세로 옆에 앉아 아이의 손동작을 내려다보고 있었다. 아, 저것이다! 순간 나도 모르게 탄성을 뱉었다. 문득 감정에 북받쳐 목이 메었던 것도 그 순간이었다. 못 먹고 헐벗은 때였지만 저 어린 시절 만큼 어여쁘고 순수한 때는 없었다. 나이를 먹고 객지를 떠돌면서 나는 어느새 그 시절을 까맣게 잊고 있었을 뿐이었다. 가능하다면 그 시절로 되돌아가고 싶지만 그게 가능치 않았다. 그러나 내 아버지는 이 날을 위해 뭔가 소중한 것을 나에게 남겨 주셨다는 사실을 비로소 깨달았다. 다시금 글을 쓰는 것이다! 축문과 지방을 쓰듯, 한 글자 한 글자를 쓰다보면 떠나보낸 내 어린 시절을 다시 마주하며 내 아버지마저 새롭게 만날 수 있을 것만 같았다.

서예를 해보자. 어쩌면 거기서 나의 참다운 삶의 의미를 찾을 수 있고, 생애의 보람을 가질 수 있을 지도 모른다. 각성과 각오는 그렇게 병상에서 이루어졌다.

25일간의 입원 치료를 마치고 퇴원을 했다.

어느 정도 건강을 되찾아 회사로 복귀를 하였지만 이미 나는 이전의 내가 아니었다. 새로이 하고 싶은 일, 해야 할 일을 찾았기 때문이었다. 수소문 끝에 종로 1가에 있는 '일심서예학원(一心書藝學院)'을 찾아서 수업생 등록을 마쳤다. 우선 점심시간 한 시간을 쪼개서 글씨 쓰는 법을 정식으로 배워 볼 요량이었다. 그렇다고 해서 회사의 일을 게을리 하거나 등한시 할 마음은 터럭만큼도 없었다.

일심서예학원을 차려 후학들을 지도해 온 죽봉(竹峰) 황성현(黃晟現) 선생은 당시 우리 서단(書壇)을 대표하는 한 분으로서 명망이 높았다. 그는 왕희지의 행서와 구양순의 해서를 먼저 익히고 차츰 안진경, 유공권(柳公權), 문징명(文徵明) 등 대부분 명가들의 서(書)를 공부한 분으로 알려졌다. 그 분은 평소 법을 이어받아 쓰는 것, 즉 역대 명가들의 발자국을 따라 좇아가는 것이 글씨 공부를 하는 학인의 태도라는 생각을 가지고 있었다. 결국 글씨는 역대 명가들의 법첩을 다 섭렵한 후 자기 개성이 가미된 창작에 들어가야 한다는 생각이었기에 후학들에게도 깐깐할 만큼 임서(臨書)를 중시하였다.

무교동에 있는 내 사무실에서 종로의 서예학원까지는 걸어서 5분이 채 걸리지 않았다. 나는 하루도 빼먹지 않고 이 길을 오가며 부지런히 글 쓰는 법을 익혀나갔다. 본보기 되는 옛 사람의 글씨를 거듭거듭 써보면서 그 글씨의 뼈와 살은 물론 내재한 기운까지 온전히 터득하고자 했다. 행서, 해서, 초서 가릴 것이 없었다.

정신을 집중하고 기운을 오롯이 하여 글자의 획 하나하나를 그어나가는 이 낮 한동안의 시간이 나한테는 심신을 맑게 혹은 열띤 경지에 들게 하는 열락의 한 때였다. 배우면 배울수록 어려운 것이 또한 서예이지만 그 각고탁마에서 얻는 성취의 기쁨은 다른 무엇과도 비할 바 아니었다.

종로에서 가진 나의 서예 공부는 7년여 동안 한결같이 이어졌다.

종로에서의 수련이 끝난 뒤에는 한글 서예에 대한 공부를 시작했다. 한글은 한별 신두영 선생한테서 익혔다. 현재 예술의 전당 서예관 교수로 활동하고 있는 신 선생은 이전에 국전 서예부문에서 국무총리상을 수상했는가 하면 대한민국 미술대전의 심사위원을 역임한바도 있는 우리나라 서예계의 거목이었다.

이 무렵 나도 처음으로 국전에 나의 행서 작품을 출품하여 입상을 하는 성과를 거두었다. 당시만 해도 국전 서예부문은 명실상부 우리나라 서예계를 대표하는 경연장으로서 신진 서예가의 등용문 역할을 톡톡히 하였다. 따라서 여기서 입선의 경력만 가져도 서예가로서 입신을 할 수가 있었다.

壽福百首 • 10폭 병풍

156

서실(書室)을 차리고 한층 서예에 매진하다.

1984년 나는 자의반 타의반으로 10년 넘게 근무하던 회사 부산조선공업에서 물러났는데 저간의 사정은 앞에서도 밝힌 바 있다. 나는 다시금 내 진로를 고민해야 될 처지가 됐지만 다른 회사로 직을 옮긴다는 생각은 애당초 가지질 않았다. 이미 나는 무궁한 서예의 세계에 흠뻑 빠져 있었으며 서예의 길만이 내가 걷고 걸어가야 할 것임을 깨닫고 있었기 때문이었다. 따라서 하루아침에 맞닥뜨린 실직에 대해서도 나는 크게 놀라거나 낙심하지 않았다. 되레 가슴 한편으로는 이제 비로소 내 하고 싶은 일에 내 모든 것을 던져 넣을 수 있게 되었다는 안도감마저 없지가 않았다.

이듬해 1985년 내가 살고 있는 방배동에다 '성전서예학원(盛田書藝學院)'을 열었다. 그동안 내가 배우고 익힌 바를 후학들에게 전수하는 한편 나 스스로 서도의 길에 더욱 천착해 보겠다는 의도에서였다. 물론 여기서 얻어지는 수익으로 내 생계를 도모한다는 현실적인 셈도 없지 않았다.

주로 초등, 중등과정의 학생들을 대상으로 한 서예 지도였는데 다행히 개원 초기부터 적잖은 학생들이 내 교실을 찾아주어 학원 운영에는 별다른 어려움이 없었다.

나는 어린 나이에 서예를 배우겠다는 그 학동들을 크게 가상히 여기면서 먹을 가는 법, 붓을 쥐는 법부터 올바르게 가르치고자 성심성의를 다 하였다.

서예, 서법(書法), 서도(書道)라고 해서 동양 3국에서도 말의 쓰임

새를 달리 하고 같은 나라 안에서도 선생과 학자에 따라 용어를 달리하지만 예(藝)와 법(法), 도(道)는 결국 같은 말의 다른 표현에 지나지 않는다. 그러나 같은 예술이라고 하여도 미술과 음악, 문학에서는 예는 있지만 법이며 도란 말을 쓰지 않는다. 여기에 서예만이 가지는 독특하고도 준엄한 정신적인 지향점이 있는 것이다. 글씨는 재주와 훈련만으로 써지는 것이 아니다. 총명과 지혜만으로 가능한 것도 아니다. 수행을 오래 하고 경전을 많이 읽었다 해서 모든 승려가 도를 깨치는 것이 아닌 이치와 같다.

서예는 우선 기본이 잘 갖추어져야 하며 수련과 더불어 정신의 도야가 이루어져야만 남다른 경지에 오를 수 있다. 그러기 위해선 마음과 육신이 하나가 되어야 하며 옛 것에 대한 천착과 더불어 오늘을 아우르는 안목을 갖추어야 한다. 이치에 어긋남이 없고 기운이 올곧은 자리에서만 바르고 힘 있으며 아름다운 글자가 쓰이는 것이다.

서예를 익히고자 하는 아이들에게 내가 누누이 마음에 관한 이야기를 하고 전통에 관한 얘기를 전해 준 까닭도 거기에 있었다. 단지 보기에 좋다고 해서 좋은 글씨를 쓰는 것이 아니다. 겉으로 보기엔 비뚤고 어설프더라도 그어진 획 하나에도 참된 마음이 묻어 있고 천진한 기운이 맺혀 있다면 그것이 좋은 글씨인 것이다.

아이들을 지도하는 한편, 나는 내 글씨 공부의 깊이를 더해 가는 데 게으름을 피우지 않았다. 그리고 일심학원을 다닐 때는 '반구회(半九會)'를 만들어 정기적으로 명가들의 글씨를 감식하고 서로의 글씨를 토론하는 모임을 주도하기도 했다. 모임의 이름은 [시경(詩經)]에 나오는 '행백리자반구십리(行百里者半九十里)'의 구절에서 따온 것이었다. "백 리를 가고자 하는 사람은 90리를 가고서도 이제 겨우 절반쯤 왔다고 여긴다."라는 뜻으로 마음먹기가 얼마나 중요한 가를 일러주는 금언이다. 다 이루었다고 오만하지 말고 끝까지 겸손해야 하며, 일을 마칠 때까지 긴장을 늦추지 말아야 한다는 이 말은 특히 글씨를 쓰는 이들이 평생을 새기고 행해야 할 것이었다.

이 무렵, 나 스스로 혹독한 수련을 마다하지 않았다. 아예 서예대전에 도전을 하면서 반년이 안 되는 짧은 기간에 예서, 행서, 해서, 목간 등의 서체를 쓰고 또 쓰기를 그치지 아니하였다. 한 종류의 서체를 5백 장 이상씩 써 나갔던 것이다. 다시금 이 과정을 겪고 나니 글씨에 도를 튼 것 같은 자신감이 들었다.

그 사이 나는 보습학원을 겸했던 방배동의 서예학원을 다른 사람에게 넘기고 서울의 한복판 광화문에다 새로운 학원을 열었다. 성인들을 중심으로 서예를 가르쳐 보겠다는 내 욕심에서 남들이 보기에 무모하달 수 있는 이런 결단이 이루어졌다. 자금은 넉넉지 않았지만 내 뜻이 컸기에 세종문화회관 옆의 번듯한 빌딩에 학원을 차렸다. 대개의 서예학원들이 골목 안 후미진 곳에 위치하는데 반해 나의 학원은 보란 듯이 큰길가에 자리를 잡았다.

학원 이름도 내 호를 좇아 '금제서예학원(昑齊書藝學院)'으로 고쳤다. '금제'는 곧 '밝고 가지런하다'는 뜻인바 글씨 공부를 하는 데도 썩 잘 어울리는 이름이라고 여겼다. 이 시기 나는 사단법인 한국학원총연합회의 서예분과위원장을 맡고 있었기에 이 직함을 내세우고 수강생들을 모집하였다. 개원 초기에도 반향은 크게 나쁘지 않았다. 신진, 중진 가릴 것 없이 서예에 뜻을 둔 이들이 지속적으로 학원 문을 두드려 주었던 것이다. 한편 1990년부터 3년간 학원총연합회 서예분과위원장을 역임하면서 적자에 허덕이면서 해체의 위기에까지 처해 있던 서예분과를 흑자로 바꿔 놓은 일도 잊히지 않는다.

후학들을 힘써 가르치는 한편 나 자신의 서예 세계를 키워나가는 일은 광화문 서실에서도 계속되었다. 쓰고 또 쓰는 작업이 부단히 이어졌다. 이 무렵 나는 우리나라에서도 행서체의 대가로 알려진 청암(靑菴) 고강(高崗) 선생한테서 많은 영향을 받았다. 지금은 고인이 되셨지만 만년까지도 국회의 서예관으로서 국회의원들에게 서예를 가르치신 그 분은 내 글씨에 새로운 기운을 불어넣어 주었다.

제법 수강생들을 채웠다고 해서 학원 운영이 순조롭게 이루어지는 것은 아니었다. 위치가 요지인데다 규모까지 갖추다 보니 씀씀이가 생각 밖으로 컸다. 경비를 줄여가면서 알뜰히 살림을 한다고 해도 항상 들어오는 돈보다 나가는 경비가 더 많았다.

한 해 두 해 세월이 지날수록 적자의 폭은 더욱 커졌다. 어림잡아 셈을 해 보아도 한 달 1백만 원 이상이 적자였다. 손해를 봐 가면서까지 뭘 그렇게 큰 학원을 유지하느냐고 주위의 친지들이 곱지 않는 시선을 보내기도 했지만 나는 광화문 서실 운영을 포기하지 않았다. 나를 필요로 하고 나를 찾는 서예인이 있는 이상 나는 내 고난을 감수하고서도 그 자리에 그렇게 있어야 했다.

그렇게 10년 가까운 세월이 흘렀다.

맏아들이 대학에 진학할 때가 되었건만 나는 그 학비조차 마련해 놓고 있질 못했다. 공부를 한다고 애쓰는 아들에게 맛있는 음식을 먹여보지도 못했다. 학원 운영은 더욱 어려운 처지였다. 마지못해 나는 시골의 땅을 처분하기로 마음먹었다. 땅을 팔면 집안이 망한 꼴이란 말이 있었지만 나한테는 내 아이들 공부시키는 일보다 중한 것이 없었다.

엎친 데 덮친 격이라더니 내놓은 땅조차 팔리지를 않았다. 예나 지금이나 누군가 다급한 사정이 있어서 땅을 팔겠다고 내놓으면 안됐다고 동정을 해서 값을 쳐주기보다는 사정이 더 나빠져 더 헐값에 내놓기를 기다리는 것이 인지상정인 법, 내 땅을 탐내는 이들 또한 그와 크게 다르지 않았다. 어떤 이는 아예 시세의 반값에 가져가겠다고 대놓고 말하기도 했다.

이때, 피를 나눈 형제들이 내게 도움의 손길을 내밀어 주었다. 동생들이 힘을 합쳐 큰돈을 나에게 빌려주었던 것이다.

이것이 위기에 처해 있던 내 광화문 서실을 살리고 내 아이의 대학 등록금 조달에 큰 도움이 되었다.

한글 서체 선화체(仙花體)의 창안과 보급

90년대 초, 나는 나의 독창적인 한글 서체 선화체(仙花體)를 개발하여 세상에 선 보였다.

1945년 해방을 맞이하면서부터 우리나라 서단에서도 민족의 주체성과 정체성을 드러내기 위한 여러 가지 노력들이 경주되었는데, 그 가시적인 성과가 바로 일제 때까지 통용되던 일본식의 서도(書道)란 용어를 '서예(書藝)'로 고치는 일이었으며 또 하나가 한글 서예에 대한 관심과 그 발전 양상이었다.

이전까지만 해도 고루한 편견에 의해 한글은 서예의 영역에 들 수 없다는 주장과 논의마저 없지 않았던 것이 사실이다. 하여 대가로 떠받들어지는 몇몇 서예가들은 아예 한글에 대해서는 눈길조차 주지 않기도 하였다.

그러나 나는 처음 서예에 발을 디딜 때부터 우리 한글에 남다른 관심을 가졌으며 그리하여 한글 서예 공부에도 나름의 노력을 아끼지 않았다.

잘 알려져 있다시피, 한글은 그 자체(字體)가 아름다울 뿐 아니라 거기에는 천(天), 지(地), 인(人) 합일(合一)이라는 동양적 철리(哲理)와 함께 인체의 발음 구조를 재구성하는 과학이 어우러져 있다.

이렇듯 사람과 삼라만상을 포괄하는 우리만의 자랑스러운 글자임에도 불구하고 한글은 오랜 기간 상민들 혹은 아녀자들이나 사용하는 문자로 푸대접을 받아온 것도 사실이다. 팽배한 모화주의(慕華主義)와 지배계층의 속 좁은 아집에 의해 이런 시련을 겪기는 했지만 해방된 민주사회에서는 마침내 한자를 누르고 민족의 고유 글자로 우뚝 서는 광영을 누리는 것이 마땅하였다.

유교 이념이 숭상되던 전통사회에서는 한자 필체의 연구와 응용이 활발히 이루어져 우리 땅에서도 중국에 못지않은 명필들이 나타나곤 했지만 한글 서체의 발전에는 어느 누구도 관심을 기울이지 않았다. 한글 창제에서부터 조선의 멸망까지 한글이 궁체(宮體) 하나에 의존했던 것도 그 때문이었다. 궁궐 내명부의 여인네들이나 궁인들이 썼던 한글 서체가 바로 궁체이다. 더러 사대부가 흘림글씨로 한글을 쓴 서간(書簡) 등이 눈에 뜨이지만 이는 한자 초서를 흉내 낸 것에 지나지 않는다.

그러다가 1960년대 소전(素田) 손재형(孫在馨) 선생이 동국진체를 바탕으로 한 예서체의 새로운 서체를 개발하여 소전체라 칭하면서 이를 한글 서체에 응용한 것이 그나마 두드러진 성과로 손꼽힌다.

나 또한 한글은 궁체를 계속 써 왔던 것이 사실이다. 그런 내가 새로운 한글 서체 선화체를 개발하게 된 계기가 있었다. 그 무렵, 내가 서예분과위원장으로 있던 학원총연합회에서는 매년 봄, 가을 두 차례에 걸쳐 전국서예대전을 열고 있었다. 서예학원들이 주축이 돼 있는 행사이기에 대회 때마다 수천여 점의 작품들이 모여들었다. 이렇듯 응모작이 많다보니 수상 작품의 수만도 5, 6백 점이 넘었다. 문제는 상장을 작성하는 일이었다. 5, 6백 장이 넘는 상장에다 일일이 붓으로 이름을 쓰고 부문과 등위까지 밝히는 일은 생각보다 대단히 힘이 들고 시간이 많이 걸렸다. 물량적으로도 한두 사람이 할 수 있는 일이 아니었다. 서예 경력이 많은 연합회의 이사들이 총동원되어 이 일을 했지만 이사 중에는 전혀 한글을 써 보지 않은 이들도 있었다. 아니나 다를까, 상장이 수여된 직후부터 학생부 수상자들의 부형들이 항의 전화를 걸어오기 시작했다. 좋은 상을 받았는데 상장의 글씨가 왜 이 모양이냐? 심사위원의 글씨가 이 정도밖에 되지 않느냐? 별의별 말들이 다 있었다. 난감한 마음에 나는 대책을 강구하지 않으면 안 되겠다는 생각을 했다. 정자든 흘림체든 우선 보기가 좋고 빨리 쓸 수 있는 한글 서체가 필요했다. 이전부터 남달리 한글서체에 관심을 가졌고 또 연구도 게을리 하지 않았던 나는 이를 계기로 새로 본격적인 연구에 들어섰다.

이전까지 전해 오던 한글서체들을 다각적으로 분석 검토하는 가운데 따로 여러 필법들을 응용, 연습을 거듭해 보았던 것이다. 그런 중에 내가 찾아낸 중요한 두 가지 요소가 있었으니 하나는 필법에 관한 것이고 다른 하나는 서체에 대한 것이었다. 일반적으로 우리는 시옷(ㅅ)을 쓰려면 왼쪽 획의 경우, 머리에 먼저 힘을 준 뒤 붓을 아래쪽으로 경사지게 뻗쳐 내린다. 오른편의 짧은 획도 마찬가지다. 그런데 나는 한문 필법을 원용하여 장봉으로 역입(逆入)하는 운필로 한글을 쓴 것이다. 이른바 역입 필법이었다. 이렇게 필법을 바꿔보니 의외의 효과가 나타났다. 글자마다 결기가 더해지면서도 부드러움은 부드러움대로 남는다는 사실이었다.

이 글씨체는 운필법을 한문의 장봉역입에 기초를 두기 때문에 한글을 주로 하던 이들에게는 조금 어려움이 있을 수 있으나 자유스러움이 있어서 배우면 쉽게 쓸 수가 있다.

이후 나는 이 필법을 전통의 한글 서체인 민체에다 원용해 보기로 마음먹었다. 민체는 체계 있게 서법을 익히지 못한 민간에서 널리 쓰이던 글씨로 편지글이나 소설류의 필사본에 많이 나타나고 있다. 일정한 규범이 없기에 다양한 형태를 보이는 이 민체를 나 나름으로 규범화하고 내가 개발한 새 필법을 접목시켜 보았던 것이다.

그러자 종전까지 보지 못했던 새로운 한글 서체가 나타났다. 이 서체는 가볍고 부드러우면서도 옹골차고, 거칠고 투박한 듯하면서 전통의 미학을 그대로 품는 특색을 지녔다. 또 이 서체는 짧은 시간에 익히기 쉬울 뿐만 아니라 쓰임새도 자유롭게 할 수 있다는 장점을 가지고 있었다. 시대의 흐름에 따라 문인화의 화제(畵題)마저 한문에서 한글로 바뀌고 있는 현시대에 이 글씨체를 활용하면 화제 글씨로도 유용하게 쓸 수 있다. 그만큼 글씨 자체가 그림과 잘 어울리기 때문이다.

실제의 활용을 통해 이 한글 서체의 여러 특장을 확인한 나는 이를 '선화체(仙花体)'라 명명하고 보급과 전수의 일선에 뛰어들었다. 먼저, 전문 서예가들뿐만 아니라 대중들까지 쓰기 쉽도록 선화체 교본부터 만들었으며, 서예 현장에서도 지도 보급을 위한 노력을 아끼지 않았다.

이후 한글 선화체는 관심 있는 전문가 및 내 제자들이 중심이 되어 우리 서단(書壇)에 널리 파급되고 있음을 보며 나는 큰 보람을 갖는다. 이 선화체는 2013년 9월 5일 C&M 채널1의 김민호의 '사람 이야기'(278회)에 집중 소개되는 등 여러 언론 매체에서도 깊이 있게 보도된 바 있다.

신화체 작품 (반야바라밀다심경) • 35×137cm ×6

선화체

한자 서체 금제체(昑齊体)의 개발

1993년 5월 나는 한국서예협회가 주관하는 대한민국 서예대전에서 특선을 하는 영예를 가졌다. 나의 행서 작품에 주어진 상이었다. 이로써 나는 초대작가의 자격을 갖추었다. 수상작들이 일반인에게 선을 보이는 전시장에는 숱한 사람들이 다녀갔다.

큰 상을 받고 난 뒤, 내 마음은 이전보다 훨씬 무거워졌고 책임감도 커졌다. 이제부터는 입선 작가와는 차원이 다른 작품을 만들어야 한다는 중압감이 나를 눌러왔던 것이다.

나는 우선 나만이 할 수 있고 나를 나답게 드러낼 수 있는 '나의 서체(書體)'를 개발하기로 마음을 먹었다.

본격적인 작업에 들기 전, 정신통일을 하는 가운데 맑은 기운을 오롯이 하기 위해서 강동구 길동에 있는 한 불교 포교원을 찾아가서 수양의 시간을 가졌다. 불전에 꿇어 앉아 기도를 드리고 이어 오체투지로 쉼 없이 절을 하다보면 절로 내 마음의 잡념들이 사라지고 무념무상의 경지에서 한 줄기 뜨거운 열정만이 내 전신에 덮쳐오는 것을 경험하는 드물고도 귀한 시간이었다.

이러한 수련 정진은 내 글씨 작업이 시작된 이후에도 단속적으로 계속됐다.

1993년 7월의 무더운 날이었다.

반야심경(반야바라밀다심경)의 원문을 여덟 폭의 병풍에 옮겨 적는 작업을 하고 있었는데 그날따라 붓을 드는 순간부터 온몸에 맑은 기운이 뻗히면서 생각지도 않게 글자들이 술술 잘 적혀나갔다. 더 놀라운 사실은 이 글자들을 만들어 나가는 서체가 이전에 내가 쓰던 것이 아닌, 내 내심에서부터 그리고 바라던 그 새로운 서체였다는 사실이었다. 가볍고 날랜 듯하면서도 장중함을 지녔고 완고하면서도 유연함을 풍기는 이 서체에서 법고창신(法古創新)의 묘미를 새로 절감치 않을 수 없었다.

글씨들은 물 흐르듯이 화선지 위로 써내려져 갔다. 8폭 병풍 한 질을 완성한 뒤 또 한 질을 쓰는 데도 도무지 힘이 들지 않았다. 빠른 속도로 써내려가지만 엉키고 틀린 글자가 나타나는 일도 없었다. 붓이 스스로 알아서 글자를 써나가는 그런 느낌이었다. 여느 때 마냥 나와 붓이 한 몸이 되어 있었지만 나는 어느덧 내 붓의 현란하면서도 적확한 몸놀림에 경이로움을 갖고 지켜보지 않을 수 없었다.

거미가 제 꽁무니로 빼낸 실로 빈틈없는 포획망을 만들듯이 내 붓이 쏟아낸 문자들은 그렇게 병풍의 빈 자리를 가득 메웠다. 내가 봐도 실로 흡족할 만한 작품이었다.

당초부터 나는 108질의 반야심경 병풍 글을 쓰겠다는 포부를 가지고 있었다. 그래서 남다른 각오와 준비를 갖고 하루하루 작품과 씨름을 하고 있었던 것이다. 예사 사람은 8폭 병풍 한 질만 쓰더라도 이내 지쳐 떨어지기 십상이다. 그런데 나는 이 뜻하지 아니한 위력과 신통으로 인하여 계획한 두 달 만에 108질의 병풍 작품을 거뜬히 완성시킬 수 있었다. 투철한 마음가짐과 끈질긴 노력을 겸비한다면 스스로 놀랄 만한 억세고도 부드러운 힘을 얻을 수 있음을 다시금 체감하는 순간이기도 하였다.

무아지경에서 얻은 이 활달하고도 기운 찬 필체는 이전의 서체들과도 크게 구분되는 나만의 것이었기에 나는 이를 '금제체'라고 이름 할 수밖에 없었다.

의지와 노력에 따라서는 한 개인의 힘이 산을 움직이고 강줄기도 바꿀 수 있다. 30여 년 동안 서예의 길을 걸어오면서 감히 꿈꾸어 보지 못했던 일을 50대 중반 나이에 터득할 수 있었던 것도 내가 내 힘을 믿고 그를 위한 몸가짐, 마음가짐을 게을리 하지 않았기 때문일 것이다. 한 분야에 일가(一家)를 이룬 자로서의 자부심을 갖기 위해 퍼부은 내 노력과 집념이 그런 값진 성취를 선물해 주었음이 분명하다.

작품을 위해 붓을 들기에는 오랜 내공과 함께 당장의 기운이 필요하다. 허약한 체질이거나 병든 몸으로는 뜻한바 운필(運筆)이 가능치 않기 때문이다.

사실과는 다른 점이 많지만, 밀양의 영남루(嶺南樓)에 걸린 현판 글씨에 대해서 재미난 얘기 하나가 전해지고 있다. 다들 이 '嶺南樓' 글씨가 명필이라고 감탄하지만 세 글자는 조금씩 차이가 있다. 앞의 '嶺'자와 '南'는 누가 봐도 신기에 가까운 일품이지만 뒤의 '樓' 자는 이 두 글자에 비교가 안 될 만큼 격이 떨어진다.

누각을 다 지은 뒤, 현판을 걸기 위해 천하제일이라는 명필가를 불렀더란다. 그런데 명필가는 글씨도 쓰기 전에 개 한 마리를 잡아 끓여달라고 했다. 주인이 그 청을 들어주었는데 그릇째 비우고난 뒤 그가 일필휘지로 '嶺' 자를 썼다. '南' 자를 쓸 차례가 되자 그는 기운이 다 떨어졌다면서 개 한 마리를 더 잡아줄 것을 청했다. 주인은 쏩

쓸한 표정을 지으면서도 마지못해 그 요구를 들어주었다. 그래서 '南' 자가 완성됐다. 세 번째 '樓' 자를 쓸 차례에서도 그가 똑같은 요구를 하였고 주인은 더 이상 그럴 수 없다며 거절을 하고 말았다. 그러자 명필가 또한 그럼 나도 마지막 글자를 쓸 수 없다면서 훌훌히 길을 떠나버렸다. 현판 걸 욕심이 컸던 주인은 인근 서당에서 글을 가장 잘 쓴다는 학동을 불러 앞의 글자들을 본떠서 '樓' 자를 쓰게 하였다. 언뜻 보면 세 글자가 다 엇비슷하나 안목을 가지고 찬찬히 보면 '樓' 한 글자가 유난히 기품이 쳐지는 것이 그 탓이란 이야기다.

그냥 재미있는 이야기로 흘려들을 수도 있지만, 이 얘기는 좋은 글자 한 자를 쓰기 위해서도 엄청난 기운이 요구된다는 예를 보여주는 것이 된다.

서예를 평생의 업으로 삼은 뒤부터 나도 이 점을 크게 유의하고 있다. 건강한 정신과 육신에서 좋은 글씨가 나온다는 사실을 굳게 믿기 때문이다. 그래서 학원을 경영하는 바쁜 일상에서도 테니스와 등산을 위해서는 결코 시간을 아끼지 않는다. 한결같은 심신으로 붓과 씨름하기 위해서다. 언제 어디서든 내 작품을 위해 에너지를 쌓아두고 있어야 했다. 한 글자 한 글자에 내 혼신을 다 하지 아니하고는 작품이라고 내놓을 수가 없다.

혼과 힘이 서린 필체는 서예인의 생명이나 다름없다. 그 생명의 진취와 유지를 위해서라도 내 한 몸 간수를 소홀히 할 수 없는 것이다.

觀自在菩薩行深般若波羅蜜多時照見五蘊皆空度一切苦厄舍利子色不異空空不異色色即是空空即是色受想行識亦復如是舍利子是諸法空相不生不滅不垢不淨不增不減是故空中無色無受想行識無眼耳鼻舌身意無色聲香味觸法無眼界乃至無意識界無無明亦無無明盡乃至無老死亦無老死盡無苦集滅道無智亦無得以無所得故菩提薩埵依般若波羅蜜多故心無罣礙無罣礙故無有恐怖遠離顛倒夢想究竟涅槃三世諸佛依般若波羅蜜多故得阿耨多羅三藐三菩提故知般若波羅蜜多是大神咒是大明咒是無上咒是無等等咒能除一切苦真實不虛故說般若波羅蜜多咒即說咒曰揭諦揭諦波羅揭諦波羅僧揭諦菩提薩婆訶

금제체

해동서예학회를 창립하다.

-공모전의 새 지평을 연 '대한민국 해동서예문인화대전'
-세계에 한국의 멋을 알리다.
-이웃사랑을 실천하는 서예가들

1998년 3월, 나는 서예 발전을 위한 체계적 연구와 국제 보급을 위해 사단법인 해동서예학회를 창립하였다. '시작이 반'이라는 말이 있듯이, 그 해 4월 미국 메릴랜드대에서 있은 한자서법교육국제회의에 한국대표로 참가하게 된 일이 계기가 되었다. 중요한 국제회의이니 만큼 개인 자격보다는 학회의 이름을 갖는 것이 좋지 않을까 싶어 같은 뜻을 가진 이들과 함께 서둘러 만든 것이 이 해동서예학회였다. 국제회의에 참석한 나는 한글 서예의 변천 과정에 대한 주제 발표를 하였고 뒤이어 2000년 8월 제2차 회의가 열리는 캘리포니아 주립대학에도 참여를 했다.

이후 나는 이 학회에 대한 계획과 포부를 한층 심화, 확대하기로 마음을 먹었다. 국제회의를 위한 학회가 아닌, 명실상부 우리나라 서예 발전을 위한 전문 학회로 키워 보고 싶다는 욕심이기도 했다. 전통문화의 한 자산인 서예를 현시대에 걸맞게 발전시키기 위해서는 먼저 틀에 박힌 고정관념부터 깨뜨리지 않으면 안 된다는 것이 내 생각이었다. 낡은 껍질을 벗지 않고는 새로운 창조의 길로 나아갈 수 없기 때문이었다.

나는 서법의 연구와 더불어 서예지도의 방법을 개선하는 일 그리고 공모전의 운영방법부터 획기적으로 바뀌지 않으면 우리의 서예는 여전히 답보 상태에서 벗어날 수밖에 없다는 현실을 잘 알고 있었다. 나부터 솔선수범하여 우리의 서단에 새 바람을 불어넣을 필요가 있었다. 뜻이 있다고 해서 모든 것을 하루아침에 이룰 수는 없지만 정신이 바르고[心正] 의지가 확고하다면 반드시 이룰 수 있다고 믿었다. 미국의 실용주의 철학자 윌리엄 제임스는 "생각을 바꿔라, 그러면 운명이 바뀐다."는 명언을 남겼다. 나는 이 말이 우리 서예인들에게도 그대로 적용된다는 생각을 했다.

2001년 12월 학회의 이름으로 첫 번째 '대한민국 해동서예문인화대전'을 열었다. 이전에도 여러 단체들이 주관하는 공모전이 있었지만 해동의 그것은 이들 여타 공모전과 차별성을 갖도록 많은 노력을 기울였다. 첫째가 단순 서예만이 아닌 문인화까지 부문을 넓힌 것이며 둘째는 65세 이상 노령의 응모작과 젊은 층의 응모작을 구분해서 심사하는 것을 특색으로 꼽을 수 있었다. 또 여타 공모전은 수상작 선정과 함께 전시회 및 도록 출간으로 모든 행사를 마무리 하지만 해동에서는 수상 이후에 대한 관심과 지원을 아끼지 않을 것을 명시하였다. 초대작가 제도도 점수로 엄격히 계량화 하였다.

첫 번째 대한민국 해동서예문인화대전 작품 공모에 즈음하여 내가 직접 쓴 취지문은 다음과 같다.

―새로운 기대와 가능성의 시대 2001년, 맑고 푸른 풍요의 계절에 세계화 시대를 조망하면서 서예를 통한 문화발전의 새로운 장을 열기 위해 「대한민국 해동서예문인화대전」의 막을 열었습니다. 「대한민국 해동서예문인화대전」 운영위원회는 새 천 년의 벽두부터 오늘을 직시

하고 우리 전통문화예술인 서예문화의 새로운 도약과 발전을 위한 주춧돌을 놓았습니다. 우리는 기존 서예대전의 보수적인 해석과 문제성들을 과감히 정리하고 정심으로 수상자를 위한 대전으로 발전시켜 나갈 것을 선언하고 집행하고자 합니다. 본 대회를 주최한 해동서예학회는 미국에서 개최되는 동아서법국제회의에 대한민국 대표단으로 참석하여 논문발표와 작품전시, 서예시범을 통하여 한국서예의 현황을 발표함으로써 많은 호응을 받았습니다. 1998년 메릴랜드대학과 2000년 캘리포니아 주립대학에서 주관한 행사를 통하여 해동서예학회는 한글서예의 발전과 변천과정을 발표하였으며 앞으로 열릴 행사준비의 일환으로 본 대전을 개최하게 되었습니다. 그리고 본 대전은 수상한 작가의 창작활동과 사기앙양을 위하여 많은 협찬사의 도움으로 부상을 준비하였으며 경로차원에서 65세 이상 작가 분에게는 더욱 용기를 드리고 공부하는 아버지, 할아버지의 모습으로 존경받고 솔선수범하는 가정을 이끄는 계기가 될 수 있도록 하기 위하여 한 차원 높게 예우를 하고자 합니다. 기존 공모전과 달리 모두에게 공정하고 진솔한 심사를 통하여 서예인의 품위와 위상을 바로 세울 수 있도록 할 것입니다. 이러한 우리의 창립전 정신을 바탕으로 산을 오르는

마음으로 한 걸음 한 걸음 나아가기 위하여「대한민국 해동서예문인화대전」을 개최하오니 서예 애호가 여러분의 많은 참여와 도움을 간곡히 기다립니다. 그리고 뜨거운 격려와 열정으로 성원해 주시고 후원 및 협찬을 해주시어 빛나는 서예문화 제전이 될 수 있도록 도와주시기를 앙망하나이다. 감사합니다.-

첫 번째 공모전이었음에도 불구하고 대전은 대단한 성황을 이루었다. 예비 작가들의 응모 작품 편수만도 1천 점이 넘었던 것이다. 이에 크게 고무된 학회에서는 수상자 선정에 더욱 엄정을 기하였으며, 그들에게 제시한 약속에 한 치의 어긋남이 없도록 노력하였다. 2002년 1월 말 학회에서는 이들 수상자들에게 3박4일의 해외연수를 주선하여 중국의 상해, 소주, 항주, 오진 일원을 둘러보게 하였다. 이 해외연수는 단순히 구경거리를 둘러보는 것이 아니었다. 중국 고대와 현대, 서예가의 필적을 직접 찾아보면서 그 특장과 본받을 바를 서로 토론하는 가운데 자신을 되돌아보고 작품 의욕을 북돋우는 탐색과 성찰의 여행이 바로 이 해외연수였다.

제2회, 제3회 연륜을 거듭할수록 '대한민국 해동서예문인화대전'은 공신력과 권위가 있는 서화대전으로 발전하였으며 수많은 초대작가들을 배출하였다. 올해(2018년)로 이 서화대전은 열여덟 번째 공모전을 갖게 되었으며 배출된 초대작가의 수만도 4백 명에 가깝다. 각고의 노력 끝에 상을 받은 이들은 이를 일생의 영예로 여길 수밖에 없었다.

미국 시카고에서 발행되는 교민신문의 2016년 7월 9일자 기사 하나를 소개해 본다.

–한국의 해동서예학회(이사장 김종태)가 주관한 제16회 해동서화대전에서 시카고서예협회 고문 황파 이두만 선생이 2개의 작품 입선, 1개의 작품 특선으로 삼체상을 수상했다. 최근 시상식 참석차 한국을 다녀온 이두만 선생은 11일 본보를 찾아 이 소식을 전했다. 그는 "서예를 6세 즈음부터 시작했으니 햇수로는 80년이 넘어간다. 삼체로 상을 수상하게 돼 영광스럽다. 호인 황파는 고향 전라남도 해남 옥천면의 곡창지대 황금물결을 상징한 것이다."고 말했다. 목사이기도 한 선생의 서예는 성경 속 말씀과 맞닿아 있다. 복음과 사랑 그리고 은혜를 전하는 말씀을 쓰며 추사체를 주로 전문으로 한다고 밝혔다. 이번에 특선한 구절도 명심보감의 한 구절인 '義廣施 人生何處不相逢 讐莫結 路逢狹處 難回避'(은혜와 의리를 널리 베풀어라. 사람이 살다 보면 어느 곳에서든지 서로 만나지 않겠는가? 원수를 맺지 말라. 길이 좁은 곳에서 만나게 되면 피하기 어렵다.)이다. 한편 시카고서예협회는 올 4월부터 본보에서 서예강의를 시작할 예정이다. 이 선생은 "수업은 초급, 중급, 고급반으로 나눠서 진행할 것이며 사군자와 서예반으로 나눌 예정이다. 서예반에서는 추사체, 선화체, 판본체 등 다양한 서체를 가르칠 예정"이라고 전했다. 선생은 "서예는 평생교육의 일환으로 여가시간 및 치매예방에도 탁월하다."고 하면서 실력이 늘은 후엔 작품 또한 출품할 수 있으니 많은 관심을 바란다."고 전했다.–

2003년, 우리 학회는 한미동맹 50주년 및 미국이민 100주년을 기념하는 뜻에서 5월 8일부터 15일까지 뉴욕과 워싱턴에서 서화 작품 전시회를 열었다. 130점의 작품이 선보인 이 전시회에는 미국의 정, 재계 인사 및 다수의 교민들이 관람을 하면서 한국 전통의 아름다움을 느꼈다. 전시가 끝난 뒤에는 전시 작품 전부를 현지 교민회에 기증하였다.

이듬해 2009년 7월에는 서울의 한국미술관에서 '등과 부채, 바람전'을 가졌다. 이 전시회에는 해동의 100여 명 서화작가들이 참가하였다.

해동서예학회는 단지 전문 서예가들만을 위한 단체가 아니다. 이웃과 함께 하면서 일상의 삶 속에 예술의 향훈을 드리우고자 하는 것이 우리 단체의 궁극적 지향점이다. 따라서 우리는 붓을 쥔 채로 거리에 나서기를 주저하지 않았다.

'우리 집에도 가훈(家訓)을'이라는 슬로건을 걸고 무료로 가훈 써주기 캠페인을 벌려온 까닭도 거기에 있었다. 2007년 5월 전국교차로협의회에 무료 가훈 써주기 협찬을 벌린 일이며, 2007년 7월과 2008년 5월 (사)'한국 달리는 의사들'이 주관한 소아암 환우 돕기 서울시민 마라톤대회에 참가하여 같은 일을 협찬 한 것도 그 노력의 일환이었다.

'서예의 대중화, 생활화'를 위한 우리의 노력은 여기서 그치지 않았다.

2012년부터는 정기적으로 군 부대의 장병들을 위문하고 격려하기 위해 그들을 대상으로 '찾아가는 Art전'을 가졌다. 장병들을 위한 서예작품 전시회 및 위문공연을 갖는 한편 장병들 스스로 서예에 흥미를 가질 수 있도록 일대일 서예 지도를 겸하는 이 행사에는 많은 장병들이 자발적으로 참여하여 열띤 호응을 보여 주었다.

2014년 9월, 우리 해동서예학회는 또 하나 아름다운 이벤트를 마련하였다. 어려운 시기, 독일에 파견되어 갖은 고난을 겪으면서도 조국의 근대화를 위하여 헌신을 아끼지 않았던 광부, 간호사들을 기억하며 그들에게 위로와 감사를 전하는 뜻깊은 행사였다. 알려진 바와 같은 그들 중 일부는 훗날 고국의 품으로 돌아왔지만, 나머지 인사들은 독일 현지에 귀착하여 노년을 보내고 있다. 우리 학회에서는 먼저 이들 독일 정착 광부, 간호사들이 볼 수 있도록 현지 신문에다 광고를 내어 그 젊은 날에 겪었던 애환을 글로 써서 보내달라고 하였다. 그 결과, 50여 명의 우리 교민들이 광부로서 혹은 간호사로서 겪었던 일들을 적은 글을 보내왔다. 작품을 수합한 학회에서는 소속 서예가들의 재능기부를 받아서 한 편 한 편의 족자 작품을 만들었다. 정성스레 꾸며진 이들 작품은 다시 독일로 보내졌는데, 이를 받아본 교민들은 저 마다 고국의 서예가들이 이런 고마운 일을 해줄 줄 몰랐다면서 크게 고마워했다. 물론 모든 경비는 학회가 부담하였다. 이에 힘입은 학회에서는 광부 출신인 권이종 박사(ADRD. 아시아아프리카난민교육위원회 회장)와 더불어 추후 몇 차례 더 진행하기로 약속하였다.

청와대 서예, 문인화, 사진동호회 심사

이밖에도, 일본의 우경화를 경계하는 한편 우리의 애국심을 고취하기 위해 개최한 '애국가 4절까지 쓰기' 공모전 입상자들과 함께 울릉도, 독도를 방문하고 이어 이른 아침 울릉도 소공원에서 다들 '대한민국'이 새겨진 티셔츠를 갖춰 입고 애국가 4절까지를 부르는 애국행사를 치른 일 또한 우리 학회가 거둔 성과의 하나라고 자부한다.

나와 학회의 대사회활동에는 나의 문하생들도 커다란 도움을 주었다. 특히 성남시를 주 무대로 하여 서예 활동을 하는 동호회 '소현제' 제자들은 매년 이웃돕기 작품전을 열어서 그 수익금 전부를 불우한 이웃을 돕는데 쓰고 있다. 이들의 갸륵한 뜻을 선양하기 위해 나 또한 전시회 때마다 작품을 내놓곤 하였다.

척박한 문화예술 풍토에서 한층 경제적 지원이 절실한 작가들을 돕기 위해 일본 오사카, 교토 등지에서 선면전을 열어 수익금을 확보한 것도 이런 봉사활동의 하나였다.

이밖에도 지역의 소외계층을 위한 김치 담그기 및 쌀 기부 행사 등에도 나와 우리 학회는 적극 동참하면서 나눔 활동을 이어가고 있다.

'왼손이 하는 일을 오른손이 모르게 한다.'는 말을 본받아 드러나지 않게 하는 우리의 '이웃사랑, 이웃돕기'의 실천임에도 불구하고 여러 번 일이 거듭되고 또 입에서 입으로 말이 전해지다 보니 절로 언론에 포착되고 마는 경우가 없지 않았다.

그 덕이었을까. 우리 학회는 2006년 9월 '헤럴드경제' 주관의 '대한민국 신경영(전통문화분야) 대상'을 수상하는 영예를 안았으며, 2007년 10월에는 '스포츠 서울'로부터 '베스트 이노베이션' 인증패를 받았다. 또 2008년 5월에는 '월간시사매거진'이 주관하는 '한국을 이끄는 힘, 그들이 미래다'의 문화발전 기여단체로 선정되기도 하였다.

통일문화예술제 출연진과

대한민국해동서예대전 공정 심사로 일어난 일

　5년 전, 대한민국해동서예대전에서 있었던 일이다. 이 해의 대전에도 응모작이 700여 점에 이르는 등 성황을 이뤘다. 한글, 한문, 문인화 기타 등 부문별 심사가 이루어졌으며 한글 심사를 하는 과정에서 나는 탁월한 한 작품을 발견하곤 이를 곧바로 입상권으로 밀었다. 결국 이 작품은 우수상 수상작으로 결정되었다. 문제는 그 다음에 있었다. 작가에게 수상 사실을 알리고 시상식 참가를 안내하였지만 작가 쪽에서는 아무런 답이 없었으며 끝내 수상식에도 모습을 드러내지 않았다. 참으로 이상한 일이었다. 하는 수 없이 주최 측에서는 상패와 함께 부상으로 정해진 32인치 텔레비전을 작가의 주소지로 발송할 수밖에 없었다. 그런데 며칠 후 상패와 상품이 반송돼 왔다. 주소지에 그런 사람이 거주하지 않는다는 것이었다. 참가 신청서에 적힌 전화번호로 여러 차례 전화를 해봐도 연락이 닿지 않았다.

　뒤늦게 사정을 알았는데 수상자는 무기 징역수로서 모 교도소에 수감돼 있었다. 신청서에 적은 전화번호는 후원자의 것이었으며 후원자는 자기가 모르는 이한테서 온 전화는 아예 받지를 않았다는 것이었다. 이후 어렵게 연락이 된 후원자는 교도소에는 텔레비전이 필요가 없으니 그 상품을 수상자의 아버지에게 보내주면 어떻겠느냐는 제안을 했다. 나도 그 방법이 좋겠다 싶어 작가의 아버지에게 텔레비전을 보냈다. 수감생활을 하는 작가에게도 희망을 갖고 서예 공부를 계속 하다 보면 반드시 좋은 일이 있을 것이란 말을 전해주기를 당부했다.

기한이 없는 수감생활에서 서예가 얼마나 큰 위안이 됐을까. 심사위원으로서 나는 사적인 감정 없이 작품만 보고 평가했음을 다행히 여기며 한편으로는 그가 형을 감면 받아 나와서 새 생활을 꾸려나가기를 간절히 기원했다.

2018년 서예신문대전에서도 두 명의 징역형 수감자가 입상의 영예를 안았다. 각각 특선, 입선으로 뽑혔는데 전시회 직전 마땅히 들어와야 할 표구비가 입금되지 않아 확인해보니 그런 처지에 있는 작가들이었다. 규정상 수상작 결정 후라도 표구비가 들어오지 않으면 낙선 처리가 되지만 주최 측에서는 이들의 딱한 사장을 감안하여 표구비를 면제하고 상을 전달하였다.

서예는 사람의 심신을 정화시키는 데도 크게 기여한다는 사실을 믿고 있는 나로서는 다시 한 번 이들 수감자들의 서예 공부에 대해 고마움과 함께 무한 격려를 보내게 된다.

서예를 통해 한국을 알리는 국제교류

이 같은 국내 활동과 더불어 해동서예학회는 국제적인 명성도 꾸준히 쌓아갔다. 1998년 미국의 메릴랜드대학과 2000년 캘리포니아 주립대학에서 주관한 '한자서법교육 국제회의'에 대한민국 대표로 참가해 한국서예의 발전과 변천 과정을 소개하고 논문 발표와 작품 전시, 서예시범을 통해 한국 서예의 진면목을 보여준 일에 대해선 앞에서 이미 거론한 바 있다.

이전에 나는 학회의 이사장으로서 1996년 미국 애틀랜타에서 열린 제26회 올림픽에 대한민국 문화예술단의 서예대표로 참가하여 개인 작품전을 열었으며 여기서 거둔 성공을 바탕으로 하여 미국의 여러 도시에서 7차례의 서예전시회를 열었다.

애틀랜타 방문 당시, 나는 캘리그래피 수법으로 쓴 나의 작품 '참 좋은 당신'을 처음 선 보였는데 그곳 교민들로부터 뜨거운 호응을 받

중국, 미국 대표와 함께 (2000. 8.)

앉던 일과 교민회장에게서 최고의 예우를 받았던 일은 지금도 잊히지 않는다. 특히 교민들과의 만남의 자리에서는 교민 한 명 한 명에게 직접 가훈과 좌우명을 써 주는 행사를 가졌는데 만 리 타향에서 조국의 전통 서예를 마주하게 된 그들의 감회는 실로 언설로 표현하기 힘든 것이었다.

나를 포함한 우리 학회, 미국 교류의 시작은 1995년으로 거슬러 올라간다. 당시의 고 김영삼 대통령이 미국을 방문하던 때 나는 문화사절단 대표의 한 사람으로 동행을 하였다. 이때 사절단에는 서양화가 고 김흥수 화백, 국악인 안숙선 명창, 김덕수 사물놀이 단원들이 포함돼 있었다. 우리 문화인들은 대통령과 함께 미국의 6.25참전 기념탑 제막식에 참가하는 한편 공연과 전시회 등을 가졌는데 나의 서예 작품들도 다수 여기에 출품이 되었다.

2006년 4월에는 미국 앨라배마 주의 버밍햄 시가 개최한 '한국의 날' 행사에 문화사절단의 서예대표로 참가하였다. 나의 서예작품은 시 박물관에서 가진 전시회에 출품되어 현지인들의 관심을 끌었다. 한 주간의 행사 기간 동안 나는 교민들에게 휘호를 써 주는 한편 현지의 입양아들에게 한글 이름을 써 주는 행사도 아울러 가졌다. 한국인의 피가 흐름에도 불구하고 한국말은커녕 한글 이름자조차 쓸 줄 모르는 입양아들이 내가 붓으로 써 준 제 이름자를 보곤 신기하다는 듯 눈을 크게 뜨던 모습은 지금도 눈에 선하다.

2003년 한미동맹 50주년 및 미국 이민 100주년 기념 문화사절단의 서예 대표로 미국에 건너가 뉴욕에서 서예전을 가진 일이며, 2003년 일본 오사카미술초대전 등은 앞에서 이미 언급한 바 있다.

대통령의 해외순방 때 문화사절단으로 참여하여 한국 서예의 미적 가치를 널리 알리는 민간외교관의 역할은 고 김대중, 고 노무현 대통령 시절까지 이어졌다. 특히 2006년 9월 고 노무현 대통령 방미순방 때, 워싱턴 D.C 및 뉴욕에서 작품 전시회를 가지는 한편 좌우명 써주기 행사를 가진 뒤 130점의 전시 작품 전부를 현지 교민회 회장을 비롯한 임원 전원에게 기증한 일이 지금도 기억에 남는다.

2013년 9월에는 'LA코리아 페스티벌' 행사 기간에 개최된 작가작품전 및 우편전에도 참가하여 우리나라 전통 예술의 아름다움을 유감없이 자랑하기도 하였다.

한편으로는 서예, 서법의 종주국이라고 할 수 있는 중국과의 교류도 꾸준히 이어졌다. 해동서예문인화대전이 마무리 되면 이 대전의 수상자들이 해외문화탐방을 갖게 되는데 그 탐방지의 대부분이 중국이었다. 서안, 낙양, 소주(蘇州), 상해, 계림, 북경, 항주 등 중국의 문화 명소를 찾은 이들 수상자들은 그곳의 이름난 금석문, 현판, 유묵(遺墨) 등을 직접 살펴보면서 서예의 전통을 새로 확인하는 가운데 자신들의 미적 감식안을 키우는데 게을리 하지 않았던 것이다.

2008년 11월에는 중국 섬서성(陝西省) 미술관의 초대를 받아 서안(西安)에서 작품 전시회를 가졌으며, 2015년 9월에는 중국 연변자치주와 우리 해동 초대작가들의 한중교류전 개최가 성사되기도 하였다.

사단법인 해동서예학회는 작가와 작품의 교류에만 만족하지 않고 아시아, 아프리카 지역의 가난한 어린이들의 교육 환경 개선에도 눈을 돌리고 있다. 그리하여 2014년 6월 아프리카아시아난민교육위원회(ADRF)와 MOU를 체결하여 필리핀의 난민 아동 세 명에게 교육비 지원을 시작하였으며 앞으로도 이러한 사업은 더욱 확대해 나갈 예정이다.

워싱톤에서 가진 개인전 소감

2009년 워싱톤 D.C 한국대사관 문화원 초대로 개인전을 하게 되었다. 4월 25일경이면 서울과 위도가 비슷하여 봄날이고 벚꽃이 만발하니까 제퍼슨 기념관 앞 호숫가에 일본이 패전 후 미국에 일본 벚나무를 몇천 그루 기부하여 호수의 물가에 많이 심었는데 지금은 꽃이 장관을 이루니 호숫가에 둘레길을 만들어 봄이면 일본 대사관에서 벚꽃 축제를 하고 있다. 나도 그걸 알고 있기에 날짜를 4월 20일경에 전시계획을 세우고 멋진 구경을 해야겠다 하였는데 25일경에 현지 벚꽃이 많이 져서 조금은 실망을 했다.

문화원 초청 전시라서 미국인들을 초청하여 저녁만찬까지 준비하여 본인은 부담없이 전시에 임했다. 많은 사람이 초청되었는데 전시 개요와 작품 설명을 마치고 작가와의 대화 시간에 질문을 해왔는데 머리가 하얀 나이드신 여자분이 이런 질문을 했다. "부채 작품에 압정으로 꽂았다며 자기 가슴에 침을 찌르는 것 같았다."며 그렇게 하지 않을 수 없는지 하고 질문했다. 나는 질문을 듣고 대답하기를 저도 같은 소감입니다. 한국에서 할 때는 그렇게 하지 않았는데 미국에서는 준비가 안되어 다른 방법이 없었다고 했더니 이해가 간다고 하고 웃고 넘어 갔는데 문화원의 통역하신 분이 이사장님 대답을 아주 잘하셨다는 말을 했다. 저는 통역을 잘해 주셔서 감사하다라고 하였다. 그분들은 작품을 대단히 중요하게 생각하며 작품에 손을 함부로 대지를 않았다.

전시 중 워싱턴 투어에 참가했는데 나이아가라 폭포의 장관은 잊을 수가 없었다. 세 번 갔지만, 또 가고 싶고 옥빛 폭포가 나를 안고 가려고 했다. 나도 같이 갈까하는 아름다움이 머리를 꽉 채웠다.

하버드대학을 가는 날, 나는 일상적인 옷을 입지 않고 넥타이를 매고 정장 양복을 입고 나섰다. 내 옆좌석에 앉은 분이 경주에 있는 박신부님인데 그분이 독일에서 정년을 마치고 돌아오신 분이고 나이도 칠십이 넘은 분인데, 금제 선생 오늘은 어째서 정장을 했느냐고 물으셨다. 오늘 하버드에 가는 것은 구경하러 가는 게 아니라 세계에서 최고 대학인데 경건한 마음가짐으로 학생들을 한 번 가르치고 가는 한국교수라는 생각으로 간다고 하였더니, 대단히 존경한다며 대한민국을 잊어서는 안된다고 하셨다. 교정을 들어서니 둥근돌 자연석이 여기저기 놓여 있었는데 돌에 걸터앉아 자리를 하고는 교문을 들어오는 학생들을 보니 옆을 돌아보지도 않고 가방을 울러 메고 앞으로 걸어가는 눈빛이 반짝 반짝 빛나고 총명함이 한눈에 보였다.

일학년 식당에는 "잠을 자면 꿈을 꾸지만, 잠을 자지 않고 공부를 하면 꿈을 이룬다."고 쓰여 있었다.

돌아와서 이 글을 많이 써 주기도 했으며 작품으로 해서 여러 사람이 소장하기도 하였다. 일학년 식당이 따로 있고, 2,3,4학년은 별도로 있는데 일학년 식당이 따로 있는 이유는 세계 각국의 젊은이가 모였으니 서로 얼굴을 익히고 친하게 되면 2,3,4 학년에 가도 서로 어울릴 수 있기 때문에 따로 두었다고 한다. 좋은 방법이다 싶었다.

학교 정문 건너편에 기념품 샵이 있어서 그 곳에 가서 손주 2명 T셔츠를 구입하고 돌아와서 애들에게 공부 잘 시켜서 하버드를 보내라고 당부하였다. 여행에서 얻은 경험은 오늘 나의 꿈을 키우는데 도움이 되었다.

오사카(大阪)에서 열린 첫 일본 전시회

오사카문화원 개인전 (2013)

나 개에게 대단히 의미가 큰 나의 첫 번째 일본 작품전시회가 2013년 10월 24일부터 30일까지 한 주간에 걸쳐 열렸다. 이 전시회는 오사카 주재 한국문화원(원장, 박영혜)이 한글날을 기념하여 펼치는 '2013년 한국의 달(Korea Month 2013)' 행사의 일환으로 마련되었다.

오사카 한국문화원 특별 전시실에서

가진 이 전시회에는 나의 서예(한자, 한글) 및 문인화(소나무 수묵화) 작품 31점과 함께 부채 작품 20점 등 총 51점이 소개되었다.

전시 첫날에 가진 개막 행사에는 주오사카총영사관의 이현주 총영사를 비롯하여 주오사카한국문화원 박영혜 원장, 민단 단장, 코트라 지점장 등 한일 두 나라의 관계 인사 80여 명이 참석하여 전시를 축하하는 동시에 그 의미를 되새겼다.

이 자리에서 나는 인사말을 통하여 "일본 첫 전시를 우리나라 교민들이 가장 많이 살고 있을 뿐만 아니라 오랜 기간 역사적으로도 깊은 인연을 맺어온 이곳 오사카에서 하게 되어 대단히 기쁘다."고 감회를 밝혔으며, 이번 전시회를 통하여 "사철 변함없이 푸른 소나무와 한글의 조화를 많은 분들이 느낄 수 있기를 바라며 아울러 이러한 미학적 교감이 나아가 한일 두 나라의 유대를 더욱 공고히 하고 의미 있는 민간 교류로 확산되는 데 이바지했으면 좋겠다."는 희망을 피력하였다.

개막 전에 미리 전시 작품들을 둘러봤던 데가와 테츠로 오사카시립동양도자미술관장은 축사를 통하여 도예(陶藝)와 서예의 차이점을 쉽게 설명을 해서 참석자들의 눈길을 끌었다. "도자기 또한 사람의 섬세한 손길을 거쳐 작품이 되는 것은 서예와 다를 바 없습니다. 그러나 도자기와 같은 굽는 작업에는 사람의 손길과 정성뿐만 아니라 불과 바람이 크게 작용을 하고 영향을 미치게 마련입니다. 이와 달리 서예는 오로지 사람의 마음과 손길만으로 탄생되는 것이기에 도자가보다도 훨씬 더 작가의 마음을 직접적으로 전할 수가 있지요. 저는 오늘 전시된 작품들을 통하여 서예가 김 선생님의 마음을 읽고

기를 느낄 수 있어서 참으로 좋았습니다." 라고 소감을 술회한 그는 한국에서만 사용하는 서예란 명칭에 대해서도 나름의 생각을 진술하는 것을 잊지 않았다. "일본에서는 서예란 말을 쓰지 않고 서도란 명칭을 사용하지요. 호칭이 그러하듯이, 도(道)에는 정해진 길이 있게 마련이며 우열을 따지는 것도 그 엄격성 여부에 초점을 두는 경우가 많습니다. 그렇지만 서예와 같은 예(藝)에는 미리 정해진 바가 없습니다. 그만큼 자유분방하고 활달할 수 있다는 데에 서예의 멋이 있지 않겠는가 여겼는데 오늘 김 선생님의 작품들을 보고 그를 다시 확인하게 되었습니다."

전시회 개최에 물심양면 도움을 아끼지 않았던 이현주 주오사카대한민국총영사관 총영사도 나의 이 전시회가 가지는 의의를 크게 부각시켜 주었다. "코리아먼스 2013의 일환으로 한국 서예를 소개하는 금제 김종태전이 이곳 오사카에서 개최된 점을 매우 기쁘게 생각한다."고 감회를 토로한 그는 "이번 전시에는 일본인들에게 생소할 수도 있는 한글 서예 작품도 다수 선을 보이고 있는데 이 기회에 일본에서도 우리 한글의 우수성과 아름다움에 대한 이해가 높았으면 좋겠다."는 기대를 숨기지 않았다.

축사를 한 정형권 한국민단 오사카부 지방본부 단장 또한 우리 문화의 독자성과 개성을 드러냄에 부족함이 없는 전시회라고 평하면서 "한국 문화가 가지는 이러한 개별성, 독자성이야말로 동양문화의 깊이를 더 하게 하고 그 지평을 넓히는데 이바지 할 것임을 의심치 않는다."고 말했다. "고국을 떠나 있는 모든 교민들이 이 전통과 현대가 조화된 작품들을 즐기는 가운데 다시 한 번 조국에 대한 긍지를 가졌으면 좋겠다."는 소망을 밝혔다.

전시 기간 동안 나는 한일 두 나라의 많은 인사들을 접했는데 그 중에는 일본인 서예가, 화가들도 적지 않았다. 그들을 만난 자리에서 나는 허심탄회하게 우리나라 서예계가 가지는 자랑과 고민 등을 말하였으며 그들 또한 자국 서단의 현황에 대한 얘기를 거리낌 없이 들려주었다. 모두들 나의 작품 활동에 참고와 도움이 될 소중한 말들이 아닐 수 없었다.

이 오사카 전시회가 계기가 되어 이듬해(2014년) 7월부터 9월까지 3개월 동안 일본의 역사도시 교토에서 작품 판매전을 갖게 되었으며 2016년 4월에는 다시 오사카 한국문화원에서 한국화 및 불화(佛畫) 44점을 선보이는 전시회를 가졌다.

메릴랜드대학 국제학술회의의 추억

미국에서 서예를 주제로 한 국제학술회의가 열린 것은 1998년 4월 메릴랜드대학교가 개최한 한자서법교육국제회의가 처음이었다.

메릴랜드대학 동양학과가 주관한 이 국제회의의 참가국은 우리나라를 비롯하여 미국, 캐나다, 중국, 일본, 홍콩, 대만, 싱가포르, 인도네시아 등이었다.

주최가 미국이지만 실은 미국에서 공부한 중국 사람들이 주동이라고 해도 과언이 아니었다. 그들 중국인이 대학의 교수가 되고 서예에 남다른 관심을 갖다 보니 그들이 주축이 되어 국제행사를 기획하고 실천에까지 옮길 수 있었던 것이다. 따라서 국제회의의 미국인 발표자는 한 사람 밖에 되지 않았다. 그 미국인 발표자는 음악에 맞추어 서예를 하는 법을 소개하여 참석자들을 즐겁게 하였다. '원, 투, 쓰리, 포'를 연발하며 붓을 놀리는 특이한 모습에 다들 웃음을 금치 못했던 기억도 있다.

나는 이 대회에서 내가 창안한 선화체를 시연하였을 뿐만 아니라 한글 서예와 서단의 현황에 대한 주제를 발표하기도 하였다. 발표와 작품 전시는 2박3일 일정으로 진행되었는데 각국 대표단이 마련한 내용이 알찰 뿐만 아니라 행사 진행도 국제회의답게 진지하고도 유려하였다.

19명의 참가인원을 대동한 나는 메릴랜드대학교 기숙사에 묵었으며 첫날 밤 대학 총장관저에서 만찬을 가졌다. 그 자리에서 나는 내가 미리 준비해 간 총장의 인물 그림을 선물하였는데 이 그림이 많은 이들의 관심을 끌었다.

다른 나라 대표단에서는 미처 총장을 위한 선물을 준비하지 못한 탓에 내가 더 박수를 받을 수 있었지만 사실 나는 대회 몇 개월 전부터 미국의 지인을 통하여 총장과 동양학과장의 사진을 입수해 인물화를 준비했던 것이다.

만찬 중 사회자가 한국대표가 총장께 증정할 선물이 있다고 하자 총장 내외가 놀란 빛을 지었으며 내가 전달하는 20호 크기의 인물화를 보고는 더 한층 놀라워했다. 그림을 들여다보며 함박웃음을 짓던 총장부인의 모습은 지금도 눈에 선하다.

이틀 뒤에는 사전에 교섭해 두었던 한국대사관과 대사관저에서 저녁만찬을 가졌다. 공교롭게도 대사가 한국 출장 중이어서 만찬 행사는 공사가 대신 진행하였다. 우리 일행은 그곳에서 또한 즐거운 추억의 한 페이지를 엮을 수 있었다.

그때 같이 갔던 일행들은 지금도 나를 만나면 그런 국제행사를 또 한 번 가졌으면 좋겠다며 주선을 부탁하기도 한다.

나이아가라 폭포까지 다녀오는 즐겁고 보람찬 일정이었기에 나는 그 여행을 소재로 시를 쓰기도 했다.

메릴랜드 대학 총장에게 기념품 증정

서예인들의 소통 광장 '한국서예신문'을 발행하다.

韓國書藝新聞
The Korea Calligraphy News
한국서예신문
The Korea Calligraphy News

1981년, 30년간 이어오던 정부 주도의 대한민국미술전람회(국전)가 폐지된 후 우리나라 서예계도 이합집산을 거듭하며 여러 단체로 쪼개져서 오늘에 이르게 되었다. 우선 대표적인 단체만 해도 한국미술협회(서예분과), 한국서예협회, 한국서가협회, 한국서도협회 등 열 개가 넘는다. 물론 내가 만든 해동서예학회도 이들 단체 중 하나에 속한다.

예술가들일수록 개성과 주관이 강하여 조직과 단체로 묶이기 싫어하는 경향이 있지만, 임의 단체는 결국 작가들의 예술적 감흥을 북돋우고 편의와 이익을 도모키 위해 만들어진 것이다. 따라서 단체의 난립이 꼭 나쁘다고 할 수는 없지만 내가 속한 단체만을 우선시하고 다른 단체와 그 소속 인사들을 사안시하는 경향은 결코 좋은 일이라고 할 수 없다. 예술가들일수록 서로 고뇌와 갈등을 공유하는 가운데 더 나은 창조의 세계로 나아가려는 자기 단련과 도야가 필요한 법, 따라서 소통과 포용은 우리 서예가들한테도 없어서는 안 될 덕목이 된다.

2014년 1월, 나는 서예인들에게 필요한 정보를 제공하고 상호 소통의 자리를 넓힌다는 뜻에서 '한국서예신문'을 창간하였다. 이를 위해 2013년 9월 서울특별시에 신문 등록을 마쳤으며, 같은 해 12월에는 예비 신문을 발행하였다. 마침내 2014년 1월 1일자로 제1호 창간 신문을 발행하였다. 타블로이드판 전 15면의 창간호에서 나는 우리 시대 서예의 현실을 지적하는 한편 함께 모색해야 할 방향에 대해 역설하였다.

한 달에 한 번 간행되는 이 신문은 어느새 5년 가까운 연륜에 통호 43호 발행의 기록을 쌓으면서 우리나라 서예계를 대표하는 권위 있는 매체가 되었다. 신문은 매월 비중 있는 전시회와 서예가를 소개하는가 하면 정부의 예술정책과 문화현상에 대한 비판과 질책도 아끼지 않는다.

㈜ 한국서예명가 설립

서예 작품은 사람의 손에서만 이루어지지 않는다. 화가에게 물감이 필요하듯이 서예가에게는 붓과 먹, 벼루, 화선지 등 질 좋은 재료들이 따라야 한다. 그러나 작가 스스로 마음에 드는 좋은 재료들을 찾아 쓰는 일은 마음먹은 만큼 용이치 않다. 또한 가난한 작가들이 저렴하게 재료를 손에 넣는 일은 더욱 어렵다.

　이런 여러 사정을 감안하여 나는 2014년 전문적으로 서예 문방사우를 구입 알선 판매하는 주식회사 '한국서예명가'를 설립하였다. 국제적인 네트워크를 갖춘 본 사는 국내외 생산지로부터 질 좋은 문방 재료들을 직접 구입하여 저렴한 가격으로 작가에게 판매하는 일을 주로 하고 있다.

호연지기를 기르는 '한국서예인산악회'

남달리 산을 좋아했던 나는 1995년 5월 28일, 뜻 맞는 서예 인사 몇몇과 함께 '한국서예인산악회'라고 하는 산행 단체를 만들고 첫 산행지인 경기도 가평군 설악면에 있는 유명산을 올랐다. 청정한 자연을 찾아 호연지기를 기르는 가운데 회원 서로간의 우의를 오래오래 다지자는 목적을 가진 이 산악회도 올해로 어언 23년의 연륜을 지니게 되었다.

모든 예술 작품이 그렇듯이, 서예도 강건한 마음과 육신에서 그 아름다운 꽃을 피울 수 있다. 오랜 시간 정신을 집중하여 운필을 하려면 무엇보다 체력이 지탱해 주지 않으면 안 된다. 서예인들부터 먼저 산에 오르면서 몸을 단련하고 정신을 맑게 하여야 한다는 뜻에서 만든 것이 이 산악회인데 다행히 창립 초기부터 취지를 잘 이해하고 열성으로 참가하는 회원들이 많았기에 오늘날까지의 장기간을 단 한 번의 쉼도 없이 산을 찾을 수 있었다. 태풍이 와도 멈추지 않았다.

산악회는 매달 한 번 세 번째 일요일에 산행하는 것을 원칙으로 하고 있다. 초창기부터 지금까지 참여 인원은 50~100여 명을 꾸준히 유지하고 있으며 산행지는 서울 근교의 산들에서부터 한라산, 백두산 그리고 해외도 가리지 않는다. 2018년 10월 현재 기준으로 우리 산악회는 295번째 산행을 마쳤다.

여타 산악회와 달리 우리 서예인 산악회는 산에 오를 적마다 경건한 의식을 치른다. 정상에다 산악회의 깃발을 걸곤 산천의 신령께 제를 올리는 것이다. 과일, 떡, 북어 등 제수를 미리 챙겨서 가며 제례(祭禮)에 따라 독축(讀祝)까지 다 한다. 이는 언제나 넉넉한 품으로 우리를 맞아주는 산에 대한 감사와 존숭의 예의(禮儀)에 다름 아니다. 또 하나 덧붙이자면, 여타의 산악회 대부분이 설이 든 음력 정월에 시산제(始山祭)를 지내는데 비해 우리 서예인 산악회는 5월에 거행한다는 점이 조금 이채롭다. 우리 산악회의 창립일이 5월이기에 창립 기념을 시산제와 겸한다는 것일 뿐 별난 뜻이 있어서 그러는 것은 아니다. 창립 23주년 기념을 겸한 올 2018년 시산제는 5월 13일 강화도 마니산에서 가졌다.

수년 전 불의의 사고를 당한 이후부터 나는 예전처럼 마음껏 산길을 활보하지 못한다. 마음은 그렇지 않은데 내 육신이 따라주질 못하기 때문이다. 따라서 정기 산행일이 되면 여느 때 마냥 행장을 꾸려 일행과 함께 산을 찾아 나서기는 하지만 막상 산에 이른 뒤에는 일행을 산 위로 올려 보내고 홀로 혹은 두세 사람과 함께 산 아래 둘레 길을 걷는 정도로 아쉬움을 달래곤 한다.

나는 창립 때부터 10여 년 간 산악회의 회장직을 맡았지만 이제는 그것도 후배에게 물려주고 명예직으로 물러나 있다. 2018년 현재 산악회의 회장직은 한국서가협의 초대작가인 정정숙 씨가 맡아 수고를 하고 있으며 강미자, 조부연, 김의식 세명의 부회장과 산행대장인 이종숙, 유종근 두 분이 산행운영을 맡고 있으며 산악회는 구호가 특징이다. 산을 오래오래 다니자, 서예를 오래오래 하자, 우정을 오래오래 나누자, 오래오래를 구호로 '오~래 오래' 3번 외치는 것이 큰의미이며 민요의 엇박자 리듬이다. 월드컵때 대~한민국도 이 리듬이다. 연당 신현옥 씨가 총무로서 살림살이를 돌봐 주고 있다.

백두산 천지에서

제자들의 아름다운 서예 모임

– 경기도 성남시의 서예 동호회 '소현제'

경기도 성남시 분당구에서 활동하는 서예 동호회 '소현제'는 그 열띤 작품 활동과 함께 아름다운 사회봉사로 그동안 여러 차례 언론의 주목을 받아왔다.

특히 이들은 매년 성남시청 전시실에서 '이웃 사랑'을 주제로 한 서예 전시회를 갖는 한편 선보인 작품의 판매 수입금 전액을 지역의 어려운 이웃에게 기부함으로 해서 주위로부터 많은 찬사를 받아왔다.

소현제는 나한테서 서예를 배운 이들이 자발적으로 만든 서예 동호회로서 2013년 10월 1일 창립되었다. 이후 해마다 성남시청의 전시실에서 이웃돕기 작품전시회를 가져왔다. 서예와 회화를 사랑하는 이들이 온라인 및 오프라인 모임을 통하여 회원 상호 친목도모와 정보를 교환하고, 서예 및 회화인의 저변 확대와 지역 문화발전 및 이웃돕기 활동에 기여할 것을 목적으로 하고 있는 소현제 회원들은 평소 성남시 분당구 서현1동 주민자치센터 안에 있는 서예교실에서 공부를 하며, 나아가 이웃과 사회를 위한 봉사를 계획하곤 한다.

소현제의 주 멤버들은 공인영, 김정자, 김종태, 김학진, 나승애, 박윤우, 박종섭, 송차순, 유노선, 주양임 씨 등이다.

여기서는, 2014년 6월 9일자 조선일보에 게재된 기사를 발췌 인용하여 이들의 활동상을 소개하고자 한다.

-'참 좋은 당신' '경천애인(敬天愛人, 하늘을 공경하고 사람을 사랑함)' '장생안락(長生安樂, 즐겁고 편안하게 오래 삶)'... 〈이웃사랑전〉이 열린 성남시청 2층 전시실에 들어서니 50여 점의 서예 작품이 관람객들에게 인사를 건넨다. 족자와 부채 등에 정성스럽게 쓰인 한글과 한자를 읽으며 뜻을 생각해보니 복잡했던 마음이 한결 정리되고 기분이 좋아진다. 올해 3회째인 이웃사랑전에는 30여 명의 작가와 소현제 회원들이 참여해 자신들의 생각과 인품을 뽐냈다.

이번 전시는 시작부터 재능 기부를 통해 이웃 사랑을 실천하기 위해 기획됐다. 소현제의 회장을 맡고 있는 공인영(82)씨는 "전시된 작품 판매를 통해 이웃돕기 성금을 마련할 수 있다는 자체만으로 기쁘다"고 말했다. 유노선(78) 회원은 "지난해에는 작품 판매 수익금으로 구입한 쌀 20포를 불우이웃에 전달할 수 있었다"며 "올해도 정성껏 갈고닦은 솜씨만큼 많은 성금이 모여 더 많은 이웃과 함께 했으면 좋겠다."고 덧붙였다.

이번 전시는 단순한 동호회 작품 전시가 아니기에 회원들은 완성도 높은 전시를 개최하고 이웃사랑에 대한 관심을 확산시키기 위해 후원 유치에도 힘썼다. 그 결과 성남시, 한국마사회 분당지사, 국민체육진흥공단 경륜경정사업본부 분당지점이 후원에 참여했다.

소현제는 2012년 나눔이 있는 서예 동호회를 만들자는 취지로 결성해 현재 성남시 분당구 서현1동 주민자치센터에서 서예 고급반을 중심으로 활동하고 있다. 적을 소(少), 언덕 현(峴)자를 써 '작은 언덕'을 뜻하는 소현제는 '욕심내지 말고 차근차근 정진하자'라는 의미를 담고 있다. 소현제는 창단된 지 올해 5년 차를 맞는 동호회지만 회원들의 서예 경력은 짧게는 8년, 길게는 50년이나 된다. 회원들은 대부분 자식을 다 키웠거나 은퇴 후 취미 삼아 서예를 시작했다.

전시가 끝난 후인 지난 6월 2일 소현제 회원들을 만나기 위해 서현1동 주민자치센터를 찾아갔다. 이곳에서 회원들은 매주 화·목요일 오전 10시부터 서예 교과서인 서법첩을 보며 붓글씨 연습에 매진한다. 회원들에게 서예를 지도하는 금제 김종태(73) 작가는 (사)해동서예학회의 이사장이자 서예 대가다. 김 이사장은 "바른 자세로 붓글씨 쓰기에 집중하며 숨 참기와 내쉬기를 반복하다 보면 건강이 좋아진다."며 "잡념마저 사라져 정신 수양도 가능하다."고 말했다.

대가를 스승으로 둔 만큼 회원들의 애정이 각별하다. 10년 넘게 김 이사장에게 서예를 배워온 회원 상당수는 먼 길을 마다하지 않는다. 서예 경력 16년 차라는 김정자(72) 회원은 "선생님(김 이사장)을 따라 이곳 주민자치센터까지 오고 있다."고 말했다. 50년 서예 경력을 자랑하는 공인영씨 역시 "인근 분당구 구미동에 살고 있지만 선생님을 따라 이곳 주민자치센터에 6년째 다니고 있다."고 했다. 회원들은 서예를 통해 나눔을 실천하고 있지만 자기 자신에게도 도움이 된다고 입을 모았다. 나승애(50) 회원은 "서예는 '자기 닦음', 곧 수양 (修養)을 위한 예술"이라고 요약했다. "붓을 다스리다 보면 내면까지 다스려지는 것 같다."고. 공인영씨는 "전시에 한 작품을 출품하기 위해 화선지 200장을 버렸다."며 "벼루에 먹을 갈고, 붓을 잡고 화선지에 획을 긋다 보면 어느새 마음이 안정되고 무아지경에 빠져 힘든 줄도 모르고 즐기는 나를 발견하게 된다."고 했다.

회원들의 서예 활동에 대한 가족들의 반응도 빼놓을 수 없다. 김정자 회원은 "손주들이 집에 와서 화선지에 그림을 그리거나 '가족 사랑'이라는 글을 따라 쓰고 벽에 걸어놓는 걸 즐겨 한다."며 "서예 활동에 대한 자부심으로 노년이 더욱 즐거워졌다."고 말했다.

소현제는 서예에 관심 있는 남녀노소 누구나 가입이 가능하다. -

김장담그기 지원

국내 첫 전시회를 열다.

−재경 대구 · 경북시도민회관 건립 기금 마련을 위한
작품 기증 판매전

2013년 3월 22일부터 27일까지 6일간 나의 국내 첫 작품전시회가 서울 중구 태평로 소재의 조선일보 미술관 갤러리에서 열렸다.

이 전시회에는 그동안 내가 힘써 만든 한글 및 한문 서예 작품 80여 점, 문인화 20여 점, 서양화 20여 점 등 모두 147점의 작품들이 출품되어 미술애호가들을 맞이하였다.

나는 나름으로 이 전시회에 두 가지 큰 의의를 두었으니, 그 첫째가 내 각고의 노력 끝에 개발한 한글 서체 '선화체(仙花體)'와 한문 서체 '금제체(昑齊體)'의 작품을 일반 대중에게 선 보인다는 것이었으며, 둘째는 전시의 목적이 단지 작품과 관객이 만나는 데 있지 아니하고 이에서 생기는 수익으로 내 뜻한바 재경 대구·경북시도민회관 건립에 조금이나마 보탬을 준다는 데 있었다.

기회 있을 때마다 피력했듯이, 서예며 서법이란 것 또한 불변의 틀과 장치가 있는 것이 아니다. 온고지신(溫故知新)이란 말 그대로 전래의 규범을 바탕으로 하는 가운데 새로움을 추구하는 것이 곧 '예(藝)'요, '법(法)'인 까닭에서다. 특히 한글 서체는 중국에서도 없던 것이니 오직 우리가 우리 손으로 발전시켜 나가는 것이 마땅한 도리다. 궁체를 즐겨 쓰던 내가 1990년 좀 더 활달하면서도 화사한 한글 서체 선화체를 만들었던 이유도 거기에 있었다. 우화등선(羽化登

仙), 무위자연(無爲自然)의 노장적(老莊的) 철리까지 함유하고 싶었던 서체가 그것인데 이 선화체에 대한 우리 서단(書壇)의 반향은 여러 가지였다. 자유분방하고 유연하며 아름답다는 칭찬이 있는가 하면 새로움이 덜하다는 폄하도 없지 않았다. 나는 이런 상찬과 비난에 개의치 아니하고 내 꿈꾸는 바대로 무궁히 발전시켜나간다는 소망밖에 없다. 그 점에서도 나는 새로운 작품들이 대중들의 감식안에 여하히 포착되는 가를 확인할 필요가 있었다.

이 전시회에는 선화체, 금제체 서예 작품 외에도 특수기법으로 제작된 문인화를 비롯하여 '평화, 희망, 사랑' 등을 주제로 쓴 유화 글씨 작품들도 다수 선을 보였다.

두 번째, 서울에다 조속히 대구·경북시 도민들의 만남의 장소가 되며 연락처, 안식처가 될 만한 시·도민회관을 건립해야 한다는 바람은 곧 현실적인 꿈이었다. 서울에서 살아가는 대구·경북인은 다들 대단한 자긍심을 갖고 있는 것이 사실이다. 떠나온 고향을 그리워하는 심정도 한결 같다. 그러나 안타깝게도 다른 시·도들이 가지고 있는 시·도민회관 혹은 향우회관을 대구·경북이 여태 갖질 못했다는 점에 출향인들의 상심이 크다. 자존심이 상한다는 이들마저 없지 않다.

시·도민회 회장이 바뀔 때마다 철새처럼 사무실을 옮겨야 했던 딱한 사정도 거기에 있었다. 2012년 이상연 전 회장이 회관 건립기금 5억 원을 쾌척하고 시·군 향우회, 시·도민회 직능단체들이 출연을 하여 회관 건립에 큰 힘을 싣기는 하였지만 회관을 지을 자금은 턱 없이 부족한 형편이었다.

이전에 재경 경산시향우회장을 지냈던 나는 저간의 사정을 잘 알고 있었다. 그러면서도 직접 도움을 주지 못하는 처지를 안타까워했기에 작품 전시회를 준비하는 과정에서 일찌감치 기금 마련의 목적을 내세우지 않을 수 없었다. 내 작은 작품 하나라도 회관 건립에 필요한 벽돌과 철근으로 바뀔 수 있다면 더 없는 보람과 기쁨이 되겠

다는 소박한 소망으로 전시회를 가졌던 것이다.

오랜 기간 작품 활동을 해오면서도 나는 이맘때까지 국내에서 한 번도 전시회를 갖지 않았다. 그동안 해외 전시회는 1996년 미국 애틀랜타 올림픽 문화사절단의 일원으로서 서예작품 전시회를 연 것을 비롯해 일본, 필리핀 등지에서 가진 것을 포함해 모두 일곱 차례나 됐다. 지난 번 칠순 나이를 맞을 때는 자녀, 친지들마저 나서서 기념 전시회라도 열자고 졸랐지만 내가 굳이 마다하였다. 이렇듯 국내 전시회를 기피하고 미룬 이유는 간단했다. 주위 사람들에게 부담을 주기 싫다는 점, 그뿐이었다.

그렇던 내가 마침내 작품 전시회를 열었다. 10여 년간 땀 흘려 쓰고 그린 작품들을 모두 내놓았다. 서예와 한국화, 서양화 등이 모두 망라되었다. 준비과정에서 나는 어림짐작으로 내 작품의 가격이 모두 4억여 원을 능가하리라 요량했다. 가격을 따질 수 없는 8폭 짜리 반야심경 병풍, 소나무(서양화) 대작 등이 포함돼 있었기 때문이었다. 내가 한 지인에게 선물했던 '참 좋은 당신'이란 휘호의 부채 작품이 있었는데, 지인은 이를 KBS의 '진품명품' 프로그램에 들고나가 75만원의 감정을 받았다. 나는 그 작품을 전시회에 20만원에 내놓았다. 나는 내 작품들이 충분히 소장 가치가 있다고 믿었다. 그래서 전시회를 통해서 재경 대구·경북 출향인들이 염원하는 시·도민회관 건립에도 적잖은 도움을 줄 수 있다고 여겼다.

전시회는 성황리에 끝이 났다. 낯선 시민들까지 나를 찾아와 격려와 위로의 말을 줄 적에는 예술가의 길을 걷는 이로서 무한한 보람을 가지기도 했다. 그러나 엿새간의 전시회 동안 임자를 만나 팔려나간 작품은 30여 점 가량 밖에 되지 않았다. 금전으로 약 6천만 원 정도였다. 김범일 대구시장, 김관용 경북도지사, 이상연 재경 시도민회장, 정태진 시도민회관 건립 추진기획단장 등이 작품 구입을 통한 기금모금에 동참을 해주었다.

조금 실의에 빠져 있는 나를 정태진 단장이 위로해 주었다.

"당초 1억 원 가량의 기금이 모일 것으로 기대했는데 안팎의 경제가 좋지 않다 보니까 그 영향이 여기까지 미쳤나 봅니다. 허지만 좋은 작품이 경기가 좋지 않다고 값이 떨어지겠습니까. 좀 더 소문이 나고 하면 분명 찾는 이들이 있을 것입니다."

나는 작품 판매대금 중 도록 및 전시비를 제한 3천만 원을 도민회
에 기부하였으며, 이후 도민회는 서울 용산구 남영동의 건물을 분양
받아 사무실을 장만하였다.

울릉도에 울려 퍼진 애국가

"나라를 먼저 생각하면 꿈이 커지고, 나를 먼저 생각하면 꿈이 작아진다."— 기회 있을 적마다 내가 다른 이들에게 들려주는 말의 하나다. 나 자신에게도 좌우명처럼 깊이 새겨져 있는 말이다. 흔히 말하듯이, 사람은 꿈을 먹고 사는 존재다. 꿈이 없는 목숨은 죽은 목숨과 진배없기 때문이다. 생애의 환경과 가치관에 따라 사람마다 꿈의 내용이 다를 수밖에 없지만 어리고 젊을수록 큰 꿈을 지녀야 하며 그 큰 꿈의 궁극적 대상은 국가와 민족이어야 한다는 것이 나의 지론이다.

국가와 민족이 없다면 '나'가 존재할 수 없다. 태어나면서부터 배운 내 민족의 언어를 쓰지 못하면서 누구와 소통을 하겠는가? 내 이웃은 물론 발 디디고 설 '내 땅'이 없는데 어디서 삶을 영위한단 말인가? 일제의 침탈을 경험한 바 있기에 우리는 내 조국 내 민족의 독립과 자주가 얼마나 소중한 가를 더더욱 잘 알고 있다. 때문에 평화롭고 풍요로운 조국을 지키고 가꾸어 나가는 일만큼 보람차고 고귀한 일이 다시없다. 지구촌에서도 자랑스럽게 우뚝 서는 자유, 복지의 조국을 보기 위해 내 일신을 던지겠다는 꿈만큼 크고 고귀한 것이 있을까?

2013년, 우리나라의 국회의원이 대한민국의 체재를 전복하려 했다는 충격적인 사건이 터졌다. 이른바 '이석기 사건(李石基事件)'이다. 이는 국가정보원이 통합진보당 소속 국회의원이었던 이석기를 고발한 사건으로, 국정원의 주요 주장은 이석기 의원이 주도하는 지하혁명조직(Revolutionary Organization, RO)이 대한민국의 체제 전복을 목적으로 합법 비합법, 폭력 비폭력적인 모든 수단을 동원하여 이른바 '남한 공산주의 혁명'을 도모했다는 것이다. 국정원은 이석기 의원을 형법상 내란 음모와 선동 및 국가보안법 위반 등의 혐의에 대한 수사를 하여 검찰에 송치하였다.

2014년 2월, 1심 재판부는 이석기 의원에 대한 내란음모·내란선동·국가보안법 위반 혐의를 대부분 유죄로 인정해 징역 12년에 자격정지 10년을 선고하고 나머지 피고인들에게도 징역 4~7년을 선고하였다. 그러나 2014년 8월, 서울고등법원의 2심 재판부는 내란죄를 저지르기 위한 구체적인 합의가 있었다고 볼 수 없다고 판단해 원심을 깨고, 내란음모 혐의를 무죄로 판단하고 내란선동과 국가보안법 위반 혐의만 유죄로 인정해 징역 9년과 자격정지 7년을 선고하고 나머지 피고인들에게도 1심보다 형을 낮춰 징역 2~5년을 선고하였다. 2015년 1월, 대법원이 이 판결을 확정하였으며 2014년 12월, 통합진보당이 헌법재판소의 위헌정당해산심판 결정에 따라 강제 해산되었다.

이 사건을 보는 나는 몹시 가슴이 아팠다. 이석기 의원은 애국가가 국가가 아니란 말까지 했다. 치미는 화를 누를 길 없었다. 어찌하여 국민으로부터 세비(歲費)를 받는 국회의원이란 자가 제 나라를 빨갱이 국가로 만들려고 획책을 했단 말인가! 그렇게 안팎이 붉게 물든 자가 어떻게 국회 단상에까지 진출할 수 있었단 말인가! 온몸에 소름이 돋을 만큼 무섭고 끔찍한 생각마저 들었다. 자유가 넘치다 보면 자칫 방종으로 흐르는 수도 있지만, 첨예한 이데올로기 대립의 현실에 처해 있는 우리나라에서는 무엇보다 공산주의의 유입과 그 선동, 공작만큼은 철저하게 분쇄하지 않으면 안 된다. 현 세대 중에는 공산주의의 실체를 모른 채 그 겉껍질의 미사여구에만 현혹되어 동조, 찬동하는 이들이 없지 않지만 이는 부단한 교육과 교화로 그 잘못을 인지케 해야 한다. 그러므로 이석기 같은 정치세력은 아예 이 땅에 발을 붙이지 못하도록 엄단할 수밖에 없다.

일개 소시민에 지나지 않는 나로서는 이 엄혹한 사태를 목도하고서도 당장에 할 수 있는 일이 없었다. 그렇다고 노여움을 삭이고 한탄만 하고 있을 수도 없었다. 이석기와 그 무리들이 태극기와 애국가를 부정해 왔다는 보도를 접한 뒤, 나는 내가 할 수 있는 일부터 실천에 옮기기로 했다.

이 시기, 다시금 내 나라 내 국토를 생각해 보자는 것이었다. 태극기와 애국가의 의미를 몸으로 느껴보자는 것이었다. 때마침 내가 주관하는 '해동서예대전'의 입상자들이 결정돼 있었다. 전체 수상자들이 모인 자리에서 내가 선언했다. 우리 모두 나라 사랑하는 마음으로 애국가 4절까지의 가사를 써보기로 하자. 아니 이것은 제안이 아니고 숙제다. 정성스럽게 가사를 쓴 이들은 나와 함께 울릉도, 독도를 답사할 수 있다. 이 사실은 전국의 한글 초대작가들에게도 알렸다.

수상자들과 초대작가들은 내 뜻을 잘 헤아려 주었다. 이 시국에 웬 애국가 가사 쓰기냐고 투덜대는 이는 한 사람도 없었다. 며칠 후, 50여 점의 애국가 작품이 수합되었다. 수상자들의 작품인지라 어느 자리에 걸려도 손색이 없는 노작들이었다. 나는 이들 작품 50점을 표구하여 외교부를 찾아갔다. 무상으로 기증할 테니 해외 공관에 걸어

달라고 부탁했다. 나라 밖에서 대한민국을 위해 수고를 아끼지 않는 공관 인사들이 이 애국가 가사를 음미하면서 한층 더 분발해 주기를 바란다는 당부도 잊지 않았다.

사전 논의도 없이, 표구 작품을 끌고 들이닥친 나를 보곤 외교부 공무원들이 당혹감을 금치 못했다. 처리가 어렵다고 난색을 짓는 이도 없지 않았다. 그렇지만 나는 그대로 물러나지 않았다. 당신들이나 나나 나라 생각하는 마음은 똑같지 않느냐. 조금만 수고를 더 하면 될 일을 뭘 그리 주저하고 꺼리는가. 이 또한 서예 하는 이들의 애국심을 담은 것이니 함부로 내치지 말도록 해라. 내가 언성을 높여가며 설득을 하자 그들도 마지못해 작품들을 받아들였다. 나로서도 그들의 수고와 번거로움을 짐작 못할 바 아니었다. 머나먼 타국까지 작품 하나하나를 보내는 일이 쉽기만 하겠는가. 뜻밖의 경비 부담도 있을 테고… 그러나 애국가다. 각자가 대한민국을 대표하는 해외 공관의 공무원들부터 아침저녁으로 그 가사를 되뇌며 스스로를 단속하고 부추길 필요가 있는 것이다.

억지에 가까운 행동이었지만 외교부의 노력에 의해 그 작품들은 탈 없이 50개 해외 공관으로 분산 발송되었다.

곧이어 울릉도 독도 답사도 이루어졌다. 수상자 중 40여 명이 동참했다. 애당초 독도 답사 날짜를 뜻 깊은 8월 15일 광복절 날로 정했지만 곧 일정을 조정했다. 광복절에는 대통령이 독도를 방문한다는 사실을 알았기 때문이었다. 그런데 15일은 일기가 순조롭지 못했다. 간헐적으로 빗방울이 떨어지는가 하면 바람이 심해 파도가 사나웠다. 결국 대통령은 15일 헬기로 독도를 방문했고, 표지석을 싣고

당일 포항을 출발하려던 경북도지사 일행은 끝내 출항조차 하지 못하고 며칠 뒤에야 독도에 찾아갈 수 있었다는 기사를 읽었다.

16일. 우리가 울릉도로 출항할 때만 해도 하늘은 어둡고 바다는 거칠었다. 17일 독도로 갈 적에는 섬 주위만 한 바퀴 돌아보고 돌아오겠다고 배에서 안내방송을 하기도 했다. 그런데 우리가 독도에 다가들 무렵에는 거짓말처럼 하늘이 개이고 파도가 잔잔해졌다. 섬에서도 접안(接岸)이 가능하다는 소식이 왔다. 천우신조란 이를 두고 말함인가!

마침내 우리 모두는 독도에 발을 디뎠다. 일행은 하나 같이 '대한민국' 글씨가 새겨진 티셔츠를 입고 있었다. 동해의 외딴 섬 독도, 겨레의 영광과 한을 오롯이 품은 그 바위섬은 단지 풍광 좋은 자연의 섬만은 아니었다. 한국인이라면 누구든 느낄 수 있는 기(氣)가 넘치는 땅이다. 그 기는 강렬하고도 예리하다. 절로 가슴 벅차게 하는 그것이 대한민국 5천 년 역사의 응집된 기운임을 누가 모르랴!

연안에 줄 지어 선 채 우리 모두는 목청이 터지라 애국가를 불렀다. 바람소리, 파도소리도 우리의 합창을 이기진 못했다. 노래와 함께 뜨거운 눈물이 하염없이 흘러내렸다.

'노래하는 서예가'

　나는 흥이 많은 사람이다. 아름다운 것을 보고 즐거운 일을 당하면 내 입에서는 저도 모르게 감탄이 나오고 어깨가 들썩거리기도 한다. 내가 노래를 즐겨 부르고 어깨춤을 마다하지 않는 까닭이 여기에 있다. 남들은 이런 나를 가리켜 '끼'가 많다고 이르지만 나는 이 '끼'야말로 우리 인생을 활기차게 하는 근본 에너지의 하나라고 여기기에 고맙게 수긍하기도 한다. 시쳇말로 '끼'이지만 이는 곧 '기(氣)'와 '흥(興)'을 일컫는 말임을 알기 때문이다.

　기와 흥은 충만한 생명력이 외부 세계와 교감할 때 고조되며 안과 밖의 일체감에서 완전한 형태를 이룬다. 따라서 예로부터 예술을 하는 이들에게는 특히 이러한 흥취와 신명이 더 소중하게 여겨져 오기도 하였다.

재경 경산군향우회 야유회 노래자랑 1등상

붓을 잡고 글씨에 몰두하다 보면 절로 무아지경이 빠져들면서 온몸이 뜨겁게 달아오르는 것을 느끼는 때가 있다. 이 경지에서는 자신이 놀랄 정도로 운필이 자유롭고 화선지에 그어지는 획 하나하나가 범상치 않음을 볼 수 있다. 이른바 신명에 빠져든 순간인 것이다.

아름다운 숲길을 걷는 때에, 산 정상에서 장쾌한 조망을 마주했을 때 혹은 어떤 이의 의로운 행위를 마주했을 때도 경이와 함께 이런 고조된 흥을 체감하기도 한다. 산을 오르면서 내가 시를 흥얼거리고 목청 높여 노래를 부르는 이유도 여기에 있다.

시는 노래의 다른 이름이다.

시인이라는 이름을 갖고 십 수 년 넘게 시를 써 오면서, 차츰 나는 내 시를 직접 내 목청으로 노래 부르고 싶다는 욕망을 가지기 시작했다. 가수가 되고 싶다는 마음과는 전혀 차원이 다른 것이었다. 시인이 자신의 시에 곡을 붙여 직접 노래하는 경우가 극히 드물다는 사실을 알면서부터 이 욕망은 더욱 커졌다. 나는 한 번 작정을 하면 꼭 실행을 하는 성격이었는데 기회는 우연찮게 찾아왔다.

재경(在京) 경산시향우회의 회장 일을 보는 동안 나는 내 고향 노래가 없다는 사실을 안타까워했다. '목포의 눈물' '울산 아가씨' '칠갑산' 같은 대중적인 가요가 있었기에 목포와 울산, 청양 같은 곳은 일찌감치 전 국민의 뇌리에 친숙하게 각인돼 있질 않은가.

허기야 따져보면 경산을 대표하는 국민적 가요는 이전부터 있어왔다. 유호 작사, 박시춘 작곡으로 가수 현인이 불러 크게 히트한 '비 내리는 고모령'이 그것이다. 이 곡은 1948년에 발표되었다. 노래의 배경이 되는 고모령(顧母嶺)은 현재 대구 수성구 만촌동에 있는 고

개이지만 10여 년 전까지만 해도 이곳은 경북 경산에 속했다. 그러니까 경산의 노래라고 할 수 있는 것이다. 노래를 만든 사연에 대해서도 일제 강점기에 이곳이 징병이나 징용으로 멀리 떠나는 자식과 어머니가 이별하던 장소였다는 이야기를 들은 데서 비롯했다는 설 등 여러 일화가 전해온다. 가사는 "어머님의 손을 놓고 돌아설 때엔 부엉새도 울었다오 나도 울었소"라는 슬픈 내용으로 시작하여, 고모령에서 어머니와 헤어진 이가 오랫동안 고향에 돌아가지 못하고 그리워하는 심정을 서정적으로 그리고 있다.

그러나 이 곡이 아무리 오랫동안 많은 이가 애창해 온 것이라 해도 '경산의 노래'가 될 수 없다는 것이 내 생각이었다. 이미 배경 지역이 다른 도시로 넘어갔다는 점을 떠나서 이 노래는 비탄과 애수를 주조(主調)로 하고 있기에 역동적인 발전을 거듭하고 있는 오늘의 경산을 전혀 그려내질 못하기 때문이다. 그리고 이 노래를 부르거나 듣는 이 중에 경산을 떠올릴 사람이 몇이나 되겠는가를 생각하면 더욱 그렇다.

경산을 떠나 사는 이들은 새삼 향수에 젖어들게 되고 또 지금도 경산에 사는 사람들이 자부심을 가질 만한 경산의 노래를 내 손으로 만들어보자는 작심은 이렇게 시작되었다.

'내 고향은 경산'을 노래하다.

1절
한 줄기 금호강물 고향 돌아 흐르고
삼성현(三聖賢) 태어나신 그곳이 고향일세
옛날은 사과 고장 지금은 경산 대추

후렴
고향 사랑 주렁주렁 많이도 달려 있지
그리워라 고향마을 내 고향은 경산이라네

2절
갓 바위 품어 안은 팔공산이 그립고
삽살개 골목 나와 반기니 고향일세
앞뜰은 대추나무 뒤뜰은 포도나무

후렴
고향 사랑 주렁주렁 많이도 달려 있지
그리워라 고향마을 내 고향은 경산이라네

나는 처음 시를 쓸 때부터 이는 노래 가사용이라는 생각을 품고 있
었다. 그래서 의미 전달도 한층 분명히 하기로 마음먹었다. 그래서
1, 2절 가사의 서두에서는 먼저 경산의 지리적 특색, 역사성을 나타
내고 그 다음 경산의 상징이 되는 특산물을 담기로 하였다. 낙동강
의 한 지류인 금호강은 경산시 북부를 관통하며, 3성현은 경산이 낳
은 역사적 인물 즉 원효와 설총 그리고 삼국유사를 쓴 일연 스님을
가리킨다.

2절 첫머리의 '갓바위'는 팔공산 관봉(冠峰)에 서 있는 석조여래좌상의 세간 명칭이다. 경산시 와촌면 대한리에 위치한 이 불교 석상은 대한민국의 보물 제431호로 지정돼 있는데 머리에 마치 갓처럼 생긴 관을 쓰고 있다고 '갓머리 부처'라고 부르기도 한다. 기도의 효험이 뛰어나다고 해서 학업, 취업, 건강, 득남 등의 기구를 위해 날마다 많은 이들이 이곳을 찾고 있다.

삽살개는 오래전부터 한반도에 널리 서식한 한국의 토종개로서 일명 삽사리라고도 한다. 일제강점기를 거치며 멸종 위기에 이르렀으나 1960년대 말부터 진행한 보존사업을 통해 개체 수가 늘었다. 1992년 경북 경산시 삽살개육종연구소에서 보호 육성한 '경산의 삽살개'가 천연기념물 제368호로 지정됐다.

6, 70년대만 해도 경산은 '사과의 고장'으로 유명하였지만 기후 변동으로 인해 이제는 그 많던 과수원들이 다 사라지고 없다. 대체 작물로 들여온 것이 대추와 포도인데 어느덧 이들 대추와 포도가 경산을 대표하는 과일이 되었다.

후렴구에서 '주렁주렁'을 거듭 쓰고 있음은 결실 많은 포도, 대추의 형상을 고향 사랑의 마음으로 환치시킨 것임은 누구나 알 만하다.

이렇듯 시(가사)를 완성시키고 나니 노래로 만들어 대중에게 알리는 일이 뒤따르게 되었다. 가사를 만들 때부터 노래는 내가 직접 부른다는 각오가 돼 있었다. 썩 잘 부르는 편은 아니지만 음색이 좋아 듣기가 좋다는 말들은 진즉부터 들어오던 터라 이 또한 '하면 된다.'는 마음으로 덤벼들었다.

노래를 하려면 무엇보다 곡이 좋아야 하는데 이 곡은 가수 겸 작곡가로 활동하는 박건 씨로부터 얻었다. 박건 씨는 이미 이전에도 내가 쓴 시 '그리움' '세월아 가거라' '서예가' 등에 곡을 붙여준 일이 있었다. 박건 씨와는 함께 국제라이언스클럽 활동을 하는 가운데 가까워진 인연이 있었다. 내가 노래 부르고 이를 음반으로 내는 일에 있어서 누구보다 많은 지도와 격려를 아끼지 않은 이가 바로 박건 씨였다.

막상 음반을 만들려고 하니 준비하고 해결해야 할 일이 한두 가지 아니었다. 서울 강남의 녹음실을 빌려 연습을 하고 제작까지 맡기려면 1천만 원이 넘는 비용이 들기까지 했다. 그럴 마음이 전혀 없었던 나는 인터넷을 뒤져 저비용의 임대 녹음실을 찾아냈다. 시간 당 3~5만원의 비용을 지불하면 기사를 대동하여 얼마든지 노래 연습을 할 수 있었다. 연습장을 확보한 뒤 매일같이 두세 시간 노래 연습을 했지만 난관은 다 가시질 않았다. 나이 탓인지 몰라도 배우고 익히는 속도가 더딜 뿐만 아니라 노래에서도 가장 중요한 박자를 놓치는 일이 비일비재하였다. 사람에게 있어서 '가장 늦게 늙는 것이 목소리'라는 말이 있듯이, 다행인 것은 아직 내 목소리에 기운이 있고 남들 귀를 거슬리게 하지 않는다는 점이었다.

노래 연습은 서실에서도 귀가 후에도 계속됐다.

그 사이, 대중들 앞에서 노래를 부를 기회도 몇 차례 있었는데 특히 2016년 1월 사단법인 21세기문화예술협회가 부암아트홀에서 주관한 제26회 '통코맘('통일코리아 맘'의 준말. 이사장; 김성은) 콘서트'의 공연을 잊을 수 없다. 지난 2014년부터 '통일은 어머니의 마음으로'란 슬로건 아래 해마다 몇 차례씩 콘서트를 가져온 '통코맘' 행사에는 해동서예학회와 한국서예신문이 후원 단체가 돼 있었다.

제26회 콘서트 당시, 장내를 가득 메운 탈북인사들이 후원사의 일원인 나에게 노래 한 곡을 해달라는 청을 거듭 하기에 나도 무대에 설 수밖에 없었다. '선구자'를 부르기로 마음먹었는데 긴장 탓인지 가사조차 제대로 생각이 나지 않았다. 하는 수 없이 악보를 펴놓고 노래를 시작했다. 그러나 점점 나 스스로 노래에 빠져들면서부터는 더 이상 악보에 시선을 줄 필요가 없었다. 음정이 안정되면서부터 노래 가사까지 절로 입에서 술술 풀려 나왔기 때문이었다.

이런 경험은 나의 음반 취입에도 크게 도움을 주었다.

마침내 2017년 3월 '노래하는 서예가 김종태' 라는 타이틀의 나의 첫 앨범이 세상에 선을 보였다.

이 앨범에는 '내 고향 경산'이 첫 곡으로 수록되었고 이어 내 작사곡인 '그리움' '세월아 가거라' '서예가' 등이 차례로 올랐다. 이밖에 '내 나이가 어때서' '안동역에서' '영영' '사랑' '고향무정' 등의 인기 대중가요들이 내 목소리로 불리고 있다. 이 중에서도 '내 나이가 어때서'는 우리 가사를 일본어, 중국어로도 바꾸어 부르고 있어서 한층 이채롭게 느껴진다. 특히 이들 외국어 가사는 아무리 애써 외어도 이내 곧잘 잊어먹기 일쑤여서 진땀을 흘렸던 일은 지금도 생생하게 기억된다. 세상에서 만만한 일이라곤 하나도 없다는 것을 그때 다시 절감했다. 노래를 녹음하는 과정에서는 물 한 컵을 놓고 세 시간 네 시간 길게는 다섯 시간을 씨름하기도 하였다. 정신이 몽롱할 지경으로 힘들었던 작업이었다. 레코딩 스튜디오는 〈소리풍경〉이었다.

서예가(書藝歌) 발표

1절
한 일 자 하나 쓰기 쉽지가 않네
쉽게만 생각한 것 나의 무지야
내 마음 화선지에 조용히 앉네
목련꽃 피어나서 향기 풍기듯
화선지 파고드는 먹물 향기여

후렴
어쩌면 그렇게도 아름다울까
세월을 이겨 가면 예를 이루고
묵향에 젖어들면 나는 행복해

2절
길 영 자 쓰고 나니 잘 될 것 같네
그것은 꿈이었나 쉽지가 않아
소박한 소망으로 꿈을 키우면
묵향 속 조용함이 정들게 하네
흰 눈이 내지 위에 은빛 이루듯
파고든 검은 먹빛 짙은 향기여

후렴
어쩌면 그렇게도 아름다울까
세월을 이겨 가면 예를 이루고
묵향에 젖어들면 나는 행복해

'노래하는 서예가 김종태' 앨범에 실려 있는 '서예가'는 2004년 가사를 만들고 이후 박건 씨의 곡을 붙인 것으로 특히 내가 애창하는 노래의 하나다. 서예인이 가져야 할 태도와 함께 서예의 매력을 함축적으로 표현하고 있는 이 노래는 아마도 우리나라에서 첫 번째로 시도된 서예 노래가 아닐까 싶다.

서예를 공부하는 이라면 이 노래를 듣는 가운데 더욱 자세를 가다듬고 한 획 한 획에 더 정성을 기울이게 되고, 각고의 노력 끝에 더 알찬 보람을 느낄 수 있지 않을까 기대를 해본다.

88올림픽 100일 전 및 서초자치구개청기념 노래자랑대회

1988년 6월 15일, 올림픽 개최 100일 전 및 서초구청 개청기념 노래자랑대회가 예술의 전당 야외특설무대에서 이상용 씨 사회로 열렸다. 강남구의 각 동 대표들이 노래 경연을 하는 이 대회에는 박찬종 의원, 이종률 의원 등 다수의 국회의원들이 내빈으로 참석하였다. 방배1동 대표로 노래자랑에 참가하였던 나는 2등이란 분에 넘치는 상을 받았다.

나로서도 첫 무대경험이라 긴장감에 좀 떨기도 하였지만 가요 '잊혀진 계절'을 큰 실수 없이 불렀다. 시상을 마친 뒤에는 반겨주는 박찬종 의원과도 처음 악수를 나눴다.

서초구 개청기념 올림픽 100전 노래자랑대회 2층 (방배동 대표)
예술의전당 야외무대

시인으로 활동하다보니 나 또한 노래가사 짓기를 좋아했다. 그동안 내가 작사한 노래가 4곡이 되는데 이들 노래는 가수 박건 씨의 작곡으로 세상에 선을 보였다. 근래 새로 작사한 것이 여섯 곡 있는데 작곡가를 잘 만나야 할 것 같다.

아직 정식 발표는 되지 않았지만 이종식 씨가 작곡한 '서예 예찬가'는 내가 애정을 쏟은 흥미로운 곡이다. 가사는 다음과 같다.

서예가 II
그윽한 묵향 속에 나의 길 찾아
내일을 생각하며 예의 길 간다
이렇게 어려울 줄 미처 몰랐고
마음과 같지 않아 낙심도 했다
묵향의 그 향기가 너무 좋아서
조용한 시간 속에 행복해 한다
신비의 묵향의 샘 옹달샘 같아서
오늘도 즐거우며 예의 길 가니
님의 품 안긴 듯이 포근하여라

통영 한산대첩축제에 보내진 글씨

경남 통영시에서는 해마다 한산대첩축제를 갖는다. 임진왜란 당시 이순신 장군이 이끄는 조선 수군이 한산도 해역에서 일본군을 대파한 전첩을 기념하는 뜻에서다. 이 축제에는 해군축하음악회, 해병대 기념식, KBS축하음악회 등이 열리는 가운데 온 시민들이 그날의 승전을 기리면서 한 마음 한 뜻으로 나라 사랑의 각오를 굳건히 하는 것이다.

2013년 4월에 거행된 축제는 나 개인한테도 대단히 뜻 깊은 것이었다. 이순신 장군의 구국일념을 담은 글씨 한 점을 직접 내 손으로 썼는가 하면 이것이 축제를 총괄하는 김동진 통영시장에게 전달되었기 때문이다.

내가 쓴 글씨는 진방식(명나라 진린 제독 14세손, 임진전란연구소 소장) 한산대첩기념사업회 이사가 지은 글귀로서 '이순신영해구국

통영해남추로향(李舜臣令海救國 統營海南鄒魯鄕)'이라는 것이었다. 글귀를 풀이하면 '이순신 장군은 바다를 다스려 나라를 구하였으며, 통영은 남해의 추로지향(鄒魯之鄕. 공자와 맹자의 고향이라는 뜻으로, 예절을 알고 학문 활동이 활발하게 이루어지는 곳을 이르는 말)'이란 뜻이다.

캘리그래피 작품 '참 좋은 당신'이 거둔 결실

서예의 현대적 변용과 활용에 대한 나의 관심은 서예를 공부하던 초기부터 있었다. 화선지 위에 쓰인 글씨가 액자나 표구의 틀에 갇힌 채 벽에 걸리는 것만으로는 서예의 현대적 생동감을 구현하기 어렵다는 인식에서 나 나름 여러 가지 시도와 실험을 계속해 왔던 것이다. 서예와 현대의 디자인을 융합시키려 보려는 나의 작업도 이러한 의도에서 비롯되었으며, 캘리그래피에 대한 나의 관심도 그 연장선에 있음을 부인치 않는다.

캘리그래피는 '아름다운 서체'란 뜻을 지닌 그리스어 'Kalligraphia'에서 유래하였다. 캘리(Calli)는 미(美)를 뜻하며, 그래피(Graphy)는 화풍 · 서풍 · 서법 등의 의미를 갖는다. 붓이나 펜을 이용해 종이나 천에 글씨를 쓰는 것으로, 비석 등에 끌로 파서 새기는 에피그래피(epigraphy)와는 구분이 된다.

유럽에서 본격적으로 캘리그래피 디자인을 전파한 사람은 타이포그래퍼로도 활동한 영국의 에드워드 존스턴으로, 10세기 후반 영국에서 사용됐던 필사본체를 응용해 캐롤라인 왕조시대의 캐롤라인 서체와 르네상스 시대의 필사체 중간 지점에 위치한 양식을 창안했다. 그러나 현대적인 의미의 캘리그래피는 일반적으로 붓이나 펜으로 쓴 듯 질감이나 필력이 느껴지는 글씨를 말한다. 보통 긴 문장(읽기 위한 글)에는 적합하지 않고 인용문이나 제목처럼 글자 속의 메시지 · 이미지 · 분위기 등을 전달해야 할 때 쓰거나 제품명 또는 기업 심볼(워드마크)로 사용하는 경우가 많다. 동서양을 막론하고 마케팅 전략의 하나로 영화 포스터, 드라마 타이틀, 북 커버, 패키지, CI(Corporate Identity), BI(Brand Identity), 현판, 거리의 간판 등에서 널리 사용되고 있다.

1996년 미국 애틀랜타에서 열린 제26회 올림픽에 대한민국 문화예술단의 일원으로 참가하여 개인 작품전을 열 무렵 나의 캘리그래피 작품 '참 좋은 당신'을 처음 선 보였다. 이는 부채 형상의 화선지에다 한글 다섯 자, 띄어쓰기를 않은 채 아래 위로 가지런히 놓은 것이었다. 이 작품은 특히 현지 교민들로부터 뜨거운 호응을 받았다. 한글의 모양새가 매우 아름답고 현대적인 감흥을 불러일으킨다는 점이 그런 반향을 가져 왔음을 알 수 있었다.

이에 고무된 나는 '참 좋은 당신' 캘리그래피를 부채, 액세서리, 티셔츠, 모자 등에 응용하였으며 그럴 때마다 여러 사람들로부터 많은 격려와 찬사를 받았다.

'참 좋은 당신'은 나의 시에서 가져온 글귀의 하나다.

참 좋은 당신

당신이 나와 같이
숨 쉬지 않는다면

나의 육신 비바람에
날아가고

흘러내려 앙상한 몰골이면
누가 나를 찾겠소

봄이면 잎 나고 꽃피워
아늑함 주고

여름이면 더울까봐
양산 펴들고

가을이면 붉은 치마
단장하고 알밤 내어놓고

겨울이면 추울까봐
이불 덮어 주는 님

당신이 없으면
나 또한 없었으리

나는 산이고
당신은 나무같이 정들이며
이 세상 같이 가자오.

넓게는 사람과 자연의 동화를 찬미하고 좁게는 너와 나, 안과 밖의 진정한 교감을 노래하고 있는 시는 너는 나에게, 나는 너에게 '참좋은 사람'이 됨을 일러준다. 이러한 상대적인 사랑과 소통만이 존재의 의미를 한층 뚜렷이 하고, 불가분의 연분에 광휘를 더해 준다고 보고 있는 것이다.

이후 '사랑' '행복' '대한민국' '디딤돌' 등의 한글과 '수복(壽福)' '원견(遠見)' '중사안전(重思安全)' 등 한자 캘리그래피 작업을 꾸준히 이어왔으며 근래에는 '마음을 비워라 욕심도 따라 나간다.'는 경구

(警句)를 강조하기 위해 '무(無)' 자를 에펠탑 형상으로 쌓아 올린다
든가 산세와 산성(山性)을 아울러 표현키 위해 '산(山)' 자를 산의 형
상으로 포개나가는 등의 훨씬 과감한 작업도 계속하고 있다.

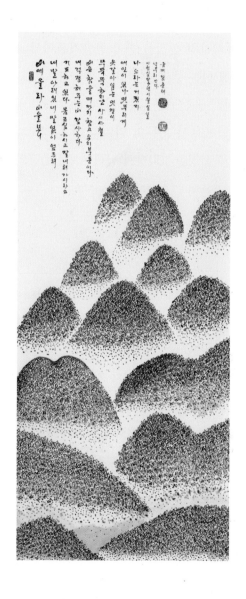

조선일보의 '작은 결혼식'에 작품 기증

2012년 조선일보사는 과비용의 결혼식을 지양하고 건전한 사회 기풍을 진작시키기 위해 여성가족부와 함께 '작은 결혼식' 캠페인을 펼쳤다. 결혼 당사자의 신청을 받아 공공기관에서 최소한의 경비로 혼례의 식을 갖게 하는 캠페인이었다. 사회적으로도 큰 호응을 얻었던 이 운동의 취지에 찬동한 나는 나의 캘리 작품 '참 좋은 당신'을 매 쌍에게 기증함으로서 운동의 의의를 더 살리고자 하였다. 그 결과 작은 결혼식을 신청한 100쌍의 남녀에게 100점의 작품을 전달하게 되었다.

선화체 한글, 패션이 되다

내가 개발하여 보급하고 있는 선화체 한글이 시대감각에 어울리는 패션이 되어 대중에게 선 보이는 뜻 깊은 행사가 지난 2009년 3월에 있었다.

이날, 전통의상 신지식인 1호이자 전통한복 기능장 1호인 한복디자이너 백애현 씨의 명품 한복 발표회가 있었는데 치마 작품 한 점에 내가 직접 선화체로 쓴 한글 시구(詩句)가 고스란히 옮겨 와 있었던 것이다. 무늬마냥 연두색 치마 아랫단을 두르고 있는 '여름에 피는 연꽃이 더 청초하다.'는 구절이 그것이었다.

디자이너 백애현 씨는 지난 30여 년간 실용한복 연구를 통해 한복의 대중화에 앞장서 왔다. 이날의 발표 작품에는 나의 선화체 한글

외에도 고운보 김기창 화백의 산수화 또한 패션으로 변용되고 있어
서 사람들의 눈길을 끌었다.

현대감각과 조화를 이루는 서화들은 얼마든지 패션이 될 수 있음
을 실제적으로 보여준 의상 발표회가 아닐 수 없었다.

3부

산을 노래하는 시인

산을 오르며 시를 짓다

　1967년 나는 시골생활을 청산하고 서울에 올라와 국가공무원 시험에 합격하여 4급 갑의 호봉을 받는 군무원이 되었다.

　하숙으로 시작한 서울생활은 그간 지내온 시골생활과는 너무도 큰 차이가 있었다. 한가하고 여유로운 시골에서의 하루하루와 달리 서울에서의 그것은 언제나 바쁘고 급하며 긴장의 연속이었다. 그런 점에서도 서울 사람이 맞이하는 주말이며 국경일과 같은 휴일은 각별히 귀하고 의미 있는 날이 아닐 수 없었다.

　일반 기업체의 사원들과 달리 공무원은 일요일을 포함한 모든 휴일을 꼬박꼬박 제대로 챙길 수 있다는 점이 무엇보다 좋았다. 휴일이라고 해서 따분하게 집안에서만 지낼 수는 없었다. 그렇다고 극장과 같은 유흥업소를 찾아다니는 일은 우선 돈의 지출이 많아서라도 바람직하지 않았다.

　내 하숙집은 홍릉에 있는 한 한옥이었는데 그곳엔 나 외에도 여덟 명의 하숙인들이 있었다. 일요일이면 그들 중 세넷이 어김없이 등산을 한다는 사실을 나는 뒤늦게 알았다. 어느 일요일, 그 중 한 사람이 나에게 동참을 권했으며 달리 할 일이 없었던 나는 흔쾌히 그들을 따라 집을 나섰다.

　그들을 좇아 내가 처음으로 오른 산이 북한산이었다. 수유리에서 산행을 시작했다. 멀리서 바라보기만 하고 한 번도 가까이 다가가 본 적이 없는 북한산이었는데 막상 산의 품에 들어 산을 마주하고 보니 그 아름답고도 훤칠한 위용에 절로 감탄이 나오지 않을 수 없었다. 크고 높으면서도 넉넉한 품을 다 내놓을 줄 아는 이런 산을 지척에 두고 있음은 곧 대도시 서울의 복이요 자랑이란 생각이 들었다.

가파른 산길을 오르는 일이 결코 녹록치는 않았지만 나는 젊은 육신을 가졌고 그 몸뚱이는 시골과 군(軍)에서 단련된 것이기에 큰 어려움이 없이 정상까지 치고 올라갈 수 있었다.

정상에서는 벅찬 희열을 만끽했다. 지상의 가장 높은 곳에 오른 듯 사방은 탁 트인 전망이었고 둘레의 크고 작은 산봉들은 죄다 발 아래로 내려다 보였다. 수백 억, 수 천 억의 값이 나간다는 도심의 빌딩들마저 개미집 마냥 작고 하찮게 보일 따름이었다. 저 속에서 아등바등 살아가는 우리네 삶이란 것도 얼마나 소소하고 미미한 것이랴! 삽상한 바람이 전신을 시원케 해주는데 두 팔을 뻗으면 금세라도 하늘이 내 손에 닿을 것 같기도 했다. 가슴 가득 맑은 공기를 들이키노라면 서기어린 명산의 기운이 내 몸 안으로 뻗쳐 드는 것 같기도 했다.

아, 이런 기분에 사람들은 땀을 흘리고 가쁜 숨을 내쉬면서도 산을 오르는구나! 비로소 나도 등산의 매력과 묘미를 느낄 수 있을 것 같았다.

이후 나는 주말마다 산을 찾았다. 하숙생들과 동행하는 경우가 많았지만 더러는 나 혼자 산을 오르기도 했다. 이 산을 오르다 보면 맞은편에 보이는 저 산에도 가고 싶고, 저 산을 오른 뒤에는 또 그 옆에 있는 산이 탐이 나곤 했다.

이렇듯 북한산, 도봉산, 관악산, 수락산, 불암산 등 서울 인근의 산들을 섭렵하던 때에 우연찮게 '도깨비 산악회'를 알게 되었다. 테니스 클럽에서 만난 한 지인을 통해서였다. 새로이 등산에 재미를 붙였다는 내 이야기를 들은 그가 함께 산악회 활동을 해보자고 권했다.

직장인들로 구성된 도깨비 산악회는 매달 한 번씩 정기적인 산행을 하는데 산행을 할 때 마다 새로운 산행지를 택한다는 것이 이 산악회의 특징이었다.

산악회에 가입을 한 나는 회원들과 함께 매달 새로운 산을 찾아 나섰다. 의외로 서울 근교에만도 하루거리의 산들이 무수히 많았다. 산악인들이 흔히 하는 말로, 우리나라에는 5천여 개의 산이 있으며 그 중에서도 등산을 할 만한 산이 2천5백이 넘는다고 한다. 쉽게 말해, 평생 동안 매주 산행을 한다고 해도 다 올라보지 못할 만큼 산이 많은 나라가 우리나라인 셈이다.

달마다 새로운 산을 찾아 산행을 하다 보니, 어느 때는 지난달에 어디에 있는 무슨 산을 다녀왔는가를 잊어먹는 일마저 없지 않았다. 그래서 나 혼자 생각해 낸 것이 산에 갈 적마다 그 산의 이름으로 시조 두 편씩을 지어 읊어보자는 것이었다. 그렇게 하면 산 이름을 오래 기억하는 것은 물론 산의 내력과 그에 대한 감상까지도 길이 지닐 수 있을 것 같았다.

작정을 하고나니 스스로도 기특한 생각이 들었다. 산을 대하는 마음가짐도 이전과 달랐다.

첫 번째 내 산 시조의 대상이 된 산은 북한산이었다. 기억을 돌이켜 시를 적었다.

북소리 둥둥둥 한강의 거북선
한수 이북 압록강에 나 들어 갈 때
산천이 하나 되어 큰 지도 되는 날

북녘을 바라보는 고향 그리움
한평생 한이 되게 두고 온 형제들
산이 높아 못 가는가 강이 깊어 못 가는가.

　5백 년 도읍지 한양의 진산(鎭山)이요, 대한민국의 수도 서울의 랜드 마크가 되는 북한산에 오르는 이들은 모두 나라와 겨레를 생각하는 애국자가 되지 않을 수 없다. 하여 분단된 조국의 현실을 안타까워하며 백두와 한라가 한 나라 한 땅이 되는 통일을 염원하게 되며, 조국의 무궁한 번영과 행복을 기원하게 마련이었다. 나의 짧은 시도 이러한 염원과 기구를 담고 있음은 물론이다.

　내가 산에 오를 때마다 산 시조를 짓는다는 사실이 알려진 다음부터는 함께 산행을 하는 일행들도 지대한 관심을 보여주었다. 더러는 "이런 구절도 꼭 하나 넣으시지요."하고 농 삼아 훈수를 하는 이도 없지가 않았다. 시를 짓는 작은 행위 하나조차도 산행 분위기에 영향을 미친다는 사실을 보여주는 예가 된다.

　즐겨 산행을 다닌 지도 어언 30년이 지났다. 그 사이 내가 올랐던 산이 320 좌를 헤아리게 되었고 그 산 마다 두 편씩의 삼행 시조를 붙였으니 시편만도 640 수에 이르렀다. 오랜 기간 한 가지 일에 몰두하다 보면 절로 문리가 트이면서 주위로부터도 전문가의 이름을 듣게 마련이었다.

시를 짓는 우리 산악회가 '일간 스포츠'에 소개가 된 뒤부터 나는 등산잡지 '사람과 산'에 산 시조들을 연재하게 되었다. 이 시조는 2년간 연재되었다. 그 후 조선일보사가 펴내는 전문 등산지 '월간 산'에다 나의 산 그림과 함께 산행기를 연재하게 된 것도 이런 인연과 무관하지 않다. '월간 산'의 연재는 3년간 계속되었다.

오랜 기간 많은 산행기를 썼지만, 여기서는 '월간 산' 2002년 9월호에 실었던 '운길산' 편 하나를 소개한다.

운길산 산색 짙푸르니 한강물도 산빛이네

강을 끼고 있는 그 무수한 산들 가운데서도 나는 운길산을 특히 사랑한다. 운길산 자체보다는 운길산에서 바라보는 산 아래 강 풍경을 더 좋아한다.

운길산은 해발 610m로 경기도 남양주시 와부읍에 소재하고 있으며 북한강을 끼고 있다. 금강산에서 발원하여 화천, 춘천을 거쳐 내려온 북한강물과 대덕산에서 발원하여 영월, 충주를 거쳐 온 남한강물이 서로 만나는 두물머리(양수리)의 광대하고도 아름다운 풍경을 내려다보고 있는 신상봉이 정상이다.

동국여지승람에는 조곡산이라 적혀 있는 운길산은 서쪽의 적갑산(561m)과 예봉산(683m)이 형제처럼 이웃하고 있다. 서울에서 시내버스로 갈 수 있는, 천하제일의 명당터를 깔고 앉아 있는 근교 산행지다.

운길산은 진중리에서 오르는 길과 강을 따라가다가 송촌리에서 오르는 길이 있다. 진중리에서는 미륵보살상을 지나 바로 오르는 길이 있고, 송촌리에서 오를 때는 은행나무 있는 곳에서 수종사 뒤로 오르면 된다. 진중리 길은 소형차가 수종사 절 아래까지 올라갈 수 있고, 송촌리 길은 소로라서 솔향기 맡으며 그늘진 숲길을 걸어 오르는 멋이 좋다.

원점회귀산행을 하지 않을 때는 새재고개로 해서 도곡리로 빠지면 바로 덕소가 나온다. 좀 긴 코스로 산행을 원하면 예봉산을 거쳐 팔당역으로 하산해도 아주 좋다.

수종사 뒤로 오르면 정상 능선지점에 바윗길이 있다. 산정에서 바라보는 올망졸망한 산들의 아름다움과 한강이 산자락을 툭툭 치며 흘러가는 모습은 가슴속 막힌 곳이 확 풀리는 절경이다.

운길산은 예로부터 시인묵객들이 많이 찾은 곳인데, 그것은 공중에 떠 있는 누각과도 같은 유명한 수종사가 있기 때문이다. 동쪽 산중턱에 자리를 잡은 수종사는 세조와 얽힌 전설이 전한다.

'세조가 오대산 상원사에서 예불을 드리고 한강을 따라 돌아오다가 한밤중에 여기를 지나게 되었는데, 그 날 밤 절간에서 울려오는 듯한 맑고 아름다운 종소리가 들렸다. 세조가 종소리 나는 곳을 찾아보라 하니, 커다란 동굴 속에서 물 떨어지는 소리였다. 이에 어명을 내려 절을 짓게 하고 수종사(水鐘寺)라 했다.'

지금은 그 동굴을 찾아볼 수 없으나 세조가 심었다는 은행나무 거목 두 그루와 칠층 다보탑이 있다. 세종 21년(1439년)에 왕명으로 세워진 정의옹주(태종의 다섯 번째 딸)의 사리조탑, 팔각 원당형으로 만들어진 부도와 함께 대웅보전 옆에 소장되어 있다.

수종사에는 여느 절처럼 해탈문이나 일주문이 없고 불이문이 있는

데, 이 문에 들어가기 전 세조가 심었다는 은행나무가 있다. 수령 525년에 수고 39m, 둘레 7m나 되는 이 거목은 1천 년이 넘었다는 용문사 은행나무보다 더 크고 당당하고 늠름하다. 이 은행나무를 가까이서 쳐다보고 있노라니 5백 년 세월의 숨결이 느껴진다. 아들 순, 손자 순과 손자 가지가 돋고 자라나 있는 걸 보면 아직도 정력이 대단한 청년 같은 느낌을 받는다.

상서로운 기운이 가득한 절 마당을 밟으면 일단 빼어난 전망에 감탄하지 않을 수 없다. 시선을 멀리 두면 높고 낮은 산봉들이 반기듯 다가서고, 눈길을 떨구어 보면 북한강 드넓은 수면이 바람 따라 출렁이며 은빛으로 수놓으니 이보다 더 좋은 풍광이 어디에 있겠는가!

수종(水鐘)의 찻잔이 종소리 되어 울리니 시심(詩心)을 낚는 시객들이 가만히 있을 수 없다. 서거정, 이이, 이덕형, 초의선사, 정약용, 김병연, 김종직, 송익필, 최경창, 김안국 등 수많은 시인들의 시문이 수종사와 함께 하고 있다.

서거정은 동방사찰 중 천하제일의 명당이라고 했다지만, 어느 길손이든 대웅보전 앞에 있는 시(詩), 선(禪), 차(茶)가 하나 되는 삼정헌(三鼎軒)에 들러 차 한 잔 하고 있으면 속이 후련해지며 역시 천하명당이구나 하는 생각이 들 것이다.

수종사의 주지 금해(錦海) 스님은 "산은 근육이고 강은 핏줄인데 곧 북한강 남한강은 동맥, 정맥 같으며 동·정맥이 만나는 곳은 심장이니, 이 두 강을 품어 안은 운길산이 곧 심장이나 마찬가지"라고 한다. 또한 "운길산이 심장이니 지형상으로나 풍광으로나 천하제일의 산이며 수종사 또한 동방 제일의 자리"라 말했다.

스님은 이곳에 삼정헌을 만들어 휴식 공간, 문화공간으로 활용하고 있다. "불자나 등산객들이 산 오르다가 목마를 때 옹달샘을 만나도 반가운데 차 한 잔을 여유롭게 할 수 있는 공간이 있다는 것은 얼마나 즐거운 일이겠느냐"는 스님의 말이다.

특히나 수종사의 석간수 물로 차를 달여 마시면 차 맛이 한결 다르다고 한다. 차 하면 초의선사이신데, 그 분이 자주 찾은 곳에 삼정헌을 세웠으니 얼마나 뜻 깊은 일인가. 건물도 전면을 대형 유리로 전망을 확 트이게 지었다. 옛날 이곳을 자주 찾은 초의선사, 다산 정약용, 추사 김정희 선생이 같이 자리하고 산 색깔 따라 한강물빛이 변하는 모습을 보며 차 한 잔 하시는 모습이 눈에 선하고, 그들처럼 시심을 낚는 정취가 아쉽기만 하다. 필자도 수종사에 들렀으니 삼행시라도 한 수 지어야겠다.

운무가 피어나니 마음은 비워지고,
길손은 삼정헌의 차 한 잔에 詩心 일고,
산색이 짙푸르니 한강물도 산빛이네.

중국 옥룡설산(玉龍雪山), 나의 최고봉(4,268m) 등정

2004년의 일이다.

중국 윈난성(云南省) 리장(麗江) 지역에 있는 명산 위룽쉐산(玉龍雪山, 5,500m)을 취재하기 위해 대한산악연맹 부회장, 부산일보 문화부장 등 11명의 취재진 및 산악인들이 팀을 꾸려 원정에 나섰는데 나도 취재인의 일원으로 참여하였다.

중국 소수민족의 하나인 나시 족의 성산(聖山)으로 알려진 위룽쉐

산은 교통의 발전과 함께 접근이 용이해졌지만 그렇다고 해서 일반
인들이 쉽게 오를 수 있는 산은 아니었다. 정상 부근이 만년설로 덮
여 있는 데다 기후의 변화가 심했다.

아니나 다를까, 해발 4천여 미터를 지나면서부터 여러 대원들이
고산증의 고통을 호소했다. 물론 나한테도 그 증세는 있었지만 견디
기 힘들 정도는 아니었다. 조금 술에 취한 듯 어지러운가 하면 속이
울렁이고 절로 호흡이 가빠졌다. 두통을 느끼는 이들도 많았다.

일행 중에는 조선일보의 한 모 사진기자가 포함돼 있었는데 아직
젊은 축에 드는 그가 특히 심한 고통을 겪었다.

4천5백 미터 지점에 이르렀을 때 마침내 그를 포함한 대부분의 사
람들이 더 이상 오를 수 없다며 등정을 포기했다. 사진은 꼭 찍어야
한다면서 기자가 필름 3통을 내게 넘겨주었다.

"금제 선생님, 저 대신 좋은 장면 많이 잡아주십시오. 부탁드립
니다."

고통에 얼굴을 일그러뜨리면서도 거푸 미안하다고 하는 그의 청을
뿌리칠 수 없었다. 나는 환갑이 넘은 나이였고 그는 삼십대 초반이
었다. 자연의 악조건 속에서는 이런 나이 차이쯤은 아무런 상관이
없는 모양이었다.

그를 쉬게 놔두고 나는 또 한 명의 일행과 함께 한 걸음 한 걸음 더
고도를 높여 나갔다. 산소가 부족한 탓인지 이런 고도에서 한 걸음
을 내딛는 것은 평지에서 쉰 걸음 백 보를 걷는 것처럼 힘이 들었다.
게다가 바닥은 빙판처럼 미끄러웠다. 결국 우리 둘도 2백여 미터를
더 나아간 4천6백8십 미터 지점에서 진행을 멈췄다. 전방이 온통 얼

음으로 덮여 있어서 특수 장비가 없이는 오를 수가 없었다. 기후도 더 나빠졌다. 먹구름이 몰려드는가 하면 번개가 번쩍거리기도 했다. 그런 가운데서도 나는 주위 풍경과 일행의 모습을 열심히 카메라에 담았다.

쉼터로 내려와 임무를 완수했다며 필름을 기자에게 돌려주었더니 그가 멋쩍게 웃으며 말했다.

"죄송합니다. 선생님이야말로 연세에 맞지 않은 진정한 산악인이십니다."

이에, 주위에 있던 일행들도 다들 웃으며 나를 '산악인 금제'로 부르기를 서슴지 않았다.

중국 옥룡설산(5,500m) 4,680m 등정

시인으로 등단

예부터 흔히 시(詩)·서(書)·화(畵) 3가지를 겸비한 문인 서화가를 '3절(三絶)'이라고 불러왔다. 특히 중국의 북송(北宋) 중기에 이르러서는 시·서·화가 동등하게 여겨지는 시서화 일률사상 등 문인화론이 성립되면서 시서화 삼절이 가장 높이 숭상되었다. 소식(蘇軾), 미불(米芾), 문징명(文徵明), 동기창(董其昌) 등이 대표적인 시서화 삼절로 꼽히며, 우리나라에서는 신잠(申潛), 김제(金禔), 이정(李霆), 이인상(李麟祥), 강세황(姜世晃), 신위(申緯), 김정희(金正喜) 등과 같은 선비화가들이 시서화 삼절로 일컬어졌다.

서예의 한 길을 걸어오는 동안, 나는 내 분야 하나에서도 이 분들의 발치에 서지 못함을 알면서 더러 엉뚱하게 주변 분야에 눈길을 돌리면서 나도 한 번 해보면 어떨까 욕심을 내왔던 것이 사실이다. 그림이야 애당초 서예와 동떨어지는 것이 아니었다. 글 하는 옛 선비들이 심심파적으로 그린 그림이 곧 문인화이며 화가가 화제(畵題)를 쓰면 그게 바로 서예였다. 붓으로 쓰는 글씨나 그림은 같은 조형미를 추구하는 점에서도 동질성이 많았다.

나는 서예를 하는 과정에서 절로 그림을 익혔다. 내 그림은 사군자와 산수에만 머물지 않았다. 치미는 흥으로 붓을 달리 하고 물감을 고쳐 쓰다 보면 뜻밖의 시각물이 표출되기까지 하였다.

내가 시(詩)에 다가간 과정도 이와 크게 다르지 않다. 산에 오르면서 즉흥으로 시를 읊고 그것을 적어두고 거듭 음미하며 자구(字句)를 다듬고 고치다 보니 우리 언어에 대한 감각이 날로 달라지는 느낌이었다. 물론 여기에는 그동안 내가 독서로 얻은 인문학적 소양이 크게 보탬이 되었음을 알 수 있었다.

여러 해 동안 정형의 시조에 천착하던 나는 나아가 자유시에 도전해 보고 싶다는 욕심을 가졌다. 하여 자유롭게 시상(詩想)을 떠올리는 가운데 그 이미지와 음률을 조탁하는 일을 거듭해 나갔다. '하면 된다.'는 내 평소의 의지와 각오는 이러한 시작(詩作) 공부에도 적잖은 영향을 미쳤다.

마침내 나는 1995년 한국문인협회의 이사 3분의 추천을 받아 시인으로 등단하였다. 정식으로 시인이 된다는 사실에 나는 큰 기쁨을 가졌지만 다른 한편으로는 그에 못지않은 무거운 책무감을 느끼지 않을 수 없었다. 과연 나의 시가 얼마나 많은 독자들에게 감흥을 줄 수 있을까? 서예 한 길을 걷는 데도 어려움이 적지 않은데 과연 나는 시의 길을 제대로 걸을 수 있을까? 이러한 여러 상념들이 나를 짓눌러 왔던 것이다.

나는 시와 서(書) 또한 표현의 양식만 다를 뿐 타인에게 미적 감흥을 주는 양상은 다를 바 없다는 생각을 하였다. 질료(質料)에 있어서 언어와 문자의 차이가 있을 뿐 시서(詩書)는 같은 연원을 가진 예술이라는 생각이었다. 따라서 화선지에 붓을 긋는 열정과 정성으로 또한 시에 천착하다 보면 나만의 개성적인 시 영역을 구축할 수 있다는 긍정적인 사고를 가질 수 있었다.

등단 소감에서 나는 향기 나는 시를 쓰고 싶다는 소박한 소망을 밝혔다.

"서예로 가는 길목에서 산자락 잡고 돌며 졸졸졸 흐르는 맑은 물

마시다 보니 상쾌한 그 맛을 오늘도 못 잊고 내일도 못 잊어 이렇게 시를 품에 안게 되었는지 모르겠다. 그 물맛만큼이나 그 물소리만큼이나 맛있고 아름다운 소리를 흰 바구니에 가득 담아 두면 후일 향기가 되어 얼마나 멀리 날아갈까 하는 기쁨과 아름다움을 꿈꾸면서 생명이 없는 수많은 발자국에 소복소복 시를 담아 하늘 끝까지 쌓아 가는 삶의 모습 보이도록 최선을 다 할까 합니다."

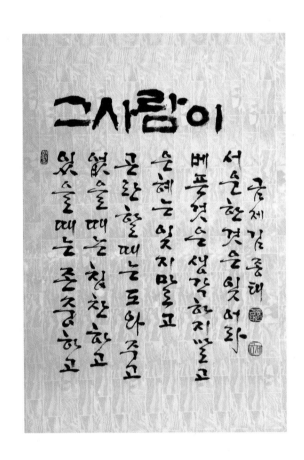

첫 시집 「물구나무 서는 산」을 펴내다

　문단 등단 이후 꾸준히 시를 써 온 나는 1999년 12월 그 동안의 시 작들을 한 데 묶은 첫 시집 「물구나무 서는 산」을 출간하였다.

　모든 시인이 그렇듯이, 나 또한 첫 시집에 대해 갖는 감회가 컸다. 이는 시인으로서 활동해 온 나 자신을 반성하면서 더 나은 앞날을 꿈꿔 보는 계기로 삼는다는 의미를 지니는 것이기에 더욱 그랬다.

　'한누리 미디어' 발행으로써 100면에 총 67편의 시가 게재돼 있는 이 시집은 제1부 '산은 고향' 제2부 '큰 거울' 제3부 '그리운 사람아' 제4부 '부호를 찍는다.' 제5부 '동행' 으로 구성돼 있다.

　해돋이 아침 공기
　더없이 상쾌하다

　아침 산 오르니
　반겨주는 산새들 하모니
　건반을 두드리듯,

　물 마른 계곡
　내 어릴 적 바위는 커 보이고
　상수리나무는 계곡을 밀어낸다

　바위 틈 옹달샘 하나
　쏴아한 물맛으로 발목 잡고
　다람쥐 쫓던 까치 한 쌍
　가쁜 숨 가지에 걸려있다.

까치 한 쌍
까 까 끼 끼
뜻 모를 소리로
아침 햇살 쪼아 내린다

– 시 '까치 한 쌍' 전문

'산은 고향'이란 명제 그대로 청량한 아침 산행의 기꺼움을 노래한 시다. 해 뜰 때의 맑은 공기가 가득한 산 속. 사람을 두려워 않는 산새들의 음악으로 한결 발길이 가볍다. 어릴 적에는 모든 것이 크게 보였지만 어른이 돼서 보면 바위든 나무든 모두 그 크기에 그 높이일 뿐이다. 가뭄 탓에 골물이 말랐지만 골짝 바위틈에는 물맛 좋은 옹달샘이 그대로 있다. 계곡에 물이 없으니 나무가 골을 밀어낸 꼴, 시린 샘물을 들이켜고 나니 좀 전까지 내가 내뿜던 가쁜 숨마저 나뭇가지로 훌쩍 날아간 느낌이다. 이맘때 듣는 까치소리는 얼마나 명랑하고 녹음 사이로 쏟아지는 햇살은 또 얼마나 눈부신가!

가벼운 산행이 그렇듯이, 그 산행을 그리는 시에서는 굳이 이야기며 소소한 감정 따위를 담을 까닭이 없다고 여겼다. 함축된 실경(實景) 하나면 족하다는 뜻이 이런 시를 만들어냈다. 수묵 산수화가 가지는 가장 큰 어여쁨이 곧 여백이 아니던가. 굳이 골짝 구름을 그리지 않고 비워놓기만 해도 보는 이는 그 운무의 질감과 요동까지 요량할 수 있는 바 이 수묵화의 기법을 시에 원용해 본다는 의도가 이러한 시작을 가능케 하였다.

82세의 어머니
고향땅 친구 정 때문에
서울 싫다고 역정 내시더니
고향 앞길 건너다가
교통사고를 당하셨다
병상에 누워
숨죽인 풀잎처럼 누워
눈, 귀, 입이 없다
침대에 묶인 팔, 다리
안개 속 더듬듯
아들자식 쳐다보고
보소, 이것 좀 풀어주소, 야!
이슬 맺히는 눈
어머니.

     – 시 '어머니. 1' 전문

침대 위
몸 누이고
저승사자 같은
의사와의
처절한 싸움

똑똑 떨어지는 링거 병의
물방울
마지막 순간까지
하나, 둘 세고 계시는
어머니
        – 시 '어머니. 2' 전문

어머니는 산도 강도 아니다. 더더욱 산비둘기, 까치도 아니다. 어머니는 운명이며 상징이다. 그 어머니가 홀로 고향집을 지키다가 교통사고를 입고 병실에 누웠다. 이미 눈, 귀, 입의 기능조차 잃어버린 어머니는 아들조차 알아보지 못한 채 고통에 허덕이면서 눈물을 흘린다. 80년 세월을 살면서 누구를 해코지 한 바 없고 또 자신을 위해 뭐 하나 챙긴 바도 없는 어머니이기에 그 만년의 불운과 동통이 더욱 안타깝고 애처롭다. 하여 어머니는 '숨죽인 풀잎'의 형상이 되며 그 안쓰러운 몸짓은 안개 속을 더듬고 눈물은 이슬이 될 수밖에 없다.

'어머니. 2'에 오면, 어머니의 고통은 더욱 극한으로 치닫는다. 아픈 몸을 고쳐주겠다고 나서는 의사가 어머니에게는 저승사자처럼 여겨지는 까닭이 여기에 있다. 이 끔찍한 아픔이 어느 순간에나 그칠까 해서 수액의 마지막 방울까지 하나, 둘 세는 어머니의 모습을 보라!

이 시는 제목 그대로 내 어머니가 직접 겪은 일을 한정된 언어로 옮겨 놓은 것이다. 당시의 일은 지금 다시 떠올려도 가슴이 미어지는 느낌이다. 어머니의 고통을 덜어 드릴 방법은 아무 것도 없었다. 속수무책으로 어머니 곁을 지키면서 함께 아파하고 같이 눈물 흘리는 것밖에 할 일이 없었다.

시를 쓸 적에는 치받혀 오르는 감정을 억제치 못했지만 어떡하면 그것을 절제할 수 있을까를 가장 고심했다. 극도의 감정 억제만이 시의 언어를 튼실하게 해준다는 사실을 알고 있었기 때문이었다.

어느새 내 어머니는 생로병사조차 없는 세상으로 떠난 지 오래 되었다. 어머니는 떠나고 없지만 어머니가 앓았던 고통의 마디마디는 내 시로 남아서 더욱 어머니를 그립게 만든다.

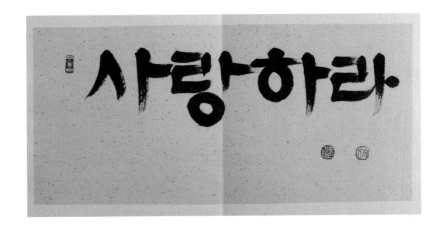

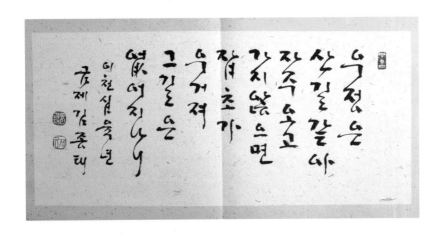

산 시조집 「물소리 새소리」 「산무리」 차례로 출간

산이 좋아서 산을 찾아 오른 지 40여 년이 되었다.

산의 품성을 더욱 온전히 느끼고 또 오래 그 산을 잊지 않는 방법의 하나로 산행을 할 적마다 산의 이름을 따서 3행 두세 수씩의 연시조를 짓기 시작한 일에 대해서는 앞에서도 언급을 한 바가 있다.

여하한 일이든 오래 계속하다 보면 절로 그 일에 문리가 트이고 또한 예상치 못한 결실을 얻는 경우가 많은데 나의 산 시조 연작도 예외는 아니었다.

1995년 3월, 나는 그동안 짓고 읊었던 산 시조들을 한 권의 책으로 엮어 세상에 선보였다. 이화문화출판사에서 발행한 114면의 산 시집 「물소리 새소리」가 바로 그것이다. 이 시집에는 조령산. 오서산 등을 비롯한 101좌 산의 이름을 따 와 쓴 2~3연의 시조를 실었다.

특정 산을 두고 쓴 연시들은 어렵지 않게 찾을 수 있지만 1백 좌가 넘는 산을 통틀어 각각의 산에다 시를 붙여 쓴 경우는 우리나라에서도 내가 최초가 아닌가 싶다.

"우리의 조상들은 그들의 정서생활을 시조라는 짧은 글 속에 남김없이 담아 놓았으니 살다 가신 어른들의 사랑과 감정, 생활 등을 능히 읽을 수 있다. 우리 민족만이 짓고 부를 수 있는 민족의 시는 민족의 노래이기도 하지만 시조만큼 일반 대중에게 널리 보급되어 애송되는 것은 없다. 시조는 대중 속에서 자라나고 발전하는 까닭에 금제(김종태)의 시집 또한 산과 더불어 사는 사람은 물론 산을 좋아하는 모든 사람들에게 공감을 안겨주기에 부족함이 없을 성싶다."
책의 추천사를 쓴 김한중(고향문화사 대표) 씨의 말처럼, 내가 굳이
시조의 형식을 빌려 쓴 것은 시조만큼 우리한테 익숙하고 정다운 시
양식이 없다는 점에서다. 산이 누구에게나 친근하게 다가들 듯이 산
에 대한 나의 시 또한 산처럼 친숙하게 대중에게 다가가기를 바라는
마음에서 이러한 형식을 빌려 온 것뿐이다. 2013년 3월, 나는 이 시
집을 보완하고 개정한 산 시조집을 발행하였다. 역시 이화문화출판
사에서 발행된 256면의 이 시집의 이름을 나는 「산무리」라고 하였
다. 여기에는 첫 산 시집 발행 이후 내가 올랐던 산들에 관한 시들이
다수 추가되었다. 개정 시집에는 가령산, 가리산을 비롯한 164좌 산
의 이름을 빌려 쓴 168편 2~4연의 시조를 실었다. 각 연이 독자적
인 성격을 가지고 있으니 실제의 시편 수는 3백50에 이른다. 320좌
산의 산 시조 640편을 다 싣고자 하였으나 책의 부피가 너무 커지기
에 일부러 게재 편수를 줄였다. 또 시집 후반에는 조선일보사 발행
의 '월간 산'에 연재했던 그림산행기를 더해 놓았다. 산행기는 불곡
산, 운악산, 무등산 등 3년간 연재했던 산들에 관한 것이다.
　산을 오를 때 마다 산 이름으로 시를 짓고 마침내 이를 책으로 엮
는 감회와 즐거움은 책머리의 내 서문에 그대로 드러난다.

　－나는 서예를 하다 보니 즐겨 써 준 글이 있다. "우정은 산길 같아 자주
　오고가지 않으면 잡초가 우거져 그 길은 없어지나니"이다. 혹시나 내가
　소홀히 하고 있는 벗이 없는가 하고 생각하게 하는 글귀다. 산을 벗한
　지 40년 세월이 흐르고 그간 다닌 산만도 수백 개가 넘으니 삼행시 짓
　는 것도 이력이 났다.

전부가 산 이름 시조이니 제목도 '산무리'로 정했다.

생각해 보면 산은 멋쟁이 큰 스승이다. 아름답고 멋있는 옷을 철 따라 갈아입을 줄 알고, 찾아가는 모든 사람을 큰 가슴으로 안아주고, 인생의 삶의 지혜를 깨우쳐 주고, 건강의 길로 안내해 주는 스승님이다.

구차하게 분을 바르고 단장하여 내어놓은 시조보다 꾸밈없이 생각나는 대로 완만하고 험준한 산세처럼 갖가지 내용이 담겨져 있음에 누가 탓하지 않을 성 싶지만 재미는 있다. 이제까지 건강하게 산행하였기에 세월이 저에게 준 선물이라 생각한다. 또한 나의 삶의 역사이기도 하다.

산을 오르듯 인내하여 열심히 살면 세월은 누구에게나 선물을 줄 것이다. —

고개를 갸웃갸웃 눈동자 굴려 봐도
령 자가 붙은 낱말 국어사전에도 없구나
산신령님 하지 말고 령신산 해볼까.

고모령 추풍령 대관령 죽령이라
령 자 타령 노랫말도 많기도 하구나
산 오르기 힘 드니 노래나 불러볼까.

시집에 실린 고령산(621m. 파주시 광탄면 소재) 산 시조이다. 돌이켜 봐도, 산을 찾는 넉넉하고도 흔쾌한 마음이 아니라면 이런 여유와 넉살이 나올 성 싶지 않다. 이렇듯 산은, 할아버지가 귀여운 손자를 넣어 안듯이 모든 이를 넉넉하게 받아들일 뿐만 아니라 그 모두로 하여금 천진한 동심의 세계로 돌아가게 하는 위력을 지니고 있다. 따라서 이 시집에 실린 나의 산 노래들은 산과 내 이웃들에게 들려주는 순진무구의 동요라 하여도 지나치지 않다.

세 번째 시집 「붓이 먹물에 안기면」

2012년 여름, 나는 세 번째 시집 「붓이 먹물에 안기면」을 상재(上梓)했다. 도서출판 채운재에서 발행한 80면의 이 시집은 제1부 '붓이 먹물에 안기면' 제2부 '정상을 향해서' 제3부 '우리 사랑 돌이 될까' 등 총 3부로 구성돼 있으며, 부 별로 23편씩 총 69편의 시작들이 실려 있다.

─1995년 첫 시집을 내고는 서예에 비중을 두느라 시 농사짓는 데는 게을렀다. 이 시집이 세 번째 시집이지만 틈틈이 쓴 졸시란 걸 알기에 부끄럽다. 그동안 서양화에도 손을 대 보았지만 녹록치 않다는 걸 알았다. 다양한 체험으로 행복하다는 생각이 든다.─

짧은 서문에서도 밝혔듯이, 이들 시는 글씨를 쓰고 그림을 그리고 운동을 하는 틈틈이 쓴 것들이어서 오랜 침잠에서 걸러져 나온 것이기보다는 즉흥에서 이뤄진 것들이 많다. 허나 이들 시편은 다양하면서도 분망한 내 일상의 다른 한 쪽에 있는, 자기 성찰의 자취가 되기는 매 한 가지이다.

나는 이러한 시작(詩作)을 통하여 내 내면을 들여다보며 또 거기에 숨겨져 있는 욕망을 들추는 가운데 나의 존재의미를 되새기게 되는 것이다.

반평생 내 벗이었거늘
이승 접는 날까지

나 그대 품을 거닐겠네
거닐다가 다리가 아프면
그대 품에 눕겠네
산벚꽃 피는 봄날이면
더욱 좋겠네.
　　　－ 시 '산벚꽃 피는 봄날' 부분.

　산을 향한 내 연모(戀慕)를 토로한 시의 한 대목이다. 자연에 대한
지극한 사랑을 품다보면 그 자연은 연인 이상의 인간적 품성마저 지
니게 마련이다. 세속적 일상에 쫓기고 시달릴 적이면 나는 이렇게
자연이라는 절대 순수에 몸을 기댈 수밖에 없으며, 죽는 날까지 결
코 거기서 벗어나지 않을 것임을 서원(誓願)하게 되는 것이다. 이 경
우 '산벚꽃 피는' 산이야말로 내 기력의 근원이 되고 내 고통을 치유
해 줄 요람이 됨은 더 말할 것이 없다.

　그대 눈을 처음 들여다본 후
　당신을 향한 마음
　푸른 나무로 서 있고 싶었다

　말하지 않아도
　그대와 나 해를 떠날 수 없는
　해바라기처럼

　세월이 지나다보면
　우리 달라질까 몰라
　손가락 사이로 반짝이는
　모래알 될까 몰라

바람에도 날리지 않는
우리 사랑 돌이 될까 몰라.
　　　— 시 '우리 사랑 돌이 될까' 전문

　예나 지금이나 연정(戀情)이 꿈꾸는 바는 불변항구성이다. 그러나
욕망이나 꿈과 달리 사람의 마음은 쉬 바뀌고 달라지기 십상이다. 하
여 현재의 열락이 크면 클수록 머잖아 닥칠 모래알 같은 흩어짐과
한 줄기 바람에도 날아가 버릴 마음에 대한 불안이다. 그리하여 이
사랑, 이 마음을 강고한 돌로 만들어 영원불변토록 하는 수밖에 없
다. 이러한 지고한 염원을 노래함으로 해서 나는 나를 더 고양(高揚)
시키고 나를 더 열띠게 만들고자 하는 것이다. 세월 따라 육신은 늙
어갈지라도 궁극의 아름다움을 추구하는 내 마음 하나 만큼은 앳된
채로 놔두고자 하는 내 열정이 이런 시들을 만들어 나가고 있다.

첫 수상집(隨想集)
「많은 것을 갖기보다는」을 펴내다.

흔히들 '본 대로 느낀 대로' 쓰는 것이 수필이라도 한다. 허나 많은 이들이 경험했듯이, 이 수칙(?)대로 글을 쓴다고 해서 수필이 되지 않음은 명약관화하다. '본 대로 느낀 대로'는 많은 것을 함축한 명제임에도 불구하고 이를 무시하고 곡해하여 '제멋대로, 함부로' 쓰는 데서 이런 잘못이 빚어진다.

명제 자체가 잘못된 것은 아니다. 보기는 보는데 '무엇'을 보느냐가 중요하며, 느끼긴 느끼는데 '어떻게' 느끼느냐가 관건임을 놓치면 아무리 애를 써도 마땅한 수필을 쓸 수 없다. 나아가 표현력 즉 바른 글쓰기가 바탕 되지 않으면 '작품'을 만들 수 없다.

나 자신 이런 점을 염두에 두면서 틈틈이 수필을 써 왔다. 세월이 흐르면서 그 편수들도 적잖이 불어났는데 그 한 편 한 편이 내가 보고 느낀 바를 나 나름으로 정리한 것이니 이들 수필이 곧 내 삶의 족적이라고 하여도 크게 어긋나지 않는다.

1996년 도서출판 고향문화사의 김한중 대표의 주선으로 이들 작품을 모아 한 권의 책으로 엮게 되었으니 이것이 곧 내 첫 수상집 「많은 것을 갖기보다는」이다. 총 358면에 41편의 작품을 실은 이 책에는 책의 성격을 더 분명하게 드러내기 위해 내가 새로 쓴 글들도 적지 않다. 특히 충효(忠孝)와 같은 전통사상이며 문화에 관련된 글들을 많이 보완해 넣었는데 이는 지고의 가치를 지니고 있음에도 불구하고 시대의 변전에 의해 점점 도외시되거나 퇴색돼 가는 현상을 목도하는 데서 가지는 나 나름의 항변과 안타까움의 표시이기도 하다.

"우리들은 동방예의지국에 살고 있다고 자처해 왔고 우리의 조상들은 이를 가장 큰 미덕으로 가르쳐 주었지만 이제는 그 아름다운 사상과 전통들이 하나씩 퇴색되어 가고 있는 것이 현상이다. '경부여천(敬父如天)하고 경모여지(敬母如地)하라.'는 말과 같이 부모를 하늘과 같이 공경하고 땅과 같이 받들라는 교훈이나 '군사부일체(君師父一體)'라는 존경사상도 오늘을 사는 젊은이들에게는 의미 없는 옛말로 되어 버릴까 두려워서 훌륭히 살다 가신 어른들의 발자취를 더듬어 간추려 보았다."

서문에서도 밝혔듯이, 부모에 대한 효심이나 훌륭한 위 어른에 대한 존경심은 세상이 바뀌고 세월이 흘렀다고 해서 바뀌거나 사라질 것이 아니다. 인간의 주체성과 개성이 한층 존중되는 현대사회일수록 사람을 사람답게 하는 이러한 도덕률이 더욱 절실히 요구될 수밖에 없다는 것이 내 생각인 것이다. 세상을 먼저 살다가 떠났거나 연세 많은 어른들은 당신네들이 아프게 경험한 가난과 제대로 배우지 못한 한을 자손들에게 대물림하지 않으려고 논밭을 팔아 자녀들을 학교에 보냈으며 그들을 굶기지 않으려고 스스로 허리띠를 더욱 졸라맸던 것이 사실이다. 그분들의 그러한 각고의 노력과 지고한 헌신이 있었기에 오늘의 이 풍요와 여유가 가능케 되었음을 잊어서는 안 되는 것이다.

책의 맨 앞에 '충(忠)과 효(孝)'를 비롯하여 '조선의 건국이념' '덕목

(德目)과 가치관' '온고지신(溫故知新)' 같은 전통사상에 관한 글들을 배치해 놓은 까닭도 여기에 있다.

"인생은 배움에서 시작하여 배움으로 끝날 수밖에 없는 것이다. 배움을 통하여 교양과 인격을 갖추어 가면서 덕을 쌓는 동안 자기를 조금씩 알게 되고 자신을 다스려 가는 길도 터득하게 되는 지도 모른다. 현대를 살아가는 우리들은 많은 것을 보고 듣고 배워도 정작 자신이 가야할 길을 잘못 걸어 마침내는 미로(迷路)에서 방황하다가 생을 마치는 경우를 보게 된다. 교활한 지혜는 많으면서 성실하려는 정(情)은 적고 자신에게는 지나치게 관대하면서도 남에게는 혹독한 비판을 한다. 이 같은 생각이나 행동양식은 자기 자신의 실체를 모르고 교만과 자만에 사로잡힌 어리석은 삶을 살아가는 사람들의 태도라고 밖에는 할 수 없을 것 같다."

서문에서 또 언급하였듯이, 우리 모두가 열심히 살고 있지만 제각각 바른 길을 걸어가기가 쉽지 않다. 우리 인생에는 선생의 길, 학생의 길이 있는가 하면 또 부모의 길, 자식의 길이 따로 있다. 그뿐이랴. 정치가에게는 정치가의 길이 있듯이 성직자, 법조인, 직업인 등등 직업과 신분에 따른 길들이 있게 마련이다. 따라서 아버지 어머니의 눈에는 자식이 보여야 하며, 교육자의 눈에는 학생이 보여야 한다. 정치가의 눈에 자신의 이익과 명예만 보이고 국민이 보이지 않는다면 그 정치가는 제 길을 제대로 걷지 못하는 병자와 다를 바 없다. 그런데 우리는 주위에서도 이렇듯 잘못된 길을 잘못 걸어가고 있는 이들을 어렵지 않게 볼 수 있다. 해야 할 일을 하지 않은 과오를 범하면서도 이를 깨닫지 못하고 있거나, 진정한 자아(自我)는 옆에 놓아두고 피상(皮相)의 자기를 살아가는 우스꽝스런 실상마저 쉽사리 목도하는 것이 현실이다.

나 또한 그런 어리석은 사람의 하나일지도 모른다는 자성(自省)에서부터 시작하여 모든 이들이 함께 자신을 되돌아보는 기회를 가져보자는 뜻에서 쓴 글들도 이 책에 다수 실려 있다. '지피지기(知彼知己)' '꿈이 있는 곳에' '겸손의 옷' '고진감래(苦盡甘來)' '공동체의식' 같은 글들이 그에 속한다.

이밖에도 책에는 평소 내가 즐겨 올랐던 산에 관한 글들, 향수와 관련된 고향이야기 등이 있는가 하면 전통문화와 연계된 '염칭(艶稱)과 지명' '향약(鄉約)' '세시풍속(歲時風俗)' '제주의 풍속·방언' 등이 게재돼 있다.

"참 삶의 길이 어떤 것인지 고금의 역사를 통해 현대에 조명해 보고자 한 편 두 편 엮어놓은 글이 바로 이 책의 내용인 것이다. 사례별로 알기 쉽게 실어서 누구든지 자기의 것으로 만들 수 있게 하였고, 알아두어야 할 민속들을 엮어 놓은 것은 참으로 참고할 만하다. 껍데기만 치레하는 삶이 얼마나 헛된 것인지 싶게 영원히 혼자 많이 갖기를 바라고 움켜쥐고 내어놓기에 인색했던 많은 사람들이 이 책을 통해 자신을 되돌아보는 계기로 삼기에 충분하다."

책머리에 실린, 고향문화사 김한중 대표의 추천사 중 한 대목이다.

시 낭송 앨범 '금제 김종태의 길' CD발행

시가 현대인에게 더 친숙하게 다가들게 하는 방법은 여러 가지가 있지만 그 중에서도 가장 보편적인 것이 바로 음악을 들려주듯이 아름다운 목소리를 빌려 낭송하는 것이 아닐까 싶다. 이런 뜻에서 나 또한 나의 시 낭송 앨범을 펴낸 바 있다.

2012년 5월 〈소리사냥〉에서 제작 발매한 '금제 김종태의 길'이 바로 그것이다. 이 앨범에는 나의 첫 시집 「물구나무 서는 산」에 수록된 시 '기도' '정상' '길' '봄 편지' '까치 한 쌍' '나이아가라 폭포' '솔바람' '떨고 있는 개나리' '나무의 넋두리' '금제의 산' '고향' '어머니1' 등 12편이 담겨 있으며 이들 시는 전 KBS 성우 권희덕 씨가 낭송해 주겠다고 하여 그녀의 정감 넘치는 음성을 타고 있다.

시 낭송 말미에는 내가 직접 작사하고 부른 '내 고향 경산' '서예가' 두 곡이 첨부되었다.

'이육사문학상' 시 부문 대상을 받다.

　문단활동의 경력이 화려하지 않음에도 나는 2003년 8월 뜻밖의
무거운 상을 받았다. 한국시연구협회(회장 서청학. 월간 '시와 시인'
계간 '문학창조' 발행인)가 제정 주관하는 '이육사 문학상'의 제3회
시 부문 대상 수상자가 되었던 것이다. 이 상은 일제시기 애국 시혼
을 불태웠던 '청포도'의 시인 이육사 선생의 문학정신을 기리기 위해
제정되어 해마다 문학적 업적이 뛰어난 문인에게 주어져 왔다.

　2003년 본 상의 심사위원장은 이수화 시인이었으며 심사위원은
장윤우, 김지향, 이은방, 정득복, 공석하, 엄기원, 윤형복, 조효현
등이었다.

'황금찬 문학상'을 비롯 여러 문학상을 수상하며

2015년 5월, 나는 우리나라 최고 원로인 황금찬 시인의 시 정신과 그 뛰어난 공로를 기리기 위해 제정된 '황금찬 문학상'의 제1회 수상자(평론부문)로 선정되어 상을 받는 영예를 가졌다. 이 상은 격월간 문예지 '문학광장'(발행인; 김옥자)과 '문학신문'(발행인; 유재기)가 주관하고 '황금찬 문학상 운영위원회'가 주최하였다. 시상식은 황금찬 선생이 참석한 가운데 서울 종로구 혜화아트홀에서 5월 23일 거행되었으며 나와 함께 상을 받은 이는 공로상의 김옥자(문학광장 발행인)를 비롯하여 유재기(소설부문), 표천길(시부문), 구말모(수필부문) 등이었다.

이 밖에도 여러 문학상을 수상하였지만 굳이 자세한 사항까지 나열할 것 없이 상 이름과 연도만 적어서 기억에 보탬을 삼고자 한다.

1996년 2월: 환경문예상(전국자연보호봉사단중앙회 주관)
2012년 11월: 제32회 지방문학상(학술단체 지방문학회 주관)
2013년 3월: 환경문학상(전국자연보호중앙회 주관)
2013년 5월: 삼보문학상(대한불교 삼보종 주관)
2014년 10월: 21세기 올해의 문학상(21세기문화예술협회 주관)
2016년 2월: 카오스문학상(한국노벨상 지원재단 주관)

이러한 수상은 물론 한 개인에게는 크나큰 영예가 되지만 나는 수상 때 마다 이를 기쁨으로만 받아들이지 않았다. 모든 상에는 영예와 함께 책임이 따른다는 것을 잘 알기 때문이다. 이 수상을 계기로 더 분발하여 더 나은 작품들을 만들라는 무언이 명령이 뒤따르고 있음을 깊이 느끼기 때문이다. 문학상을 받을 때 마다 내가 내 시의 경지를 스스로 반성하면서 더 나은 시작(詩作)을 위한 노력을 아끼지 않아야 되겠다고 마음을 다잡는 까닭도 여기에 있다.

4부

살며, 생각하며

테니스에서 가진 시련과 도전

　내 아이들이 초등학교를 다니던 시기, 나는 내가 살던 경기도 광명시를 떠나 이른바 학군 좋다는 서울의 강남으로 이사를 하기로 마음을 먹었다. 가능하면 내 아이들에게 더 나은 기회를 주고 싶다는 예사 부모로서의 욕심이 없지 않았다.

　작심을 한 뒤에는 곧 실행으로 옮겼다. 방배동의 땅을 구입하고 집을 지었다. 새 보금자리를 장만한 것이다.

　그 무렵 나는 각별히 내 건강에도 신경을 썼다. 하고자 하는 바가 많아도 건강이 받쳐주지 않으면 만사가 헛일이라는 사실을 깊이 깨달은 뒤부터의 일이었다. 강남의 새 거처에서 할 수 있는 운동을 생

1980~2000년 20년 테니스 동료

각해 보았는데 아무래도 혼자서 하는 운동보다는 여럿과 함께 할 수 있는 운동이 더 좋을 것 같았다. 운동을 하면서 자연스럽게 이웃과 사귈 수 있다면 그보다 다행스런 일이 없을 것 같았다.

겨우 몇 차례 라켓을 휘둘러 본 경력을 갖고 근처의 반포테니스장을 찾아갔다. 초보자인데 동호인 모임에 들 수 있느냐고 물어보았더니 얼마든지 가능하다며 쾌히 가입을 허락해 주었다.

다음날부터 이른 아침에 테니스장으로 나갔다. 아는 사람도 하나 없었기에 서먹한 기분을 누르며 혼자서 백보드를 상대로 열심히 연습을 했다. 매일이다시피 아침 6시가 되면 어김없이 테니스장에 가서 백보드를 때렸다.

어느 날, 한 나이 지긋한 분이 자기와 같이 쳐보면 어떻겠느냐는 친절을 보여주었다. 내심 반갑고 기쁘기 그지없었다. 내가 아직 서툴다고 말했지만 그 분은 되레 그게 무슨 문제이냐며 내 걱정을 덜어주었다.

네트를 사이를 두고 그 분과 마주 섰다. 내가 제법 솜씨가 있다면 그 분이 치기 좋게 공을 보낼 수 있으련만 나는 그 정도의 재주도 없었다. 내가 보내는 공들 마다 제멋대로 이편 저편으로 날아가니 그 분은 이리 뛰고 저리 뛰면서 내 공을 받을 수밖에 없었다. 나로선 미안하고 민망하기 짝이 없었다. 그날 이후 나는 더 열심히 백보드 연습을 해야 했다.

시간이 약이라고 했던가. 매일 같이 운동을 하다 보니 같은 시간대에 나오는 분들과도 저절로 인사를 트게 되고 더러 게임에도 끼어들 수 있게 되었다. 맨 처음 내게 친절을 베풀었던 그 분이 따로 소개해 주는 사람들과도 친분을 쌓아 나갔다.

그러나 내 실력이 워낙 달리는 터라 이를 아는 사람들은 여전히 나와 함께 공을 치는 일을 꺼려했다. 내가 남들보다 먼저 테니스장에 나와 있어도 그들은 나와 같이 팀을 만들 생각은 않고 더 실력이 있는 사람이 나올 때까지 기다리기가 일쑤였던 것이다.

사정이 이럴지라도 나로서는 불만을 내색할 처지가 못 되었다. 내 입장에서는 남들이 끼워주는 대로 게임에 임할 수밖에 없었고 끼워주기만 해도 감지덕지 할 판이었다. 병아리를 키워주는 것은 어미닭이지만 모이와 모이 아닌 것을 가려서 먹게 하고 딱딱한 것을 어떻게 쪼아 먹는가를 가르쳐주는 것은 수탉이다. 그렇지만 사람은 제 마음에 들지 않으면 누구를 도와주거나 가르칠 생각을 않는다.

그렇게 테니스장을 오간 지 일 년쯤 되었을 때, 무역회사인 테이톤의 김문기 사장과 친하게 되었다. 그의 회사 또한 내 사무실이 있는 무교동에 있어서 우리 둘은 따로 식사도 자주하면서 우정을 쌓아 갈 수 있었다.

내가 한샘테니스 클럽에서 운동을 할 수 있게 된 것도 김 사장 덕분이었다. 그 클럽 멤버들 가운데는 삼천당제약 회장이며 조선일보의 고규태 논설위원 등이 있었다. 이렇듯 쟁쟁한 인사들이 주축이 돼 있는 친목 클럽에 나도 18인 중 한 명으로 가담하게 되었던 것이다. 운동을 통해서 친목을 다지던 이 클럽 활동도 어느새 20년 전의 일이 되었다.

클럽에서의 내 테니스 실력은 18명 중 최하위권으로 꼴찌와 다름없었다. 그러나 나는 30대 젊은이로서 남들보다 몸이 빠르고 강했기에 큰 어려움 없이 견딜 수 있었다.

클럽의 가장 큰 행사는 봄, 가을로 한 해 두 번 치르는 친선대회였다. 멤버들은 나와 한 조가 되어 시합을 하면 꼴찌로 떨어질까 봐 시합 때마다 나와 같은 조가 되는 것을 서로 꺼렸다. 시합 때는 상대가 집중적으로 나만을 공격해서 득점을 올리니 나와 짝이 된 선수가 기분이 좋을 리 없었다. 더욱이 1, 2, 3등의 성적을 얻으면 상품으로 제주도 여행권을 받거나 고가의 양복 한 벌을 가질 수 있었다. 이에 비해 4등 이하에게는 비누, 치약 세트 등 하잘 것 없는 상품이 돌아갔다. 사정이 이렇다 보니 시합에 임하는 선수들은 기를 쓰고 이기려 들었고 운동장에는 자못 긴장감마저 감돌았다. 이 자체가 재미였기에 나도 최선을 다해 뛰고, 치고, 소리를 질러댔다. 허지만 내가 실수로 공을 놓칠 때 마다 파트너는 좌절과 실망의 빛을 금치 못했으며 심지어 성미가 별난 이는 대놓고 나한테 핀잔을 주는 일도 서슴지 않았다.

어느 때는 나 자신도 화가 치밀어 라켓을 팽개치고 테니스를 그만둘까보다는 생각을 했지만 그때마다 나는 나를 타이르고 달랬다. "저 사람이 나빠서 저러겠는가. 모두 다 내가 부족해서 그런 것뿐이다. 내가 잘 하고 뛰어나다면 누가 나를 욕하겠는가." 그러면서 나는 다시금 '하면 된다.'는 내 신조를 되뇌었다.

나는 더 이상 다른 멤버들에게 부담을 주지 않기 위하여 나름을 노력을 하기로 결심했다. 그래서 다른 테니스장을 찾아가서 개인 레슨을 받았다. 이 사실을 다른 동료들은 아무도 몰랐다. 이렇게 매년 다섯 달 동안 아침 일찍 다른 테니스장에서 레슨을 받은 뒤 다시 반포

테니스장으로 가서 게임을 하기를 7년 동안 계속했다.

7년째 되던 해, 나는 마침내 가을 정기대회에서 우승의 영예를 차지했다. 대회가 끝난 뒤, 회식을 하는 자리에서 이규태 씨에게 비로소 내 속사정을 털어놓았다. 당시 나는 그를 형님이라고 불렀다. "형님, 제가 오늘처럼 일등을 하려고 다른 데 가서 7년 동안 레슨을 받았습니다." 내 설명을 듣고 난 그가 크게 놀라면서 "이놈, 대단한 놈이구먼!" 하면서 좌중에게도 그 얘기를 전했다.

이후 반포테니스장에서 어울렸던 사람들은 나를 '종마(種馬)'라고 부르면서 모두 다 잘 대해 주었다. 짝이 되기를 마다하는 사람도 더 이상 없었다.

돌이켜 보더라도, 당시 내가 좌절과 비애감을 느끼면서도 남다른 노력을 하지 않았다면 머잖아 결국 나 스스로 그 테니스장을 떠나고 말았을 지도 모른다. 쓴 약이 몸에 좋다는 말이 있다. 그 당시 못 볼 것인 양 나를 꺼려하고 혹은 울며 겨자먹기 식으로 나의 짝이 되어 주었던 그 동호인들 모두가 내게는 쓴 약과 다름없는 고마운 이들이었다. 그들이 없었다면 나는 남몰래 땀 흘리는 노력을 하지 않았을 테고 또 동호인 대회에서 일등을 차지하는 꿈은 아예 꾸지도 못했을 것이다.

이렇듯 오기와 투지로 시작했던 나의 아침운동은 어느덧 생활 습관의 하나가 되어 20여 년간 나의 건강을 지켜주었다. 여기다 매주 일요일 마다 하는 산행이 보태지면서 나는 40여 년 동안 한 번도 병원 신세를 지지 않을 수 있었다. 이보다 좋은 보약이 달리 있을까!

마라토너와 같은 자립정신(自立精神)

남의 도움을 받지 않고 스스로의 힘으로 문제를 해결하며 살아가는 의지와 마음가짐을 자립정신이라고 하는데 이는 한 성인으로서 주체적인 삶을 영위하려는 모든 이들이 기본적으로 가져야 할 정신이다.

「대학(大學)」에 '욕제기가자 선수기신(欲齊其家者 先修己身)'이란 말이 있다. '수신제가치국평천하(修身齊家治國平天下)'의 유래가 되는 대목의 한 구절이다. 수신제가를 한 다음에 참된 사회인으로 우뚝 서라는 말과도 같은 이 말을 되새기는 가운데 나는 사람이 욕먹지 않고 사는 방법은 곧 자기 자신을 아는 데 있음을 새롭게 깨닫게 된다.

현대사회는 시간에 쫓기는 사회다. 사회 구성원들은 저마다 제게 맡겨진 일에만 열중하다 보니 사람이 사람답게 사는 도리 같은 것에는 생각할 겨를조차 없다. 따라서 '정신문화' 운운은 먼 옛날의 얘기마냥 아득하게 느껴질 수밖에 없다.

사람들이 어려서부터 시간과 돈을 들여 공부를 하고 또 나름으로 수양을 중시하는 까닭이 무엇일까? 다들 행동거지를 바르게 하기 위해서가 아니겠는가.

세상살이를 하다 보면 더러는 골머리를 앓는 일도 있고 의견충돌로 언성을 높이기도 하고 나아가 주먹다짐이 오가는 경우도 있게 마련이다. 이럴 때, 배우고 수양한 사람과 못 배우고 자기 연마가 없는 사람과의 차이는 불을 보듯이 확연히 구분이 된다. 배우고 수양한

사람은 치미는 화를 꾹 참고 상대에게 좋은 말을 해서 먼저 격한 감
정을 삭이도록 하는데 노력한다. 그러나 그렇지 못한 사람은 제 감
정을 조절하지 못하여 사소한 일을 가지고도 큰일을 저질러 스스로
불행의 구렁텅이에 빠져들기 십상이다. 주위 사람들도 자기 제어가
안 되는 이런 이들을 보면 마치 못 볼 것을 본 양 얼굴을 돌리는 경
우가 많다.

"유순한 대답은 분노를 쉬게 하고 격한 말은 노여움을 격동케 한
다."

평소에도 내가 남들에게 자주 써주는 이 말은 모든 이가 명심할 필
요가 있을 것이다.

보고 듣고 배우는 것도 중요하지만 그 배운 바를 실천하지 못한다
면 사람으로서의 가치를 가지지 못한다.

극한의 조건을 달리는 마라토너들은 남다른 자립정신이 없으면 그
먼 거리의 코스를 완주할 수가 없다. 모든 사람이 자신의 일은 자신
이 해야 하며, 뜻밖에 마주친 곤경이라 해도 스스로 헤쳐 나가야 한
다. 자기의 일을 다른 사람이 해줄 수 없기 때문이다. 사람은 누구나
자신의 운명은 자신이 개척해 나가게 되어 있다.

잘 사는 나라와 성공한 사람이라고 해서 따로 특별한 비결이 있는
것이 아니다. 국가든 사람이든 자기에게 부여된 소명을 깨닫고 스스
로 제 할 일을 찾아 하고 난관들을 뚫고 나아갔기에 그러한 성취가
가능했던 것뿐이다.

마라토너들은 자기 자신과 싸우면서 한 단계 한 단계 코스를 극복
하여 마침내 결승점의 테이프를 끊게 된다. 신체의 한계와 싸우는

마라토너의 자립정신보다 더 치열한 것은 없다.

　우리는 마라톤에서 누가 일등을 하고 이등을 하고 그 기록이 종전보다 얼마나 단축되었느냐에 관심 갖기보다 마라톤이 주는 교훈을 다시 새겨 매사에 긍정적인 사고를 갖고 '나의 일은 마땅히 내가 한다.'는 자립심을 투철히 한다면, 우리 사회의 한 튼실한 재목으로 우뚝 설 수 있을 것이다.

되찾아야 할 주인의식(主人意識)

항상 우리는 내가 주인이라는 의식 속에서 살아야 한다. 주인이란, 주도적 책임을 지고 일하는 사람 즉 결정권자를 일컫는다. 하나의 회사가 있다고 할 적에, 회장이라고 해서 또 사장이라고 해서 그들이 꼭 회사의 주인이 되는 것은 아니다. 결정권자가 회장 자리에 있을 때만 그 회장이 주인일 수 있다.

한 영화의 이야기다. 어떤 처녀가 돈을 많이 벌어서 회사 하나를 세웠다. 제 회사를 만든 여자는 자신이 우두머리 자리에 앉는 대신, 유능한 사람을 찾아 회사의 사장으로 앉히고 월급을 주면서 아무도 모르게 사장에게만 지시를 하였다. 사장은 이른바 CEO였다.

전무는 누구를 시키고, 과장은 누구를 그리고 계장은 누구누구로 하라고 일러주곤 여자 자신은 맨 말단 수위직을 맡았다.

여자는 수위로 일하면서 사내 사람들의 성향과 능력 등을 세세히 파악하였으며 그를 토대로 성실하고 열심히 일한 자들에게는 상을 주고 게으르면서 불평만 하는 이들은 면직을 하도록 사장에게 지시했다.

이 영화 얘기에서 보듯이, 이 회사의 주인은 겉으로 대표라고 이름을 걸고 있는 사장이 아니라 수위실에 앉아 있는 여자임이 분명하다.

주인은 어떤 일을 함에 있어서 기피하거나 외면 방관할 수가 없다. 자기의 집이 불이 났는데도 불구하고 팔짱을 낀 채 구경만 하고 있을 주인은 세상에 없다. 목숨을 걸고 불 속에 뛰어들어 불길을 잡으려고 필사의 노력을 하는 것이 주인다운 태도인 것이다.

여기서 잠깐 주인의식과 상반되는 마음가짐에 대한 얘기들을 해보기로 한다. 그것은 각각 손님의식, 노예의식 그리고 구경꾼의식이라고 이름붙일 수 있다. 먼저 노예의식이란 주인이 시키지 않으면 아무 일도 하지 않는 것을 말한다. 말하자면 모든 것을 대강대강 처리하고 마는 태도다.

미국인과 독일인이 똑같은 부속품을 조립하여 기계를 만드는데 미국인이 조립해 만든 기계보다 독일인의 기계가 훨씬 성능이 좋고 수명도 오래 간다는 말이 있다. 그 이유를 알아보니, 미국인들은 나사못 하나를 끼울 때도 아무 생각 없이 작업을 하는데 반해 독일인은 그 작은 것 하나라도 혹여 금이 가거나 비뚤어지지 않을까 조심스레 살피고 정성껏 끼웠기 때문이라고 한다. 이는 독일인들의 머릿속에는 내가 조립한 기계가 만에 하나 고장이라도 난다면 이는 독일의 체면을 구기는 일이 된다는 주인의식이 들어있었음을 뜻하는 예화가 된다. 독일 사람들의 이런 투철한 주인의식, 직업정신이 있었기에 독일은 2차 세계대전의 폐허 위에서도 오늘과 같은 부국을 이룩할 수 있었던 것인지도 모른다.

주인의식과 달리 노예의식을 가진 사람은 작은 회사에 근무할지라도 항상 불평불만만 가지기 일쑤이며 월급만 타면 그만이라는 타성으로 일을 하기 쉽다. 이런 이들을 데리고 있는 회사는 발전은커녕 침체일로를 걷거나 도산에까지 이르게 됨은 두말할 나위가 없다.

또 손님의식이란 구경꾼의식과 별반 차이가 없는 것으로서 제 주변에서 일어나는 일조차 관심을 갖지 않고 남의 집 불구경하듯이 방관만 하는 태도를 지칭한다. 남의 집을 방문했을 때도 그 집의 일에는 일체 관여를 않거나 애써 외면을 해버리며, 이웃집의 수도가 터져서 골목에 물이 범람해도 내 일이 아니라고 지나치는 것이 예사다.

손님이라면, 택시를 타고 가다가 차가 고장이 나면 다른 차를 타고 가던 길을 계속 가면 그만이다. 그러나 차 주인이라면 무슨 수를 써서든 그 차를 고쳐서 끌고 가는 것이 마땅하다.

한편 구경꾼의식이란 홍수가 나서 제 주인이 물에 떠나려가는 데도 불구하고 다른 사람들 틈에 끼어서 구경만 하는 종사원 따위의 마음가짐을 뜻한다. 우리나라 사람들의 의식 일면에도 이러한 구경꾼의식이 도사리고 있다는 지적은 오래 전부터 있어왔다. 그것은 시중 버스나 지하철 열차 안에서 소매치기와 같은 범행이 일어나는 것을 보고서도 내가 당한 것이 아니란 이유에서 또는 보복이 두려워서 못 본 체 시선을 돌리고 마는 태도 등을 일컫는 말이기도 하다.

이 같이 구경꾼, 노예, 손님의식이 만연한 나라는 미래를 향한 역동성을 지니기 어려운 것은 자명하다. 겉으로 보기에는 모든 것이 윤택하고 질서가 잡혀있는 듯이 보일지라도 국민 한 사람 한 사람이 주인의식을 가지지 못한다면 그 풍요와 질서는 언제든 쉬 사상누각이 될 수 있다. 민주사회의 참다운 시민의식은 곧 주인의식에서 비롯된다. 나의 권리와 함께 내 책임을 다 하는 것, 내 것이 중요한 만큼 남의 것 또한 소중함을 깨달아 배려하고 양보하는 미덕을 갖는 것, 일신의 안위보다 이웃과 사회를 먼저 생각하여 헌신할 줄 아는 것, 이런 덕목들이야말로 선진사회의 시민들이 갖는 주인의식이 아닐 수 없다.

작은 것의 큰 의미

한 모교수가 독일에서 겪은 일

20여 년 전의 일이지만 지금도 기억이 생생하다.

그날도 테니스를 마친 뒤 집으로 가는 버스를 타기 위해 운동복 차림으로 보도를 걷고 있었다. 눈 깜짝할 사이 같았다. 웬 오토바이 한 대가 굉음을 내며 내 쪽으로 달려왔다. 분명 차도가 아닌 인도로 달려왔다. 황급히 몸을 피해 화를 피하긴 했지만 치미는 화를 누를 수 없었다. 마침 오토바이를 멈춘 젊은 사내가 대충 나의 상태를 살펴보곤 곧장 달아나려는 걸 내가 불러 세웠다. 그리곤 어째서 오토바이가 함부로 인도를 내달려서 행인을 위협하느냐고 나무랐더니 젊은이는 내가 뭘 잘못 했느냐는 투로 잠시 씩씩대더니 다시금 오토바이를 몰고 차들 사이를 곡예를 하듯 빠져나갔다.

8차선 차도의 횡단보도를 건너기 위해 신호등 빛이 바뀌길 기다리는 때도 꼴불견이 있었다. 짧은 바지에 배꼽티를 걸친 20대 여자였다. 길게 머리칼을 늘여뜨렸으며 고목에 매미가 달라붙은 듯 작은 거북이 백을 메고 있었다. 맞은편에 있던 그녀는 보행금지의 붉은 등이 아직 꺼지지 않았는데도 무턱대고 길을 건너왔다. 질주하는 차들이 저마다 경적을 울렸지만 그녀는 놀라지도 않고 용케 차들 사이를 빠져나왔다. 조마조마하게 그 모습을 지켜보던 나는 그녀가 무사히 이편으로 건너오는 것을 보고 안도의 숨을 쉬었지만 그대로 지나칠 수는 없었다.

"빨간 신호인데 그새를 참지 못하고 그렇게 건너오다가 사고라도 나면 어쩔 뻔 했느냐?"고 따져 물었다.

"아저씨가 뭔 상관이세요?"

빈 말이나마 죄송하다고 할 줄 알았던 내가 잘못이었다. 그녀는 콧방귀를 뀌고는 휑하니 내 앞을 지나갔다. 딴에는 어버이의 심정으로 주의를 주었는데 받아들이는 쪽은 전혀 그게 아니었다. 문득 나 자신이 초라하게 여겨지는 순간이었다.

횡단보도를 건너는 때에도 나는 다시금 한 친분 있는 교수가 독일 여행에서 겪었다면서 들려준 얘기를 떠올리지 않을 수 없었다. 출장으로 간 독일의 어느 소도시에서 교수가 며칠간 머물 때 있었던 일이라고 했다. 때마침 숙소 근처에 한 친구의 거처가 있었다. 반가운 마음에 친구의 집을 찾아갔고 친구와 더불어 술잔을 나누며 밤 늦게까지 회포를 풀었다. 이윽고 새벽 3시가 다 돼서 그 집을 나왔다. 꽤 취한 상태였지만 생각에는 걸어서도 숙소까지 어렵잖게 갈 수 있을 것 같았다. 한껏 취흥을 즐기며 걷다 보니 앞에 넓직한 차도가 가로놓여 있었다. 큰길을 건널 수밖에 없었다. 다행히 오가는 차가 뜸했으며 가로수에 조금 가려지긴 했지만 가로등 빛이 길을 밝히고 있었기에 길을 건너는 데도 어려움은 없어 보였다. 길가에 한 사람이 우두커니 서 있었지만 그를 무시한 채 큰길을 건넜다. 차들은 없었다. 걷다가 뭔가 이상한 느낌이 들어서 뒤를 돌아보았는데 그 낯선 사내는 좀 전과 똑같은 자세로 그 자리에 서있었다. 그제야 교수는 발견했다. 붉은 등을 켠 신호등이 사내의 옆에 있음을! 사내는 오가는 차 한 대가 없음에도 불구하고 신호등이 바뀌길 기다리고 있었던 것이다. 교수는 얼굴이 화끈거리는 걸 느끼며 마저 길을 건너 숙소로 갔다.

　겉으로 드러난 상처는 시간이 지나면 아물지만 가슴 속 내밀한 부끄러움은 쉬 지워지지 않는 법, 명색이 국립대학의 중견교수라는 지성인이 자기 나라도 아닌 외국에서 교통신호 하나조차 지키지 못했다는 수치심에 오랫동안 얼굴을 제대로 들지 못했다는 이야기였다.

　교수의 이 이야기는 나에게도 적잖은 교훈이 되었다. 작은 것을 지키지 못하면서 어떻게 큰 것을 지킬 수 있겠는가. 사소한 것이 주는 큰 의미를 되새기면서, 나 또한 신호등 앞에 서면 새삼 주위를 둘러보면서 혹여 급한 마음에 남들보다 한 걸음이라도 먼저 내디디지 않으려고 스스로를 단속하는 것이었다.

천사동행(天思同行)

2013년의 한 칼럼

나는 일에 조금 욕심이 있는 사람입니다. 그러나 뜻 있는 일을 하려고 노력할 뿐 다른 일 욕심은 없습니다. 아침에 일찍 일어나서 신문을 보고 운동을 하는 버릇이 습관이 되어 저를 가만두지 않는 것 같습니다. 어느 때는 내가 참 건강하다는 생각이 듭니다. 모두들 잠든 시간에도 열심히 재깍거리는 조그만 자명종 시계의 소리를 들으면서 그리고 냉장고가 일하는 소리도 들으면서 둘 다 무슨 도움으로 움직이고 있나 생각해 보니 바로 전기의 힘이지요. 한편 나 자신은 누구의 도움으로 세상을 살아가나 하는 생각에도 빠져 들게 됩니다. 새벽의 그 시간은 곧 깨우침의 시간입니다. 갑자기 그 분위기에 시상이 떠오르기도 합니다.

제목으로 천사동행(天思同行)이라고 하였는데 이는 곧 하늘의 뜻을 거스르지 않는다는 것입니다. 하늘의 뜻에 따른다는 것은 또한 사람한테 있어서 운명의 길이 아닌가 여겨지기도 합니다. 운명의 길에는 좋은 일이든 나쁜 일이든 경중의 차이가 있을 뿐입니다.

내가 예술세계에 관심을 갖게 된 시초를 더듬으려면 1968년쯤으로 거슬러 올라가야 합니다. 당시 나는 공무원(7년 근무)으로 봉직하고 있었는데 성탄절과 연말을 맞이할 즈음 혼자 엉뚱한 생각을 하게 되었습니다. 주위의 들뜬 분위기 때문이었는지도 모릅니다. 내 손으로 크리스마스카드며 연하장을 만들어 보면 어떨까 하는 생각이었습니다. 학교 다닐 때부터 나름 손재주가 있다는 말들을 들었기에 괜찮게 만들 자신도 있었습니다. 생각을 기울이다보니 나중엔 안 하면 못 견딜 것 같았습니다. 마침내 작심을 하곤 용지와 물감 등 재료들을 장만했습니다. 그리곤 그림 그리기에 몰두하였는데 얼마나 열심히 그렸는지 두 달 사이에 1천2백 장의 카드를 완성하였습니다.

주위 사람들도 잘 만들었다고 칭찬을 아끼지 않기에 나는 주말을 이용해 이것들을 들고 종로 서점가에 나가 직접 판매도 시도해 보았습니다. 생각 밖으로 호응이 좋았습니다. 2주 사이에 9백 장의 카드가 팔렸으니까 말입니다.

1970년에는 육군보안사령부가 주최한 방첩 포스터 전국 공모전에 응모하여 포스터 부문에서 1등을 한 일이 있습니다. 지금 생각해 보아도 미술을 전공하지 않은 내가 어찌 최고상을 받을 수 있었을까 궁금하지만 아마도 그림의 바탕이 된 내 아이디어 하나가 남달랐지 않았는가 여길 따름입니다.

그 후 서예에 관심을 갖고 공부를 계속하였으며 그것이 어언 40여 년이 되었습니다. 그 사이 여러 차례 미국에서 전시회를 가졌으며 지난해 5월에는 조신일보 미술관에서 처음으로 국내 전시회를 하게 되었습니다.

이 전시회에는 서예작품을 비롯하여 그동안 내가 관심 갖고 익혀온 문인화, 한국화, 서양화, 기타 작품 등을 두루 선보였는데 이렇듯 다양한 작품을 할 수 있었던 것도 나는 세월이 나에게 준 선물이라고 여깁니다.

근래 산 시조집 「산무리」와 「서예교본」 5종을 동시에 발간하게 된 것도 삶의 과정에서 거둔 소중한 결실이라고 생각합니다.

서예가로서 독자적인 한글 서체 '선화체(仙花体)'를 창안한 일이며 한문 서체 '금제체(吟齊体)'를 개발한 일은 법고창신(法古創新)의 정신으로 서예의 글꼴 변화에 관심을 가져왔던 그동안의 노력과 모색이 거둔 성취가 아니겠는가 여기고 있습니다. 90년대 초에 완성한 선화체는 한문 필법으로 쓰는 한글 서체이며, 1993년 개발된 금제체는 예서, 행서, 목간 필법을 배합하여 만든 서체입니다. 이 두 가지 서체를 상세하게 설명하는 교본이 이미 발간돼 있으니 많은 이들이 관심을 갖고 이용해 주기를 바랄 따름입니다.

　저는 항상 새로운 꿈을 꾸며 긍정적인 사고로 실천을 앞세우기 때문에 쉼을 두려워합니다. 나 스스로 지금까지 내가 걸어온 길이 천사(天思)와 동행하는 것이라 여기고 있습니다. 하여 이 아름다운 길을 많은 뜻있는 분들과 동행하기를 바라며 이것이 곧 천사동행의 인연이 된다는 믿음을 굳게 지니고 있습니다.

　향나무는 자기를 도끼로 찍어도 그 향기를 버리지 않으며 오히려 찍으면 찍을수록 그 향기를 더욱 짙게 풍긴다고 합니다. 이렇듯 초심을 굳건히 하여 오래 향내 나는 삶을 살 수 있도록 최선을 다 하자는 말씀과 함께 항상 건강하고 행복하시길 기원 드립니다.

　아울러 "건강도 미리미리 저축해야 한다."는 말씀을 드리며 건강 마중물로 "걷자, 산에 가자!"를 외쳐 봅니다.

주인 모를 밭을 가꾸며

복잡한 서울 강남을 떠나 경기도 남양주시로 거처를 옮기고 보니 제법 심신이 한가해지는 느낌이었다. 내 일터가 바뀐 것이 아니고 매양 하던 일이 달라진 것도 없는데 절로 마음이 그랬다. 틈날 때마다 집 근처 산길을 오르내리게 된 것도 그런 여유에서 비롯된 일이 아닐 수 없다.

산은 해발 2백여 미터의 낮은 산봉을 세우고 있지만 산세가 우람하고 숲이 무성하여 가까이만 다가가도 마치 심산유곡에 이른 듯한 느낌을 가질 수 있었다.

산길 초입에는 인근 주민들이 텃밭삼아 가꾸는 경작지들이 이어지고 있었는데 철 따라 달라지는 그곳 작물들을 구경하는 것도 산을 찾는 한 재미가 되었다.

내가 처음 이 산길을 찾은 때는 늦은 가을녘이었던 듯싶다. 밭고랑마다 낙엽들이 쓸려 다니고 있었는데 문득 내 눈길을 끄는 밭뙈기 하나가 있었다. 경사면의 맨 위편에 있는 한 마지기 너비의 밭이었다. 주위의 층층 밭에는 김장용 배추 무들이 그득했지만 유독 이 꼭대기 밭 하나만은 사람의 손길을 제대로 받지 못한 듯 잡초가 무성히 자라 있었기 때문이었다. 그렇다고 해서 온전히 빈 밭은 아니었다. 밭 모서리 쪽에 여남은 포기의 배추가 심어져 있었던 것이다.

"남들은 밭을 개간하고 싶어도 마땅한 땅이 없어서 하질 못하는데 이 밭주인은 무슨 심사로 귀한 땅에 잡초만 키우고 있담."

나로서도 혼잣말을 중얼거리지 않을 수 없었다.

이듬해 봄이었다. 햇살이 따스해질 무렵부터 산기슭 밭들 마다엔 주민들의 내왕이 분주했다. 다들 봄채소의 씨앗을 뿌리고 모종을 심을 요량으로 흙을 뒤집은 뒤 고랑을 내고 두둑을 고르기에 바빴던 것이다. 그런데 여전히 꼭대기 밭에는 사람의 발길이 없었다. 삭아 내린 잡초들만 어지러이 밭뙈기를 덮고 있었다.

"손이 없어서 내버려 둘 요량이면 남한테 빌려주기라도 할 것이지 이렇게 방치해 놓을 것이 뭐람"

나는 또다시 안타까움을 가지며 산길을 올랐다.

4월 중순이 되었을 때도 꼭대기 밭은 그대로 버려져 있었다. 채소 대신 풀들만 자라는 꼴을 보다가 내가 마음을 먹었다. 여전히 밭주인은 농사지을 마음이 없는 모양인데 나라도 나서서 뭔가를 심어보면 어떨까, 하는 생각이었다.

마음을 먹은 뒤에는 바로 실행을 했다. 굳어 있는 땅부터 갈아엎기로 했다. 그날부터 아침 산책 때 마다 삽을 들고 와서 흙을 뒤집었다. 넓은 땅은 아니지만 혼자서는 하루 이틀에 마칠 수 있는 일이 아니었다. 무리를 하지 않기 위해서 내심 하루 30분만 운동 삼아 일을 한다고 작정을 했다. 열심히 삽질을 하다 보니 금세 숨이 차고 땀이 흘러내렸다. 한 주일이 안 돼 온 밭의 흙을 뒤집었다. 그새도 혹여 주인이 나타나면 어떡하나 걱정이 없지 않았지만 다행히 상추, 쑥 갓, 아욱, 근대, 부추 등 각종 소채의 씨를 뿌리고 모종을 내는 때까지도 "남의 밭에서 도대체 뭐 하시오!" 하고 소리 지르는 이는 없었다. 그렇다고 온전히 마음을 놓을 일은 아니었다. 내가 없는 사이에 주인이 와서 얼굴을 붉힐 수도 있지 않겠는가. 그래서 나는 밭고랑

안 가운데에다 막대기 하나를 꽂고는 비닐 주머니를 달아놓았다. 주머니 안에는 주인의 허락도 안 받고 경작을 하게 된 사연을 적은 쪽지와 함께 내 명함 한 장을 넣어 두었다.

금세 봄이 가고 여름이 지났다. 그 사이 나는 남의 밭에서 재배한 채소들로 식탁을 풍성하게 꾸몄으며 그러고도 턱 없이 남아나는 그것들을 죄 이웃들에게 나눠 주었다.

산을 다니며 밭을 가꾸는 사이 나름으로 터득한 농사법도 있었다. 소나무, 잣나무가 우거진 곳의 나무 밑에는 풀이 잘 자라지 않는다는 사실을 안 것도 그 중 하나였다. 햇빛이 잘 들지 않은 탓도 있었지만 떨어진 낙엽이 땅에 착 달라붙어 있어서 풀들이 자라지 못하는 것 같았다. 그렇지 않아도 밭의 잡초 때문에 고민이 많았던 나는 이 낙엽의 원리를 내 밭에 응용해 보기로 마음먹었다. 그래서 매일 아침 산을 오를 때마다 솔가리를 가마니에 꽉 채워서 메고 내려왔다. 내 고향에서는 솔갈비라고 부르는 소나무 낙엽이었다. 그것을 고추밭 이랑에 골고루 잘 덮어 두었더니 예상대로 풀들이 잘 나오지 않았다. 그뿐인가. 해충도 잘 생기지 않았고 썩으면 절로 질 좋은 퇴비가 되었다.

산길 언저리에는 군데군데 구덩이를 파서 호박을 심었다. 모종을 내기 전 구덩이에는 개똥같은 것을 잔뜩 묻었기에 호박은 무럭무럭 잘 자랐다. 남의 땅에다 내 마음대로 짓는 호박농사였다. 혹여 땅 주인이 나타나 나무라면 심긴 내가 심었지만 당신이 따 먹으면 되지 않겠소, 하면 그만이었다. 오가는 사람들이 탐내어 호박을 따간다 해도 본래 내 것이 아니었으니 아까울 것이 없었다.

가을이 되어 누런 호박이 주렁주렁 달리면 나는 그것을 배낭에 한 덩이, 손에 한두 개씩 들고 산을 내려 왔다. 저것은 내일 따야지 하고 남겨 두었던 것을 다른 사람이 따간 경우도 종종 있었다. 내 땅이 아니니 내 호박도 아니다. 심기는 했지만 가져가는 사람이 임자였다.

무더운 여름이 끝날 무렵, 나는 새삼 밭자락 끝 둔덕 위에 있는 무덤에 관심을 가졌다. 이전까지도 나는 그 무덤 주인과 밭주인을 연관 지을 생각을 하지 못했는데 봉분이 가려질 정도로 무성한 잡초를 보고서야 비로소 어떤 한 추측을 가질 수 있었던 것이다.

여태도 밭 임자가 나타나지 않는 것처럼 저렇듯 버려진 듯이 있는 무덤에도 무슨 사연이 있는 것은 아닐까? 밭 임자가 무덤의 연고자라면? 그렇다면 모든 것이 쉽게 설명될 수 있다. 무덤과 밭의 경계가 맞닿아 있는 것만 봐도 그렇다. 무덤에 누운 이가 원래 이 밭의 주인일 터, 그가 세상을 떠난 뒤부터는 이 밭을 돌볼 이가 없다, 자녀들이 있기는 하지만 다들 대처에 나가 있어서 여기까지 올 겨를이 없다, 그래서 밭과 무덤이 함께 황폐해져 가고 있었던 것이다.…. 나 나름으로 이런 유추를 가지자 그게 마치 사실인 듯이 여겨졌다.

다음 날 나는 산으로 가는 길에 낫 하나를 챙겨 들었다. 간단히 밭을 둘러보고는 둔덕 위 무덤에 올라섰다. 잡초를 헤치며 이곳저곳을 눈여겨보았지만 표석 하나를 찾을 수 없었다. 무덤을 향해 내가 말했다.

"뉘신지 모르지만 편히 쉬고 계시겠지요. 찾아오는 이 없다고 해도 너무 섭섭해 하지 마시고요. 이 밭뙈기도 생전에 가꾸신 게 아닌

지 모르겠습니다. 보시다시피 올 봄부터 제가 허락도 없이 이 밭에 소채를 키우고 있습니다. 남의 땅을 무단으로 경작한다고 허물치는 말아 주시기 바랍니다. 언제든 비우라고 하시면 비워 드리리다."

그리곤 낫질을 해서 무덤 둘레와 봉분 위에 자란 잡초들을 제거했다. 더운 아침이라 이 일만 하는데도 금세 온몸이 땀에 젖었다. 괜한 수고라는 마음은 없었다. 나 나름 밭 임자에 대한 최소한의 예의라고 여겼던 것뿐이었다.

무덤의 제초 작업은 다음 날 그 다음날에도 이어졌다. 사나흘 그 일을 하니 묘역이 깔끔하게 정리되었다. 바라보기만 하여도 마음이 상쾌해졌다.

추석을 지낸 뒤였다. 제법 날씨도 선선해진 터라 한낮이 다 돼서 산길을 올랐다. 내가 가꾸는 밭에도 김장용으로 심은 배추와 무가 튼실하게 자라고 있었다. 뜻밖이었다. 연고자가 없을 지도 모른다고 여겼던 무덤 앞에 한 무리의 사람들이 자리를 깔고 앉아 있었던 것이다. 아이들 서넛도 잠자리를 잡는다고 풀숲을 뛰어다니고 있었다. 4, 50대의 남자가 네댓이 무덤 앞에 좌정해 있었으며 그들의 아낙인 듯싶은 여인네들은 따로 모여 앉아 있었다. 무덤 앞에 조촐하나마 음식들이 차려져 있는 걸로 봐서 추석 후에 성묘를 한다고 가족들이 모인 것 같았다.

무연고의 산소가 아니란 사실을 아는 것만으로도 나는 적이 마음이 놓였다.

주저할 것 없이 내가 그들에게 다가갔다. 좌장쯤으로 보이는 남정네에게 내 명함을 전하고 밭 임자인가를 물었더니 그렇다고 대답하였다. 내 추측이 어긋나지 않았음을 알았다. 나는 그에게 허락도 없이 밭을 경작하게 된 내력을 말해 주며 양해를 구했다. 아울러 적은 도리나마 될 성싶어 봉분 주변의 잡초들을 제거해 왔다는 사정까지 얘기를 했다.

내 얘기를 듣던 남정네가 놀란 듯 눈을 크게 뜨더니 두 손으로 내 손을 움켜쥐었다.

"세상에! 선생님이 그 궂은일을 다 해주셨군요. 하도 깨끗이 벌초가 잘 돼 있길래 저 동생들이 했나 싶었는데, 동생들은 동생들대로 이 형이 한 줄 알고 있더군요. 자식들로서 면목이 없지 뭡니까. 선생님께는 뭐라고 감사를 드려야 할 지..."

감정이 벅차오르는 듯 그는 더 이상 말을 잇지 못했다. 그의 아우라고 하는 두 남자도 차례차례 내 손을 잡으며 감사하다는 인사를 했다. 이런 치사를 들으려고 한 일이 아닌데 그들이 이렇듯 사례를 하니 오히려 내가 몸 둘 바를 모를 지경이었다.

나는 그들이 권하는 대로 자리에 합석하여 막걸리 잔까지 받았다. 맏이가 간단히 제 집안 이야기를 들려주었는데 그 대체는 내 짐작과 크게 다르지 않았다. 이 밭과 위편 산등성이가 모두 아버지 소유로 돼 있었는데 아버지 사망 후 유산처리 문제로 형제들 간에 약간의 갈등이 있었다는 사실도 숨기지 않았다.

그 사이 고향을 오갈 때 마다 이 산기슭도 찾아보았으며 그때 밭에 작물이 심어져 있는 것도 보았다고 했다. 그렇지만 그때도 형은 동생네가 경작하는 것이겠거니 여겼고 동생은 형이 그런 줄 알았다는 것이었다. 어느 누구가 제 삼자를 염두에 두지 않았기에 밭고랑의 막대기에 달린 비닐봉지를 살펴 볼 생각을 않았다고 했다.

"밭은 계속 선생님이 사용해 주십시오. 그게 저희한테는 더 고마운 일입니다. 괜히 밭을 놀려두면 공휴지세다 뭐다 해서 세금만 나올 테니 말입니다. 저희 형제는 다들 생업에 바빠서 여기다 뭘 심고 가꾸고 할 처지가 못 됩니다. 그리고 틈나면 한 번씩 저희 아버님 산소도 둘러봐 주시고요. 앞으로 벌초는 꼭 저희가 할 테니 그런 수고는 더 이상 하지 마시고요."

맏이의 말이었다.

그 사이 형제들의 갈등도 다 봉합이 되어서 이런 화해의 자리까지 마련됐다는 그 형의 말을 듣고 보니 절로 내 마음도 가벼워졌다.

다음날에도 나는 무덤 둔덕에 서서 내가 키운 채소들을 대견스럽게 바라보았다.

"김장까지 다 담그고 나면 따로 내가 술 한 병 들고 찾아오겠습니다."

듣고 있을 지 모르지만 무덤 임자한테도 내가 한 마디 했다.*

다시 충효(忠孝)를 생각하다

우리나라를 비롯한 유교문화권에서 전통적으로 '효경부모(孝敬父母)' 사상이 강조되어 왔다. 일찍이 공자는 부모에 효도하는 것이 덕행의 근본이며 이는 모든 가르침의 근원이라고 하였다. 공자는 또 효도란 하늘과 땅의 모든 것에 이르는 도덕적 질서의 근본이 된다고 하였다.

인간은 누구를 막론하고 그 부모로 인하여 세상에 태어났기에 그 육신의 모두가 부모로부터 비롯되었으며 부모의 슬하에서 세상의 삶을 시작하고 부모의 사랑과 가르침을 통하여 세상의 이치를 깨닫고 세상살이의 지혜를 얻게 된다.

따라서 무릇 사람 된 자는 정성과 예를 다해 어버이를 모시고 섬겨야 하며 그 마음과 실천에는 존경과 사랑이 자리 잡고 있어야 한다.

공자가 가르치는 효의 도리는 단순히 나를 세상에 태어나게 하여 길러준 은덕만큼 꼭 보답한다는 뜻이 아니다. 이를테면 부모의 은덕은 양적으로 가늠될 수 있는 것이 아니며, 또 질적으로 같은 것을 되돌려 줄 수 있는 성질의 것도 아니다. 따라서 양적 질적으로 갚는 것이 아니라 천명과 같은 도덕적 의무를 다하는 것이 효도임을 일깨워준다.

공자의 저술로 알려진 「효경(孝經)」의 첫머리 개종명의장(開宗明義章)에 나오는 효에 관한 그 유명한 구절을 다시 살펴보자.

"공자께서 말씀하시길, 무릇 효란 덕의 근본이요 가르침이 생겨

나는 까닭이니라. (子曰 夫孝 德之本也 敎之所由生也). 나의 신체와 머리털, 피부 하나까지 모두 부모에게 물려받은 것이니 감히 이를 훼손치 않음이 바로 효의 시작이니라.(身體髮膚 受之父母 不敢毁傷 孝之始也). 몸을 바르게 세우고 도를 행하여 후세에 이름을 널리 알리는 것이야 말로 부모의 훌륭한 가르침과 정성을 드러내는 것이니 이것이 효의 마지막이니라. (立身行道 揚名於後世 以顯父母 孝之終也)."

이에서 보듯, 효성은 한 사람의 도덕적 인격과 수양의 필수적 요소로 간주되고 있다. 효성이 단지 부모를 봉양하는데 그치는 것이 아니라 존경과 사랑으로 행하는 것임을 뜻하고 있다. 개나 소, 돼지도 사람으로부터 극진한 사랑과 대접을 받을 수 있는데 이들 짐승을 돌보는 것과 부모를 모시는 데 다른 점이 무엇인가? 존경심의 있고 없고의 차이다. 존경이란 마음속에서 우러나오는 진정한 사랑이다.

한자 '효(孝)'의 구성을 살펴보면 위에는 늙을 '노(老)'가 있고 아래엔 자식을 뜻하는 아들 '사(子)'가 있다. 모양상 이는 자식이 부모를 업어서 잇는다는 뜻이다. 또 노(老) 자에서 지팡이를 뜻하는 '비(匕)' 자가 지워지고 아들 '자(子)'가 들어갔으니 자식이 지팡이를 대신해서 늙은 부모를 섬기는 모습을 나타낸다.

「논어(論語)」학이(學而)편에 나오는 공자의 말을 하나 더 살펴보자. 공자가 이르길, "자제들은 집에 들어와서는 부모에게 효도하고, 나가서는 어른들을 공경하며, 행동은 신중하게 하고, 말은 믿음직스럽게 하며, 널리 사람들을 사랑하되 인(仁)한 사람과 친해야 한다.

행하고서 남은 힘이 있거든 글을 배운다.(入則孝 出則悌 泛爱衆 而 親仁 行有余力 則以學文)"

여느 집이든 자식은 부모의 자랑이면서 걱정거리가 되는 존재다. '어떻게 가르치고 무엇을 가르칠 것인가?' 하는 명제는 부모가 되는 순간 가지게 되는 숙제와 다름이 없다. 공자는 효와 제(悌)를 교육의 출발로 삼았다. 인을 행하는 근본인 효제를 몸으로 실천할 때 말과 행동이 신중해지고 스스로 믿음직한 존재가 된다고 여겼던 것이다. 그와 함께 넉넉한 마음으로 널리 사람들을 사랑하고, 어진 사람을 가까이 해 자기다움을 잃지 않도록 하는 것, 공자는 이것을 글을 배우기 전에 해야 할 공부로 보았다. 글공부는 그 뒤에 해도 늦지 않다. 먼저 사람다운 존재가 되게 하는 것, 이것이 공자의 교육관이었다.

헌데 오늘날 우리의 교육 현실은 어떠한가? 머릿속에 생각이 자리잡기 이전부터 외국어 공부를 해야 한다고 난리를 치고, 친구를 차별하여 누군가를 예사로 왕따를 시키며, 말과 행동이 경박하고 가벼워 남에게 상처를 주고도 뭘 잘못 했는지 모르기 일쑤다. 부모에게 효도하고 어른을 공경하는 일은 조선시대의 풍습인 양 여겨 뒷전으로 돌리고 자기밖에 모르는 이기적인 자녀들을 양산하고 있는 것이 우리네 교육 현실이 아닌가? 이 때문에 지적 수준은 높은데 제대로 된 사람 찾기가 힘들다. 자기주장은 난무하는데 남을 배려할 줄 아는 이를 보기가 어렵다.

교육의 시작이 잘못되면 이렇듯 이타(利他)보다는 이기(利己)가, 공익(公益)보다 사익(私益)이 판을 치고 경건, 신중보다는 천박, 경솔함이 앞서는 사회가 될 수밖에 없다. 이 시기에 다시금 효를 생각해 보자는 까닭도 다른 데 있지 않다. 잃어버리고 있는 본심을 되찾는 노력이 필요하다는 이유에서다. 한자 가르칠 '교(敎)' 자의 구성을 봐도 우리는 금세 해답을 얻을 수 있다. 이 글자는 '효(孝)' 자와 '문(文)' 자의 조합으로 이루어져 있다. 이는 곧 교육이란 효도와 인륜의 기초 위에 서지 않으면 안 된다는 것을 일러준다.

간단히 정리하면, 효도란 부모님을 사랑하고 공경하여 그분들이 편안하고 기쁘고 행복할 수 있도록 잘 섬기는 일이며 아울러 의식주를 풍족하게 해드리는 것이다.

달리 말하자면, 맹자가 지적한 다섯 가지 불효를 저지르지 않는 것이 곧 효의 실천이다.

1. 손, 발을 게을리하여 부모를 봉양하지 않는 것,
   (惰其四支 不顧父母之養 一不孝也)
2. 바둑이나 장기를 탐닉하고 도박과 음주를 좋아하여 부모의 봉양을 돌보지 않는 것,
   (博奕好飮酒 不顧父母之養 二不孝也)
3. 보화와 재물을 탐내고 제 아내와 자식만 생각하여 부모를 봉양하지 않는 것,
   (好貨財私妻子 不顧父母之養 三不孝也)
4. 귀로 듣고 싶고 눈으로 보고 싶은 쾌락에 빠지고 방탕하여 부모님 애간장을 태우는 것,
   (從耳目之欲 以爲父母戮 四不孝也)

5. 힘을 믿고 남과 싸우고 거칠어서 부모를 위태롭게 하는 것 등
   이다.

   (好勇鬪狠 以危父母 五不孝也) － 〈孟子・離婁下〉

전통사회에서 효와 더불어 지고의 가치로 여겨졌던 것이 충(忠)
이다.

「효경(孝經)」이 효에 관한 윤리규범을 정리해 놓은 저술이라면, 충
에 대한 저작에는 「충경(忠經)」이 있다. 「충경」 천지신명장(天地神明
章)에서 이르길, "천하의 지극한 덕으로서 그 비할 바 없이 큰 것이
충이라.(天下至德, 莫大乎忠)" 하면서 "충이라 함은 한 가지 마음을
일컬음이라.(忠也者, 一其心之谓也) 하였다." 이는 곧 사람이 천지,
진리(真理), 신앙(信仰), 직분(職分), 국가(国家) 및 타인 등에 대한
것으로서 사사로움이 없고, 시종여일하며, 전심전력으로 맡은 바를
다 하는 의무의 미덕을 가리키는 말이다.

한자 '忠'에서 보듯이, 충은 마음(心)의 가운데(中) 있으며, 정직하
여 다른 데 치우치지 않는다. 중국 최초의 문자학 서적으로 허신(許
愼)이 저술한 「설문해자(说文解字)」에서도 이르길, "충은 경(敬)이
요, 마음을 다함이 곧 충이라(忠 敬也 盡心曰忠)"하였다.

이러한 어의(語義)로 보면, 충신(忠臣)이란 나라와 겨레를 위해 시
종여일 전심전력을 기울이는 신하를 가리키는 말에 다름 아니다. 따
라서 오늘의 민주국가 민주사회에서 충신이 어디 있고 충심(忠心)이
무슨 소용이냐고 비아냥거리는 것은 하나를 알고 둘은 모르는 소치
에서 비롯되는 것이다.

굳이 현대식으로 표현하자면 애국심, 겨레사랑이 곧 충이다. "충신은 두 임금을 섬기지 않는다." 식의 고루하고 편협한 사고에서 벗어나 현대의 민주시민에게 어울리는 나라사랑, 겨레사랑을 생각해 보자는 뜻에서 다시금 옛 것을 들추어 보는 것이다.

경주 간묘(諫墓)에서 얻는 교훈

경주시 북쪽 복천을 넘어가면 큰 숲이 나타나는데 여기가 곧 황성공원이다. 신라시대에 화랑들의 훈련장으로 쓰였던 곳이다. 공원 북쪽 울타리 너머의 들판에는 초라한 옛 무덤 하나가 서 있다.

죽어도 눈을 감지 못하고 무덤 속에서까지 왕의 잘못을 간하는 이가 누운 무덤이라고 해서 간묘라는 이름이 붙었다고 전하는데 1,400년의 세월을 지탱해 온 이 무덤의 주인공은 김후직(金后稷)이다.

경주 분지의 이곳저곳에 산재한 숱한 고분들 대개가 왕과 왕후, 고관대작의 것이지만 무덤의 주인이 누구인지 밝혀져 있는 것은 고작 몇 기(基)에 지나지 않는다.

김후직은 신라 제26대 진평왕 때의 사람이다. 22대 지증왕의 증손이니 진평왕과는 종숙(從叔. 5촌) 뻘이었다. 진평왕은 나라 안팎의 정세가 혼란스러운 때 왕위에 올랐다. 특히 진흥왕의 영토 확장책으로 인해 고구려, 백제를 모두 적으로 돌린 뒤부터는 국경의 긴장이 날로 더해지고 있었다. 게다가 정치를 잘못하여 재위 4년 만에 쫓겨난 진지왕의 뒤를 이은 진평왕이었기에 새 왕에게 거는 백성의 기대는 자못 크기만 했다. 그러나 진평왕은 즉위 초부터 정사는 거들떠보지 않은 채 평소부터 즐기던 사냥에만 골몰했다. 다들 걱정이 대단했지만 누구하나 왕의 잘못을 지적하지 못했다.

당시 병부령(兵部令. 지금의 국방부장관)이었던 김후직은 달랐다. 나라가 백척간두에 서 있음을 알고 있었던 그는 임금의 노여움을 겁내지 않고 나아가 아뢰었다.

"옛날의 임금은 하루에도 1만 가지 일을 보살피되 깊이 생각하고 염려하며, 좌우의 바른 신하의 직간을 받아들여 부지런히 힘쓰고 감히 평안히 놀지 않았으므로, 덕정(德政)이 순수하고 아름다워 국가를 보전할 수 있었습니다."

이어서 그는 "이제 왕께서 날마다 꿩과 토끼를 쫓아 산야를 달리는 일을 그만두지 않는 것은 마음을 방탕하게 하고 나라를 망하게 하는 것이니 마땅히 반성해야 합니다."고 하였다. 또 「노자(老子)」의 "사냥하며 치달리는 것은 사람의 마음을 미치게 한다." 라든가 「서경」의 "안으로 여색에 빠지고 밖으로 사냥에 빠지면 그 중 하나만 있어도 혹 망하지 않음이 없다."라는 말을 인용하면서 왕에게 간했으나 왕이 듣지 않았다. 날마다 사냥에만 정신이 팔린 왕에게는 아무런 변화도 찾아 볼 수 없었다.

김후직은 왕의 마음을 돌리지 못하는 자신의 무력함을 통탄하다가 결국 병상에 눕고 말았다. 병상에서도 그는 오로지 나라와 왕에 대한 걱정밖에 없었으므로 병세는 더욱 악화될 수밖에 없었다.

자신의 죽음을 예감한 후직이 아들을 불러놓고 유언을 했다.

"나는 이 나라의 녹을 먹는 신하가 되어 임금의 그릇됨을 보고도 고치지 못한 채 저렇듯 사냥에 빠진 임금을 보고만 있어야 하니 죽어도 눈을 감을 수 없구나. 나 비록 죽는다 해도 영혼이나마 남아서 반드시 임금을 깨우치도록 하여 신하된 자의 도리를 다 하고자 하니 내 시체를 대왕께서 사냥 다니는 길목에 묻도록 하여라."

후직이 죽자 아들이 그 유언을 따라 장사를 지냈다.

며칠 뒤, 왕이 여느 때같이 사냥을 가는데 도중에 어디선가 이상한 소리가 들리는 것 같아서 잠시 가던 길을 멈추고 귀를 기울였다.

"대왕께서는 부디 사냥을 그만 두시고 정사를 돌보소서."

왕은 깜짝 놀랐다. 도대체 어디서 누가 하는 소리인가. 왕은 주위에 명하여 그 소리 나는 곳을 살피도록 하였다. 그랬더니 이게 어찌된 일인가. 그 소리는 길가의 한 무덤에서 들려오는 것이 분명했다. 왕은 내관을 통해 무덤의 주인이 김후직임을 뒤늦게 알게 되었다. 전생에 못 다 한 충성을 자책하여 초라한 무덤을 쓰라는 유언까지 했다는 말을 들은 왕은 한동안 묵묵히 그 자리에 서 있기만 했다. 이윽고 주체할 수 없는 눈물을 흘리며 임금이 무겁게 입을 뗐다.

"그 사람이 그렇게도 간절히 충간(忠諫)을 올렸건만 내가 어찌 듣지 않았던고. 어리석도다, 만약 내가 당장에 그 잘못을 고치지 않는다면 훗날 무슨 명목으로 그의 혼령을 대할 수 있으랴!"

진평왕은 그 자리서 활을 버리고 궁으로 돌아와 정사에만 마음을 쏟았다. 진평왕의 이러한 대오각성이 삼국통일의 기틀을 다지게 되었음은 물론이다.

홍효사(弘孝寺)에 얽힌 효심

신라 흥덕왕 때 경주에 손순(孫順)이라는 사람이 살았다. 아버지는 학산(鶴山), 어머니는 운오(運鳥)였는데 일찍 아버지를 여윈 순은 부인과 아들 하나를 두고 홀어머니를 모시고 살았다. 그러나 살림이 말이 아니었다. 식구라곤 네 사람 뿐이었지만 입에 풀칠하기가 어려워서 손순 부부는 품팔이를 비롯해서 갖은 힘든 일을 마다 않고 했다.

찢어지는 가난 속에서도 부부는 정성스럽게 어머니를 모셨으며, 맛 나는 음식이 있으면 허기에 지친 그들 자신은 입에 댈 생각도 않고 어머니께 갖다 드렸다. 그러나 노모는 그것을 받기만 했을 뿐 직접 먹는 일은 결코 없었다. 몰래 음식을 감추어 두었다가 어린 손자가 올 때마다 주었던 것이다. 손자는 하루가 다르게 포동포동 살이 쪄갔지만 아무 것도 먹지 못한 노모는 날로 수척해 가기만 했다.

영문을 몰랐던 손순 부부는 어느 하루 일을 나가지 않고 몰래 어머니의 동태를 살폈다. 어머니는 아들 며느리가 보이지 않자 얼른 "아가야 이리 온." 하고 손자를 불러 아침에 아들 부부한테서 받은 음식을 몽땅 손자에게 먹이는 것이 아닌가! 깡마른 노모는 음식을 다 먹어치운 손자를 업고 방안을 오갔는데 그 얼굴이 더 없이 행복해 보였다.

그 모습을 지켜본 부부는 착잡한 마음으로 하루해를 보내고 잠자리에 들었다. 풀벌레 소리만 간간히 들리는 고요한 밤이었다.

잠을 못 이루고 뒤척이던 손순이 어렵게 입을 열었다.

"여보, 당신도 보았지요? 이대로 며칠만 더 있으면 어머니는 세상을 떠나고 말 것이오. 아이가 저렇게 음식을 다 빼앗아 먹으니 어머니의 배고픔이 얼마나 심하겠소. 차마 눈 뜨고 보지 못할 것 같소이다. 아이는 다시 얻을 수 있지만 어머니는 한 번 가시면 다시 뵐 수 없지 없지 않소. 그냥 내 생각이라오. 아이를 버리면 어머니는 살릴 수 있을 것 같은데 당신은 어떻소?"

남편의 말을 들은 부인은 아무런 대답도 하지 못한 채 잠든 아이를 껴안고 얼굴을 부비며 흐느껴 울기만 했다.

뜬눈으로 밤을 지샌 부부는 이른 새벽 괭이와 삽을 들고 취산(醉山) 북쪽 기슭으로 갔다. 앞서 가는 손순의 뒤를 아기 업은 아내가 따랐다.

남편이 구덩이를 파는 동안에도 부인은 멀찍이에서 서성거리기만 했다. 얼마나 팠을까. 괭이 끝에서 뭔가 부딪치는 소리가 들렸다. 금속성 소리였다. 손순이 바닥 흙을 헤쳐 보았더니 돌로 된 종[石鐘] 하나가 모습을 드러냈다. 조심스럽게 종을 두드려 보니 맑고 투명한 소리가 잔잔히 울려 퍼졌다. 종소리를 듣고 순의 아내가 황급히 뛰어왔다.

"여보, 그 종이 그냥 나온 것이 아닐 거예요. 우리 아길 파묻지 말라고 신령님이 시킨 것일 거예요."

무언가 건덕지를 찾고 있던 아기 엄마의 말이었다. 순도 제 아내의 말을 그럴싸하게 여겨 석종만 거둔 뒤 아이를 업고 집으로 돌아왔다. 손순은 석종을 처마 끝에 달아놓고 수시로 두들겼는데 그때마다 애잔한 종소리는 멀리멀리 퍼져 나갔다.

며칠이 지난 뒤였다. 갑작스레 문밖이 소란스럽더니 관복을 입은 자들이 냅다 집안으로 뛰어들었다. 그들은 처마 끝의 석종을 보곤 이것이 무슨 영문으로 여기에 와 있느냐고 물었다. 대궐에서 나온 관원들이었다.

대궐에 있던 흥덕대왕이 이 기이한 종소리를 듣고는 소리의 행방을 찾으라는 명을 내렸다는 것이었다. 손순은 자초지종을 다 말하지 않을 수 없었다.

돌아온 관원으로부터 석종의 사연을 들은 대왕이 크게 감탄했다.

"옛날 한 나라의 곽거(郭巨)는 아들을 묻자 금 솥을 얻었다는데, 이제 그가 석종을 얻었으니 이는 앞의 효와 뒤의 효를 천지가 함께 살피는 것이로다."

왕은 손순에게 식구가 살만한 집 한 채를 주었을 뿐만 아니라 해마다 쌀 50석을 내리도록 명했다.

이후에도 손순은 어머니를 극진히 봉양하였으며 어머니가 세상을 떠난 뒤에는 집을 내놓아 절을 지었다. 널리 효심을 전한다는 뜻에서 절 이름을 홍효사(弘孝寺)라고 하였으며 석종은 절의 처마에 달아두었다.

진성여왕 시기, 후백제의 도둑들이 절을 습격했을 때 이미 석종의 자취가 없었다고 하니 석종은 그 이전에 사라졌음이 분명하다. 홍효사 또한 언제 무너지고 없어졌는지 모른다. 현재는 초석과 축대만이 경주시 건천읍 모량리에 남아 있다.

부모를 봉양하기 위기 자식을 버린다는 기자봉공(棄子奉供)의 설화는 우리나라에서도 손순의 이야기에서만 그치지 않는다. 대전의 식장산(食藏山)에 얽힌 효자 이야기도 이와 흡사한 것이 그 예다. '자식은 다시 얻을 수 있으나 부모는 다시 얻을 수 없다.'는 극단적 효논리가 이러한 설화들을 만들어 냈지만 현대적인 윤리감각에서는 수용이 어려운 것이 사실이다. 따라서 우리는 '자식 희생'의 모티프에 관점을 두기보다는 효행(孝行)이야말로 지고의 선행(善行)으로서 천지신명까지 감동시킨다는 점에 주목할 필요가 있다.

거듭 말하거니와 효와 충 같은 전통의 윤리 도덕은 낡고 쓸모없는 것이 아니다. 이들 윤리는 오늘날의 고도산업화사회에서도 여전히 빛을 발하는 덕목이 될 수 있으며 되레 우리 사회를 지탱해 줄 원천적 자산이 될 수 있음을 잊지 말아야 하겠다. 문제는 현대적인 수용과 변용에 있다. 뜻 있는 이들이 유념하여 지혜를 모아야 하는 까닭도 여기에 있다.

더 나은 사회로 나아가는 길

농부의 마음

성자천지도야 성지자인지도야(誠者天之道也　誠之者人之道也)-
이는 [중용(中庸)]에 있는 글귀로서 '정성스럽고 참된 것이 하늘의 도
리(이치)요, 정성스럽고 참되려는 것이 사람의 도리'라는 뜻이다. 한
치의 거짓이 없는 하늘을 본받아 스스로 성실하고 참된 삶을 살려고
노력하는 이야말로 뜻과 보람이 있는 삶을 사는 사람임을 일러주는
말이 아닐 수 없다. 하여 이러한 삶을 추구하는 이는 '선한 것을 가
리어 굳게 잡을'(擇善而固執之者也) 뿐만 아니라 구체적으로는 우리
인생에 관한 모든 것을 널리 배우며[博學] 또 그것들을 하나하나 따
져 묻고[審問], 신중히 생각하며[愼思], 밝게 분별하고[明辨], 두터
이 행하기[篤行]를 소홀히 하지 않는다고 하였다.

하늘에서 내리는 눈과 비는 금세 하늘로 되돌아가지 않고 마른 대
지를 촉촉이 적셔 줄 뿐만 아니라 냇물을 이루어 흐르다가 강을 만
들고 이윽고 바다로 흘러든다. 하늘을 바라고 사는 사람은 그 물길
에 기대어 집을 짓고 마을을 이루며 젖은 땅에 씨를 뿌리고 열매를
거두어들인다.

씨 뿌리고 열매를 거두어들이는 일에는 사람의 공력이 필요하다.
아무리 자비로운 대지라 하여도 손 놓고 앉은 자에게까지 그냥 쥐어
주는 법은 없기 때문이다. 땅 속에 들어간 씨앗 자체도 스스로를 으
깨어 영양분을 만들어야 새 생명의 싹을 틔울 수 있다. 아기가 어머
니의 산통(産痛)과 함께 태어나는 이치가 이 작은 씨앗 하나에도 그

대로 배어있다.

우리네 삶도 대지에서 싹을 틔워 결실로 나아가는 한 포기 식물의 일생과 다를 바 없다. 우리 모두는 씨 뿌리는 사람과 다르지 않다. 씨를 뿌리고 싹이 자라는 것을 돌보는 일에는 항상 수고가 따르게 마련이다. 이러한 수고가 나 자신을 위한 것이라고 하지만 실은 남을 위한 일이기도 하다. 훗날 자신이 거두어들이는 곡식과 채소는 제 혼자만의 것이 아니라 남들도 필요로 하는 것이기 때문이다. 그래서 농사를 짓는 이는 남들이 울 때 함께 마음 아파할 줄 알고 남들이 즐거워 할 때 같이 기뻐해 줄을 알아야 한다.

씨 뿌리고 키워가는 삶은 평범한 삶에 지나지 않지만 이는 하늘의 도리를 따르는 일이다. 이 평범 속에 진실이 있고 모두를 포용할 수 있는 힘이 있다. 비범하거나 특별한 사람은 나름의 명예를 누릴지는 몰라도 마음속의 진정한 화평을 얻기가 어렵다. 비범과 특별은 곧잘 남을 해치기 쉽고 스스로를 불안케 하기 십상이기 때문이다.

마음의 평화를 얻기 위해서는 농사꾼과 같은 넉넉한 마음을 지녀야 한다. 남이 속이려 들면 속아줄 줄도 알아야 한다. 그러나 자신과 남을 속여서는 안 된다.

씨 뿌리는 농부는 훗날에 있을 가뭄과 홍수를 미리 걱정하지 않는다. 천부적인 낙천성을 지녀야 농사가 가능하다. 미리 가뭄을 홍수를 걱정한다면 차마 씨를 뿌릴 수 없기 때문이다. 낙천성이야말로 즐거운 마음으로 주어진 일을 다 할 수 있는 힘의 원천이 된다. 내가 하늘의 이치를 따르고 하늘이 나를 돕는다는 마음만 있다면 불안과 걱정이 끼어 들 틈이 없다.

씨 뿌리는 사람에게는 자기 분수를 지키면서 스스로 만족할 줄 아는 안분지족(安分知足)의 자세가 몸에 배어있다. 심고 정성을 들인 만큼 거두어들인다는 것을 알고 있기 때문이다. 감자 심은 데서 감자 몇 알의 소출이 있다는 것만 알 뿐 거기서 값 비싼 인삼 뿌리가 무더기로 나오리란 생각은 아예 갖질 않는다. 한 되 심은 데서 한 말의 수확은 꿈꿀망정 한 가마니의 이득은 바라지를 않는다. 분에 넘치는 욕심은 기필코 화(禍)를 부르게 마련이다.

낯선 마을의 골목길을 걷던 소크라테스가 때마침 지나가는 청년에게 길을 물었다. 그 청년은 신발가게, 옷감 만드는 공장, 잡화점, 수레바퀴를 수선하는 곳 등등이 어디에 있는지를 거의 다 알고 있었다. 마을 지리를 다 꿰고 있는 그 청년도 "사람을 사람답게 만들어주는 집이 어디 있느냐?"는 소크라테스의 물음에는 아무런 대답도 하질 못했다.

눈에 보이는 사물에만 관심이 많은 사람들이 정작 제 자신에 대해서는 등한시 하고 있음을 풍자한 일화다. 열쇠, 지갑, 신용카드 같은 것을 잃어버리면 세상 바뀌는 큰일이라도 난 양 난리를 치는 사람들이 자신의 주체성, 양심을 잃고도 마치 아무 일도 없다는 양 태연한 경우가 많음을 꼬집는 이야기인 것이다.

오늘날과 같은 고도산업사회에서도 경쟁에서 시작하여 경쟁으로 끝나는 삶의 양상은 조금도 달라지지 않고 있다. 경쟁에는 승자와 패자만 있을 뿐 중간자가 없다. 인간의 모든 지혜와 자질은 경쟁에 이기는 데만 쓰일 뿐 근원을 돌아보고 반성하는 데는 전혀 사용되질 못한다. 언변과 용모, 옷차림까지도 경쟁이 수단이 돼 버린 지 오래

다. 그리하여 스피치 학원, 성형외과는 항상 문전성시를 이루고 있다. 이것이 과연 사람다운 삶의 모습인가?

햇볕에 그을리고 바람에 주름진 농부의 얼굴은 자연의 모습 그대로이다. 농사는 남과 싸우는 일이 아니다. 더욱이 남의 것을 짓밟고 남의 것을 앗아가는 일과는 전혀 무관하다. 넉넉한 마음으로 기다리기, 부지런히 정성껏 가꾸고 돌보기, 나머지는 다 하늘에 맡기기… 이것이 농부의 마음이고 농부의 삶 방식이다.

첨단의 현대를 살아가는 우리 모두가 이 농부의 마음을 가질 방법은 없을까. 문명의 발전은 발전대로 끌어가면서 자연을 회복할 방도는 없는가.

하여, 다시금 읊게 되는 말이 '성자천지도야 성지자인지도야(誠者天之道也　誠之者人之道也)'이다.

결초보은(結草報恩)

남에게 큰 은혜를 입었을 때, 사람들은 흔히 백골난망(白骨難忘)이요, 결초보은 하겠다는 말을 쓴다.

백골난망이란 그 은혜가 너무 크고 고마워 죽어서 살이 썩어 없어지고 흰 뼈만 남더라도 잊지 않겠다는 말이며, 결초보은이란 풀을 엮어서 은혜를 갚는다는 뜻이다.

결초보은의 고사는 중국의 춘추시대 말 노나라의 좌구명(左丘明)이 쓴 [좌전(左傳)]에 나온다. 춘추시대. 진(晉)나라 대부 위무자(魏武子)에게 사랑하는 첩이 있었다. 어느 날 병이 든 위무자가 아들 과(顆)를 불러 말했다. "내가 죽거든 너는 꼭 저 여자를 개가시켜야 한다." 머잖아 병세가 위중해진 위무자가 다시 아들에게 말했다. "나 죽은 후 너는 반드시 저 여자를 내 무덤에 순장시키도록 해라." 위무자가 죽은 뒤, 아들은 여자를 죽여 아버지의 무덤에 넣을 마음이 없었다. 그래서 여자를 다른 남자에게 시집가도록 했다. 아버지의 마지막 유언을 어긴 데 대해서는 이렇게 말했다. "사람이 병이 깊으면 정신이 혼미할 수밖에 없다. 내가 그녀를 개가 시킨 것은 내 아버지가 맑은 정신에 하셨던 분부를 따른 것이다."

훗날 위과는 진(秦)의 장수 두회(杜回)와 전쟁을 치렀다. 두 나라 군사가 격전을 벌이던 때 홀연 한 노인이 나타나 억새를 겹겹이 엮기 시작했다. 위과를 추격하던 두회와 그 군사들의 말들이 죄다 여기에 발이 걸려 쓰러졌다. 이로써 달아나던 위과는 오히려 두회를 사로잡고 크게 승리할 수 있었다. 이날 밤 꿈을 꿨는데 낮에 봤던 그 노인이 꿈에 나타나 말했다. "나는 그대가 살려서 개가시킨 여자의 아비라네. 내가 자네의 그 은혜를 잊지 못해서 오늘 전장에서 풀을 엮어 적들을 넘어뜨렸다네."

은혜란 죽어서 혼령이 되더라도 잊어서는 안 되는 것임을 일러주는 고사(故事)다. 우리는 혼자서 살아갈 수 없는 존재다. 따라서 이웃과 부대끼며 살아갈 수밖에 없는데 그러다 보면 싸우고 다투는 일이 흔할 뿐만 아니라 서로 돕고 감사하는 경우도 많다. 그런데 세태가 매몰차고 강퍅하다 보니 남에게 베푸는 일은 점점 적어지고 또한 고마움을 입고도 제대로 감사를 할 줄 모르는 인심이 돼 버렸다.

[채근담(菜根譚)]에 이런 얘기가 있다. 나중에 받기를 바라면서 남을 돌보아 주는 것은 진정한 베풂(은혜)이 아니다. 자비로운 마음에

서 돌보아 준다는 것은 받기를 바라는 것이 아니며, 남에게 신세를 지거나 은혜를 입었으면 잊지 말고 후일에 보답을 하겠다고 명심을 해야 한다. 이것이 사람의 도리다.

또 내가 남에게 잘못한 일이 있으면 새겨두어 고치도록 힘쓸 것이며 남의 잘못을 쉽게 잊어야 큰사람이 되는 것이다. 그러나 평범한 작은 사람[소인]은 이기적이어서 남에게 조그만 은혜를 베풀고 크게 받으려 하며 내 허물은 쉽게 잊으면서 남이 한 서운한 잘못은 오래도록 기억하고 있다. 이러한 틀을 벗어나야 비로소 인격적 수양의 경지에 이르렀다고 할 수 있다.

(我有功於人不可念 而過則不可不念 人有恩於我不可忘 而怨則不可不忘)

한 송이 꽃

전한(前漢)의 학자 유향(劉向)이 지은 [설원(說苑)]에는 효자 한백유(韓伯愈)에 관한 유명한 고사[伯愈泣杖]가 있다. 어느 날 잘못을 저질러 어머니한테 매를 맞던 백유가 큰소리로 울었다. 매를 들었던 어머니는 평소와 달리 아들이 갑자기 큰 소리로 우는 것을 보고 놀라 그 이유를 물었다. 유백이 대답하기를, "어머니, 어머니가 젊었을 때는 매를 맞으면 매가 매우 아팠습니다. 그러나 오늘 맞는 매는 조금도 아프지 않으니 이것은 어머니께서 기운이 없는 탓이 아니겠습니까." 하였다.

[연원록(淵源錄)]에는 조선 전기의 유학자 정여창(鄭汝昌. 연산군 4년 무오사화에 연루되어 종성으로 유배되었다가 그곳에서 죽음.)

의 효행이 기록돼 있다. 어머니가 이질에 걸려 신음하고 있을 때 정여창은 향을 피워놓고 어머니의 아픈 몸을 자신의 성한 몸과 바꿔달라고 빌었다. 또 어머니의 고통을 자신이 느끼기 위하여 수없이 기둥에 머리를 찧기도 하였는데 그렇게 흘린 피가 적삼을 온통 적셨다고 했다.

조선 인조 때 김천석(金天錫)이 지은 [명륜록(明倫錄)]에는 효자 이응지의 일화가 적혀 있다. 그는 아버지가 세상을 떠나자 상복을 입고 시묘생활을 했다. 오랜 날날 빗질을 하지 않아서 머리에는 이를 비롯하여 잡충들이 집을 짓고 있었다. 하루는 이를 본 그의 종형이 머리를 빗겨주려 하자 그가 손을 내저으며 말했다. "간밤이 선친이 나타나 손톱을 세우고 내 머리를 긁어주시는 바람에 이가 다 죽어 조금도 가렵지 않다."

이렇듯 효(孝)에 관련된 이야기는 고금을 통하여 셀 수도 없이 많다. 이들 옛사람들의 효행을 통해서 오늘날 우리가 배우는 것이 무엇일까. 아무리 시대가 바뀌어도 부모와 자식의 정분은 달라지지 않는다. 한결같은 마음으로 자식을 낳아 기르는 어버이의 마음에 추호인들 삿됨이 끼어 있을까. 허나 오늘날 달라진 것이 있다면 어버이에 대한 자식의 효심이 예전 같지 못하다는 점이다. 늙은 어버이를 팽개치고 저희들끼리 즐기며 사는 자식들 이야기는 주위에서도 심심찮게 들을 수 있다. 먼 섬으로 놀러 간다고 부모를 모시고 갔다가 그곳에 부모를 버리고 떠나버렸다는 이야기, 부모가 유산을 물려주지 않는다고 칼부림을 했다는 패륜아 이야기까지 언론 보도에 나오는 것만 해도 부지기수이다. 예의와 염치를 최고의 가치로 여겼던

우리 민족이 어찌 하여 이 지경이 되었을까. 이렇게 천륜을 어기고
도 어찌 고개를 세우고 살아갈 수 있을까.

　사람이 짐승과 구분되는 까닭은 도리를 알기 때문이다. 하늘을 무
서워하지 않고 사람의 도리를 저버리는 자는 개, 돼지와 하등 다를
바 없다.

　때 늦게나마 스스로를 뉘우쳐 작은 효심부터 되찾는 것이 인간의
본성을 찾는 길이다. 어머니 아버지의 가슴에 카네이션 한 송이를
달아드리는 데서부터 사람의 길이 열린다.

주자(朱子)가 일러주는 열 가지 후회될 일[朱子十悔]

　기독교에 10계명(誡命)이 있다면 전통의 동양 유교사회에는 주자
의 10회훈(十悔訓)이 있다. 먼저 그 열 가지를 적어보자.

1. 부모에게 효도하지 않으면 돌아가신 후에 후회한다.
　(不孝父母 死後悔)
2. 가족에게 친절히 하지 않으면 멀어신 뒤에 후회한다.
　(不親家族 疎後悔)
3. 젊을 때 부지런히 배우지 않으면 늙어서 후회한다.
　(少不勤學 老後悔)
4. 편안할 때 어려움을 생각하지 않으면 실패한 뒤에 후회한다.
　(安不思難, 敗後悔)
5. 부유할 때 아껴 쓰지 않으면 가난하게 된 후 후회한다.
　(富不儉用 貧後悔)

6. 봄에 밭 갈고 씨 뿌리지 않으면 가을에 후회한다.

(春不耕種 秋後悔)

7. 담장을 미리 고치지 않으면 도둑맞은 후에 후회한다.

(不治垣墻 盜後悔)

8. 이성을 삼가지 않으면 병든 후에 후회한다.

(色不謹愼 病後悔)

9. 술 취해서 망언한 것은 술 깨고 난 후에 후회한다.

(醉中妄言 醒後悔)

10. 손님을 잘 대접하지 않으면 손님이 떠난 후에 후회한다.

(不接賓客 去後悔)

뭐 뭐를 하지 말라는 명령조의 10계명과 달리 여기서는 '~않으면 후회한다.'고 부드러운 어조를 쓰고 있지만 달리 표현하면 이와 같은 '후회할 일을 하지 말라'는 경계를 담고 있다는 점에서 10계명과 다를 바 없다.

열 가지 후회될 일 모두가 우리에게는 금과옥조로 다가오지만 부모에 대한 효도를 첫 번째로 꼽고 있는 점에 주목할 필요가 있다.

이는 곧 효행이야말로 사람의 삶 중에서도 가장 본질적인 것으로 최고의 가치가 됨을 뜻한다.

우리나라에서도 효에 대한 의미를 되새기고 효행을 실천하자는 뜻에서 '어버이날'이 제정돼 있다. 효행은 365일 내내 해야 할 것이지만 이렇듯 따로 날짜 하나를 못 박은 것도 나름의 의미는 있다. 대중이 환기(喚起)을 위해서다.

어버이날은 어머니날에서 유래되었다. 어머니날은 지금부터 약 100여 년 전 미국 버지니아주 웹스터마을에 살았던 안나라는 한 소녀한테서 비롯됐다. 홀어머니와 함께 단란하게 살았던 그녀는 어느 날 불행하게도 어머니를 여의게 되었다. 안나는 어머니의 장례식을 치르고 산소 주위에 어머니가 평소 좋아하시던 카네이션을 심었다. 그 후 안나는 어머니를 기억하기 위해 마을모임에 참가할 때마다 흰 카네이션을 가슴에 달고 나갔다. 안나의 행동에 깊이 감동한 사람들은 '어머니를 잘 모시자.'는 운동을 벌였으며 1904년에 미국 시애틀에서 처음으로 '어머니 날' 행사가 펼쳐졌다. 그 후 1914년 미국의 윌슨 대통령이 5월의 두 번째 일요일을 '어머니 날'로 정했으며 이는 곧 전 세계로 번져나갔다.

우리나라에서는 1956년 어머니날이 지정되어 17회까지 시행돼 오다가 1973년 어버이날로 개칭하여 현재까지 이어져 오고 있다. 제정 목적은 범국민적인 효 사상 앙양과 전통가족제도의 계승 발전은 물론 사회와 이웃에 모범이 되는 효행자, 전통 모범가정, 장한 어버이를 포상 격려하는 데 있다고 명시돼 있다.

빛

사방을 둘러보아도 어둡고 답답하기만 한 현실에서 한 줄기 빛은 구원의 손길마냥 절실하다.

불빛은 길 잃은 자에게는 갈 길을 일러주는 나침판이 되며, 간절한 소망으로 무릎을 꿇은 이에게는 희망의 신호가 되고, 마음의 양식을 쌓고자 책을 펴든 자에게는 개명(開明)의 동지가 된다.

그러나 이러한 빛은 아무 데서나 생겨나지 않고 절로 만들어지지 않는다. 무엇인가를 태워서 소멸시키지 않으면 빛이 생겨나지 않는 것이다. 불에 타는 장작 한 토막을 봐도 이는 자명하다. 나무가 타면서 불길이 일고 거기서 빛이 퍼진다. 온기와 빛을 뿜던 나무가 한 줌의 재가 되어 스러지면 그 열기와 빛도 함께 사라진다.

이웃과 사회, 나라를 위해 헌신하는 이를 가리켜 우리는 흔히 우리 사회의 빛이요, 등불이란 말을 한다. 그렇다. 자신을 불살라 주위를 밝고 따뜻하게 하는 삶보다 숭고한 것은 없다. 박봉을 쪼개 연탄과 쌀을 사서 가난한 독거노인에게 전해 주는 이, 병고에 시달리는 환자를 위해 무상으로 장기를 제공하는 사람, 버려진 아이들을 데려다 친자식처럼 보살피는 이… 이들 숨은 헌신자들이 모두 우리 사회의 빛이요 등불이다.

'근묵자흑(近墨者黑)'이란 말이 있다. 흰옷을 입은 이가 묵물 가까이서 놀면 자기도 모르게 제 옷에 먹물이 들고 만다는 뜻이다. 중국 진(晉) 나라 때의 학자 부현(傅玄)이 쓴 [태자소부잠(太子少傅箴)]에 나오는 말이다. 이르길, "무릇 쇠와 나무는 일정한 형상이 없어 틀에 따라 모나게도 되고 둥글게도 된다. 또 틀을 잡아 주는 도지개가 있어 도지개에 따라 습관과 성질이 길러진다. 그러므로 주사(朱砂)를 가까이 하는 사람은 붉은 물이 들고, 먹을 가까이 하는 사람은 검은 물이 든다. 소리가 조화로우면 음향도 청아하며, 몸이 단정하면 그림자도 곧다."

(夫金水無常 方圓應形 亦有隱括 習以性成 故近朱者赤 近墨者黑 聲和則嚮淸 形正則影直)」

이는 곧 좋은 스승을 만나고 올바른 벗과 사귀어야 한다는 말과 같다. 사회의 빛이 되는 이를 스승으로 삼고 벗으로 여길 줄 알면 언젠가는 자신도 빛을 뿜는 삶을 영위할 수 있다는 말이기도 하다. 사회에 해악을 끼치는 이를 멀리 하고 음습한 유혹에서 벗어나야 한다는 경계의 금언(金言)이기도 하다.

공자는 "현명한 사람은 갈팡질팡 하지 않으며(知者不惑), 어진 사람은 근심걱정을 하지 않으며(仁者不憂), 용감한 사람은 두려워하지 않는다.(勇者不懼)"고도 하였다.

사람으로서 참된 꿈을 품고, 세상에 빛을 남기는 삶을 살겠다는 뜻을 지니면서 작으나마 사회와 국가, 내 민족에게 헌신하겠다는 결의를 가진다면 삿된 유혹에 흔들리지 않고 소소한 근심과 두려움마저 쉬 떨쳐낼 수 있다는 뜻으로 새길 수 있다.

현대사회의 구성원은 다양한 개인과 집단이다. 이들 개인과 집단은 공동이 이익과 선을 위하여 상호 협력하기도 하지만 때로는 상반된 이해로 갈등을 빚고 싸우기도 한다. 개인과 집단이 공동체 안에서 가지는 기능과 역할 또한 각기 다를 수밖에 없다. 분명한 것은, 이질적인 구성체임에도 불구하고 양보와 타협의 정신을 바탕으로 공동의 이익과 선을 위해 각기 맡은 바 역능을 다하고 협력한다면 그 사회는 날로 발전을 거듭할 것이며 반대로 자신의 이익만을 위해 욕심을 부리고 갈등을 조장한다면 그 사회는 퇴보를 면치 못한다는 점이다. 법과 질서를 중시하는 까닭도 여기에 있다. 공동가치의 앙양과 그 유지를 위해 제정되는 것이 법이요, 사람다운 삶의 견지를 위해 요구되는 것이 질서다. 법과 질서가 강제성을 띠지 않더라도 구성원 스스로가 자신이 속한 공동체를 위해 헌신할 줄 아는 사회가 바로 선진사회다.

노예해방의 제도화에 성공한 링컨 대통령이 어느 날 집무실 한쪽에서 손수 구두를 닦고 있었다. 평소에도 시골 출신이라서 세련되지 못한 대통령이라고 링컨을 낮춰 보았던 한 비서가 이 장면을 보고는 충고를 드릴 좋은 기회라고 생각했다.

"각하, 각하께서 스스로 그런 일을 하시면 남들이 보고 어떻게 생각하겠습니까?"

이 말을 들은 링컨이 빙그레 웃으며 말했다.

"왜? 구두 닦은 일이 그렇게 부끄러운가? 대통령이나 구두닦이나 다른 게 뭐 있는가. 세상 일을 하는 건 다 같지 않은가. 세상에 천한 일이란 없다네, 단지 천한 사람이 있을 뿐이지."

이 세상에는 꼭 있어야 할 사람이 있는가 하면 또 있으나 마나 한 사람이 있고, 있어서는 안 될 사람도 있다는 말도 있다.

청소부, 지게꾼, 배달원 등등은 우리 사회에서 없어서는 안 될 일꾼들이다. 그럼에도 어떤 사람은 이들을 하찮은 직업을 가졌다고 업신여긴다. 그리곤 자신은 결코 그렇게 힘들고 천한 일은 할 수 없다고 방구석에서 빈둥거리며 부모의 지갑을 털 궁리만 한다. 과연 이런 자가 우리 사회가 필요로 하는 인물일까? 영세업자의 보증금을 떼먹고 달아나는 건물주, 몇 푼의 이익을 위해 사람이 먹는 음식에 해로운 약품을 넣은 가공업자, 무지하고 힘없는 노인들을 사기 쳐서 제 뱃속을 불리는 자, 죽어라고 일을 시켜놓고도 임금을 주지 않는 고용주, 노점상들을 갈취해 먹고 사는 부랑배들... 이들은 어떤 자인가?

보도에서도 여러 번 접한 바 있다. 평생 김밥 장사를 해서 번 돈을 가난한 대학생들을 위해 장학금으로 쾌척한 할머니, 폐품 수집으로 얻은 금전을 불우이웃 돕기로 기탁한 이름 없는 시민, 노숙자들에게 매일같이 무료로 점심을 제공하는 요식업자…. 이들은 또 누구인가?

이렇듯 빛과 어둠은 확연히 구분된다.

나는 우리 사회의 빛이 되는 삶을 살고 있는가, 혹은 내 삶이 주위에 어둠을 드리우는 데 기여하는 것을 아닐까?

양(羊)

알려진 바처럼, 한자의 구성 원리는 육서(六書)에 있다. 육서는 상형(象形), 지사(指事), 회의(會意), 형성(形聲), 전주(轉注), 가차(假借)로 구분된다. 이중 상형은 '山' '馬'처럼 구체적인 사물의 형태를 본뜬 문자이며, 지사는 '一' '二' 또는 '下'처럼 구체적인 형상으로는 묘사할 수 없는 수나 공간적인 관계를 가리키는 문자이다. 한자의 기본적인 문자는 상형, 지사의 이 두 원리로 만들어졌고 이 기본자의 결합방식으로 회의, 형성 문자가 만들어졌다. 회의는 '林' '休'처럼 그 말의 의미를 2가지 또는 그 이상의 기본자를 결합시켜 표시하는 방법이다. 전주, 가차는 기성문자의 운용방법이다.

예로부터 고상한 가치를 드러내는 '美' '善' '義' 세 글자는 모두 회의 자(字)다. 세 글자의 공통점이 무엇일까? 다 같이 양(羊)이 들어 있다는 점이다. 즉 美는 羊+大이며, 善은 羊+㗊이고, 義는 羊+我로 구성돼 있다. 이들 회의 자에는 고대 중국인들의 세계관, 가치관이 고스란히 담겨 있다. 먼저 양(또는 염소)이란 무엇인가? 순한 초식

동물로서 고대로부터 천신(天神)에게 받쳐지는 제물로서 고결, 희생의 상징성을 띠었다. 그뿐이 아니다. 살아서는 유목민에게 젖과 털을 기꺼이 바쳐 허기와 추위를 이겨나게 해 주며, 목숨을 다 한 뒤에는 육신의 고기와 가죽을 내놓았다. 혹독한 환경을 살아가는 유목민들에게는 이보다 고맙고 친근한 동물이 없는 것이다.

따라서 고대인들은 살찐 큰 양을 '아름다움' 자체라고 보았다. 나와 가족들에게 내어주는 것이 많은 비육한 양보다 아름다운 것이 세상에 또 있겠는가.

착할 '선(善)' 자는 '효' 위에 오른 양을 형상한다. '효'는 고대에 있어서 제상(祭床)을 뜻한다. 오늘날에도 자주 보는 무덤 앞의 상석(床石)을 떠올리면 이해하기 쉽다. 따라서 '선함'이란 제물로 바쳐진 양 자체를 뜻한다. 제 몸 하나를 희생하여 주인과 그 이웃을 환난에서 구할 수 있다면 이보다 착한 일이 있겠는가.

'의로움(義)'이란 나(我) 자신이 한 마리 양이 되는 행위를 말한다. 사회와 국가. 민족을 위해 내 몸 하나를 기꺼이 던질 줄 아는 것이 곧 '의'란 뜻이다.

글자 하나하나에도 수천 년 인류의 지혜와 철리(哲理)가 담겨 있다. 양을 닮고 양을 본받는 사람이 많은 사회가 가장 아름답고 건강한 사회임은 두말할 나위가 없다.

책 속에 길이 있다.

네가 성실히 살며 얻고자 하는 바 있다면 책을 가까이 하라.

사람들은 저 마다의 습관이 있다. 그 습관에 따라 인생의 길이 바뀐다. 일하는 것이 습관이 된 사람은 무슨 일이든 일을 하지 않고는 배기지 못한다. 어떤 사정으로 인해 자신이 가졌던 전문적인 일을 버리지 않을 수 없는 상황에 처하더라도 즉시 다른 자리에서 자신에게 맞는 또 다른 일을 찾아 다시 몰두하게 되는 것이다. 그렇게 근면한 사람은 여가의 귀중함도 알아 남달리 알찬 여가를 즐기고자 애쓸 줄도 안다. 이와 반대로 게으른 자에게는 일도 여가도 없다. 게으름이 버릇된 자에게는 건강조차 존재하지 않는다. 조지 하버드는 "여가를 이용하지 않는 사람에겐 여가란 없다."라고 하였다.

정해 놓은 목표를 성공적으로 달성하는 사람들에게는 한 가지 공통점이 있다. 그것은 지속적 학습을 삶의 한 부분으로 인식하고 반드시 실천한다는 점이다.

죽는 날까지 공부를 하자. 원하는 무엇이 안 된다면 먼저 책부터 읽어라. 책 속에 삶의 길이 있고, 문제를 풀 방법이 있으며 부(富)가 있다. 어떤 일에 대해서 제대로 덤벼 보지도 않고 안 된다는 마음이나 먹으면 그것으로 실패이고 끝장이다.

'하면 된다.'는 긍정적이고도 도전적인 사고로 일과 씨름할 줄 알아야 한다. 책을 읽는 것도 이러한 마음자세를 갖기 위해서다.

청년들은 우리 사회의 초년병들이다. 패기가 높고 의지가 강해도 경험이 없고 지혜가 따르지 못해 뜻한 바를 이루지 못하는 경우가 많다. 무엇이든 잘 할 수 있을 것 같은데 현실은 녹록치 않다. 그렇다고 실망하고 좌절해서는 안 된다. 잘 할 수 없는 것이 당연하다. 시작에서부터 절망하면 무엇이 남겠는가. 되는 것이 없다.

자신이 하고 싶은 일, 자신의 꿈을 먼저 결정하라.

꿈이 있으면 길이 보인다. 목적을 정하지 않고 이리 가고 저리 가는 것은 사막을 걷는 것과 같다. 길 없는 길을 걷는 것이다.

그러나 다다를 곳을 미리 정해 놓고 그 방향으로 걸어가는 이에게는 방황이란 것이 없다. 그가 가는 길이 바른 길인 것이다.

희망이란 눈에 보이는 것이 아니다. 그것이 눈앞에 보인다면 이미 그는 성공한 사람이나 다를 바 없다. 보이지 않는 희망이 바로 자기가 정한 꿈이다.

하루에도 수백 번씩 자기가 정해 놓은 꿈을 생각하라. 그 꿈에 다가갈 수 있다는 자신을 잃어서는 안 된다. 노력하는 자에게 꿈은 반드시 이루어진다.

자기가 하고 싶은 일을 해야 한다. 희망이 안 보인다는 생각이 들거든 나 스스로 희망을 만들겠다는 생각으로 책을 벗하라. 책 속에 길이 있다.

여가 활용과 예술의 향유

격렬한 운동을 하면 비록 육체적인 스트레스를 겪을지라도 뇌에서는 베타 엔도르핀이 분비된다는 것이 전문가들의 말이다. 엔도르핀이 통증 조절에 관여한다는 사실은 잘 알려져 있으며, 이 물질이 식욕조절, 뇌하수체를 통한 성호르몬의 분비, 쇼크의 분산효과 등에도 관련이 있음도 밝혀지고 있다. 그 중에서도 특히 베타 엔도르핀은 긍정적인 생각을 할 때 많이 배출되는 신경 물질로서 그 진통 효과는 일반 약물 진통제의 200배에 달한다고 한다. 등산, 테니스 같은 운동을 격렬하게 하고 나면 오히려 몸이 가볍고 기분이 상쾌해지는 느낌을 갖는 것도 그 때문이다.

우리나라는 세계에서도 등산 인구의 비율이 높고 그 만큼 등산하기 좋은 환경을 갖춘 나라로 이름이 나 있다. 국토의 70퍼센트가 산지(山地)로 돼 있는데다가 이들 산들이 주거지에 근접해 있어서 접근성이 용이하다는 장점이 있는 것이다. 게다가 사계절이 분명하며 혹한과 혹서가 없다는 기후조건마저 등산인구를 증가시키는데 크게 기여하고 있다.

주말마다 남녀노소 가릴 것 화려한 등산복을 차려입고 산을 찾아가는 모습 그 자체가 개개인 뿐 아니라 이 나라의 건강성을 보여주는 것 같아 흐뭇하기 짝이 없다.

한국갤럽과 한국리서치가 우리나라 국민 대상으로 2010년과 2009년 각각 조사한 결과, 한 달에 한 번 이상 등산하는 사람이 1천6백만 명에 달하는 것으로 나타났다. 그 등산객의 80% 이상이 "건강에 도움이 돼서 산에 간다."고 답했으니 우리나라의 등산객 절대 다수가 건강을 위해서 산을 찾는 셈이다.

이렇듯 등산이 건강에 도움이 된다면 등산의 의료비 대체효과는 과연 어느 정도일까? 이 궁금증에 대한 조사가 처음으로 나왔다. 산림청의 의뢰로 [치유의 숲] 저자로 유명한 신원섭 교수가 책임 연구자로 참여한 충북대 산학협력단이 2009년 2월부터 11월까지 전문가 집단과 일반인으로 나눈 전국 성인 남녀 1,099명을 대상으로 직접 개별 면접조사를 한 결과, 등산의 의료비 대체효과는 연간 약 2조8천억 원이고, 생산 및 부가가치 유발효과는 각각 18조4,475억원과 6조9,161억원으로 나타났다.

등산의 순기능에 대한 일반적 논의는 그 동안 많이 있어왔지만 그 경제적 가치가 수치로 밝혀지기는 이것이 처음이 아닌가 싶다. 숫자로 밝혀진 국가적 경비 절감의 막대함에 새삼 놀라지 않을 수 없다.

주 5일제 근무에 이어 주 52시간 근무가 제도화 되면서부터 우리 국민들은 더 한층 내실 있는 여가를 즐길 수 있게 되었다. '질 좋은 삶'을 누릴 수 있는 기본적 조건이 마련된 셈이다.

이렇듯 늘어난 여가 시간에 체력을 단련하고 자기개발에 힘쓰는 우리 국민들이 느끼는 실질적인 행복감은 어느 정도일까? 국민소득이 높아지고 자기만의 시간이 늘어나고 있음에도 우리 국민 개개인이 느끼는 행복감은 아직 선진국 국민들의 발끝에도 미치지 못한다는 사실은 무엇을 뜻하는가?

유엔에서는 해마다 3월 20일을 '세계행복의 날'을 정하고 미리 '세계행복보고서(World Happiness Report)'를 발표해 오고 있다. 지난 3월에 발표된 2018년 보고서에 따르면 우리나라는 조사 대상국 156개국 중에서 57위에 랭크돼 있다. 국민총생산, 기대수명, 선택의 자유, 부패에 대한 인식, 사회적 지원 등 항목별 조사 결과를 점수로 환산한 결과 한국은 10점 만점에 5.875점이었다. 1위는 7.632점을 얻은 핀란드가 차지했으며 2위 노르웨이, 3위 덴마크, 4위 아이슬란드, 5위 스위스 순으로 그 뒤를 잇고 있다. 독일이 15위, 미국이 18위에 머물고 있으며 아시아 국가 가운데는 대만이 26위로 순위가 가장 높았고 싱가포르 34위, 일본 54위, 중국 86위였다. 내전과 기아에 시달리고 있는 시리아, 르완다, 예멘 같은 중동과 아프리카 국가들이 최하위권에 머물렀다.

흔히들 1인당 국민총소득(GNI)이 3만 불에 이르면 선진국에 진입한다고 말한다. 한국은행의 발표에 따르면 우리나라의 지난해(2017년) 1인당 국민총소득이 3363.6만원으로 미국 달러 기준 2만9,745달러였다. 사실상 지난해부터 우리의 국민소득은 3만 불까지 올라온 셈이다.

사람은 몸이 건강하고 의식주가 풍족하다고 해서 꼭 행복감을 느끼는 것은 아니다. 오히려 이보다 앞서 요구되는 것이 정신적인 충족이며 이에서 비로소 행복감을 가지는 것이 예사다. 행복지수가 높은 선진국일수록 문화예술이 발달돼 있으며 일반 시민들의 그 향유도가 높다는 사실도 이를 반증하는 것이 된다.

이제 선진국의 문턱에 선 우리나라도 문화예술에 대한 인식부터 달리할 필요가 있다. 문화예술이 특정 부류들의 향유물이란 생각부터 바뀌어야 한다. 고급한 예술도 마찬가지다. 예술은 누구나 가까이 할 수 있고 또 누구나 즐길 수 있다는 생각을 갖고 자신의 일상 속으로 끌어들일 줄 알아야 하는 것이다.

북유럽 사람들 중에는 "내가 열심히 돈을 버는 것은 내 집 거실 벽에 마음에 드는 그림을 걸어놓고 살기 위해서다." 라고 말하는 이들이 많다는 얘기를 들은 바 있다. 예술을 사랑하는 이들이 많은 이들 사회의 예술인들은 존경과 함께 그만한 물질적 보상을 받으며 예술 활동을 하고 있다고 할 수 있다. 이에 반해 우리나라의 예술계는 어떠한가? 음악가, 화가, 문학가들이 다 그러하지만 특히 서예와 한국화의 전업 작가들은 특히 열악한 환경 속에서 생활을 꾸려나가고 있다. 작품 한 점으로 일용할 양식을 구하기 어려운 처지에 있는 이들도 많다. 우리 국민들도 백화점의 명품 상점에서 손쉽게 지갑을 꺼낼 때처럼 작품 전시장에서도 다투어 지갑을 꺼내는 그런 날이 오기를 기다려본다.

이웃 일본에서 직접 겪은 일이지만, 길 가던 사람들도 무시로 작품 전시장을 찾곤 했다. 그러다가 마음에 드는 작품이 있으면 그 자리에서 흥정을 하고 작품을 구입하기도 하였다. 부러운 광경이 아닐 수 없었다.

여가 시간이 늘어남에 따라 우리 국민들 중에도 좀 더 의미 있는 취미생활을 하고자 하는 이들이 늘고 있으며 자기 개발에도 부쩍 힘을 쏟고 있다. 요리 공부를 하고 노래를 배우는 것도 그런 노력이 하나다. 그림 공부, 서예 공부하는 이들도 그렇게 늘어났으면 좋겠다는 것이 나의 솔직한 심정이다.

주 5일제가 시작되면서부터 나 또한 토요일 출근을 하지 않는다.

그렇지만 나는 토요일을 쉬는 날이라고 생각해 본 적이 없다. 내 아내도 으레 내가 일하러 가는 줄 안다. 쉼 없이 계속 그렇게 해왔다. 일요일도 마찬가지였다. 종종 있는 모임이며 결혼식 참석 등을 제하면 산을 오르거나 호수공원을 도는 등 가벼운 운동을 한다.

토요일은 내 시간을 활용하기 가장 좋은 날이다. 내가 좋아하는 작품 활동을 마음껏 할 수 있기 때문이다. 혼자 서실에 나와 차 한 잔을 마신 뒤 그동안 계획했던 작품 작업을 한다. 올해는 특히 해외행사를 줄인 덕에 4, 5월 집중적으로 작품을 할 수 있었다. 그 결과 지금까지 소품 등을 포함해서 대략 5~60점의 작품을 완성했다. 특히 이 기간에는 서예보다 서양화에 더 많은 시간을 할애했다.

지난 7개월 동안은 토요일마다 50호 크기의 소나무 작품을 계속해 왔기에 절로 토요일을 기다리게 되었고 그 시간을 즐기고 있다.

주말에도 운동과 공부를 계속하는 것이 나한테는 오래된 습관이기에 한 번이라도 건너뛰면 어색하고 허전하기만 하다.

사라지는 것을 위하여

유난히 더운 것이 올 여름 날씨라고 한다. 그렇지만 언제부터인가 나는 '더워 죽겠다.' '추워 죽겠다.' '힘들어 죽겠다.' 같은 말을 입에 올리지 않는다. 그 말은커녕 아예 '춥다.' '덥다.' '힘들다.' 같은 불평조의 말조차 하지 않는다.

말로써 불평을 토한다고 해서 더위와 추위가 덜해질 까닭이 없음을 잘 알기 때문이다. 애당초 가능치 않은 일을 두고 불평을 늘어놓는다면 짜증밖에 더 날 것이 있겠는가. 그래서 나는 아예 그런 말을 내뱉지 않는 것이다. 내 기억으로도 여태 나는 그런 말은 한 번도 해보지 않았다. 그대로 받아들이면 되는 것이다. 유비무환이라 했던가. 추우면 추운대로, 더우면 더운 대로 거기에 맞춰 준비를 하면 힘들 것도 없다.

불평의 말은 하는 사람뿐만 아니라 듣는 사람에게도 나쁜 영향을 미친다. 우리의 귀는 그냥 달려있는 게 아니라 무슨 소리든 받아들인다. 그렇게 들은 말은 신경을 통해 곧장 머리로 전달되며 머리는 내 몸을 보호하기 위한 즉각적인 조처를 취한다. 호르몬 분비 같은 것이 그에 해당한다. 불평에 대해서는 긴장 불안감이 조성되고 긍정에 대해서는 이완 화순의 기분으로 반응하는 것이 그 때문이다.

받아들인다는 것은 긍정을 바탕으로 한 감정이다. 사물과 사상(事象)을 긍정적으로 수용하다 보면 우선 내 심신이 편안해진다. 내 집 사람은 내가 '춥다' '덥다'고 불평하지 않는다는 사실을 잘 안다. 어느 해 겨울, 아침 운동을 나갔다가 집에 들어오면서 오늘 날씨가 차

갑다 했더니 아내가 한바탕 웃는 게 아닌가. 왜 웃느냐고 물었더니 "당신, 춥다 소리 안하잖아요." 하는 것이었다. "내가 언제 춥다고 했는가. 오늘 차다는 소리는 했지." 하였더니 그게 그 말 아니냐며 웃었다.

나름 집안에서도 귀하다고 여긴 한 판화 작품을 액자로 해서 걸어 두고 있었다. 하루는 외손자가 우리 집에 와서 곰방대로 때려서 작품에 구멍을 다 내어 놓고 말았다. 뒤늦게 흉하게 변한 작품을 발견 하였는데 이미 사건은 끝나 있었다. 누구를 나무라고 한탄하면 뭐하 나 싶어서 아무 말 않고 액자를 버렸다. 수십 년간 내가 소장해 오던 작품이었다. 일본인 친구로부터 받은 한정 제작된 프랑스 판화로서 뒷면에는 일련번호가 붙어 있었다. 아무리 귀한 것이라도 파손되어 상황이 끝나 버렸으면 노여움도 잔소리도 다 소용 없는 것이 되고 만다.

"마음을 비우면 욕심도 따라 나간다."

이는 항상 나 자신한테 하는 말이며 기회 있을 때 마다 다른 사람 에게 들려주는 말이기노 하다. 한 번은 함께 모임 활동하던 한 남양 주 거주 시인에게 돈을 빌려준 일이 있었다. 그런데 몇 년이 지나도 록 그는 돈 갚을 생각을 안 했다. 나 또한 자주 그를 보면서도 돈 얘 기는 한 번도 하지 않았다. 기간이 되어도 갚지 않는 걸 보고 이미 물 건너간 송아지라고 여겼던 것이다. 지금도 더러 우연히 만나면 그는 내가 아무 말 않는데도 불구하고 먼저 변명의 소리부터 늘어놓 기 일쑤다. 언젠가는 깨우침의 말 한 마디쯤은 해주어야지 하고 아 직은 나도 그냥 지나간다.

세상은 변하고 변하다가 없어진다.

진리의 법문(法文)이다. 사랑하는 사람도 변하고 변하다가 없어진다. 이것이 세상의 이치다. 따라서 가진 것을 잘 정리하여 자식들에게 누가 되지 않도록 하는 것이 참 중요하다. 그러나 그것도 때가 있는 것. 때를 알지 못해서 처리할 것을 제대로 하지 못해 화근을 남기는 경우가 우리 주위에 너무 많다.

나는 지금까지 삶의 여정에서 많은 것을 보고 두 발로 뛰어도 봤지만 깨닫는 것은 삶의 무상성이었다. 변하고 변해서 없어진다 했으니 무엇이 조금이라도 남을지 모르겠다. 돈을 모아서 자식에게 물려 줄 것도 없으니 아버지로서 아내와 자식에게 남기는 게 없다. 40여년의 긴 서예의 길을 걸으면서 용케도 살았구나 하는 마음뿐이다.

군이 따지자면 한글의 선화체와 한문의 금제체 글꼴을 남긴 것 밖에 없다. C&N 방송의 명사 인터뷰 프로그램 '사람이야기'를 담당하는 김민호 교수가 찾아와서 프로를 위해서 대화를 나눈 일이 있었다. 추사체가 나온 이래 200여 년 동안 우리나라에서 새로운 글꼴이 나오질 못했는데 비로소 선화체를 만나게 되었다는 그와 함께 30분 동안 인터뷰를 진행했다. 첫 방영 이후 8회 정도 재방영을 되는 것을 보고 새삼 나 자신도 놀라지 않을 수 없었다. 새로운 글꼴에 대한 세간의 관심도 그만큼 높다고 여겨졌기 때문이다. 언젠가는 나의 서체에 대한 후학들의 관심과 공부가 이어지리라 믿는다.

오랜 기간 작품 활동을 해 온 탓에 내가 지닌 내 작품이 적지 않다. 그런데 이들 작품에 대해서 관심을 보이는 자식이 없다. 정말 이들 작품들이 마지막에는 불길 속으로 던져지는 것이 아닌가 안타깝기도 하다. 내 생애의 열정은 물론 혼과 기운이 깃든 작품들이기에 더욱 그렇다.

콩고물 같은 시 구절들도 여기저기 남아 뒹군다. 다른 사람의 눈에는 보이지 않는다. 주위의 많은 관심이 필요하다.

해동서화대전 탱화작품이야기

불화(佛畵)는 천이나 종이에 그림을 그려 족자나 액자로 만들어서 법당에다 걸어두는 것이 한 유형인데, 해동서화공모대전에 불화작품을출품하여 특선으로 입상되었는데 작품 전시회가 끝난후 작품값을 쳐서 돌려 달라고 택배로 포장되어 배송된 작품이 안료가 떨어졌다며 출품작가가 찾아왔다. 나는 앞으로 젊은 작가가 살아갈 날이 많기도 하고 작품도 더 공부해야 하니 작품값으로 오고 가면 서로 마음이 상하고 거래처럼 되지만, 작품을 그려오면 협회에서 다시 표구를 하여 돌려 주겠다고 하였다.

그 청년은 내 이야기를 가만히 듣고는 그냥 돌아갔다. 2개월 정도 지났을까 그 청년이 다시 찾아왔다. 한국전통문화대학교 원서를 제출하는데 해동서화대전 수상경력을 사)해동서예학회의 직인을 받아가려고 다시 찾아온 것이다. 그때 나는 선견지명이 있었나, 어디서 다시 만날지 모르는 젊은이를 위해 그렇게 했던 것이다. 그 후 소식이 없다. 지금은 학교를 잘 다니고 있겠지, 아니면 벌써 사회인이 되었을까.

어느 사람이 어떻게 무엇으로 만날지 모를 일이다. 그래서 항상 찾아 올수 있고, 찾아갈 수 있는 인연의 흐름을 딱히 결론을 지어 버리면 안된다. 나는 그래서 사무실에 오는 물건을 팔러 오는 사람 혹자는 도자기나 그림을 팔러 온 사람도 편히 보내고 무엇인가를 도움이 되게 하려고 마음의 문을 열어 두고 생활한다.

5부

저자 이력, 후기

금제 김 종 태 昑齊 金鍾泰

[경력]

- (사)해동서예학회 이사장
- 필리핀 국립이리스트대학교 명예교육학 박사
- 대한민국해동서화대전 개최, 운영위원장(2001~현)
- 한국서예인산악회 창설(1995년~2007년 회장) 현 명예회장
- 사단법인 한국서가협회 상임이사(역임) 초대작가
- 사단법인 한국학원총연합회 서예분과위원장 역임(1990~1993년)
- 일본 오사카 문화원 한일서예작가교류전(2014년)
- 2014년 한국서예신문 발행
- 2015년 한국서예명가 주식회사 설립

[심사]

- 세계평화미술대전 서예부문 심사위원(1998년)
- 제31회 신사임당의 날 예능대회 한글서예 심사위원(1999년)
- 한일월드컵기념 일본 교토 202인 초대전 전시 및 서예 심사위원장 역임(2001년)
- 대한민국현대미술대전 한글심사위원(2002년)
- 세계평화미술대전 서예분과위원장, 심사위원(2002년)
- 제7회 신사임당 · 이율곡기념서예대전 한문심사위원(2004년)
- 대한민국 서예전람회 한글심사위원(2004년)
- 제9회 경기도 서예전람회 한글심사위원(2004년)
- 화성서예문인화대전 심사 및 운영위원 수차 역임
- 경북서예전람회 심사(2008년)

- 삼성현 미술대전 심사(2009년)
- 울진 봉평 신라비전서예대전 심사
- 대한민국서예문인화대전 심사
- 대한민국서예전람회 한글심사위원장(2008년),
  서예전람회 심사위원 한글, 한문, 캘리 다수

[전시]
- 미국 6 · 25 한국전쟁기념탑 제막식에 문화행사 서예대표로 참석,
  워싱턴에서 작품전시(1995년 7월)
- 앨라배마 주 버밍햄 시 한국의 날 문화행사 대표로 참석 서예전
  개최(1996년 4월)
- 애틀랜타올림픽 문화예술단으로 참석 서예작품 전시(1996년 7월)
- 미국 메릴랜드대학교에서 주관한 한자서예교육 국제회의
  대한민국 대표로 참석 논문발표 작품 전시(1998년)
- 미국 워싱턴 한국대사관 문화원 초청서예전전시(1998년)
- 미국 캘리포니아 주립대학에서 열린 한자서예교육 국제회의에
  대한민국 대표로 참석 서예시범 및 작품전시(2008년 8월)
- 제1회 일본 오사카 미술초대전 전시(99년)
- 한미 동맹 50주년 및 미국이민 100주년 기념 문화사절단
  서예대표로 참석 작품 130점 기증 워싱턴, 뉴욕방문 서예전
- 개인전(서예, 한국화, 서양화) 조선일보 미술관(2013년 5월)
- 초대작가 돕기 작품 판매전 3,200만원 구입(2014년)
- (사)해동서예학회 운영위원 및 심사위원 일본 야마구치현
  힐링 3박4일 여행
- 제3회 해동 빛과 바람전(해동초대작가 등불전) (2015년)

- 중국 연변자치주와 해동초대작가와 한중 교류전
- 파독 광부, 간호사, 간호조무사 글 작품 전시(2016년)
- 오사카 한국문화원 한국화, 불화 44점 전시
- 미국 시카고 서예협회와 해동서예학회 교류전,
- 중국연길 국제전시예술센터 교류전
- 금제 김종태 개인전 선바위미술관(2017년)

[수상]
- 제5회 대한민국서예휘호대회 지도자 문교부장관상 수상
- 제8회 대한민국서예휘호대회 지도자 문화체육부장관 공로 표창
  (1998.2.17)
- 이육사문학상 시부문 대상 수상(2003년 6월)
- 2016년 대한민국 인물대상 수상(학술부문)
- 2017년 7월 '경기도를 빛낸 자랑스런 도민' 선정(경기도지사)
- 2017년 10월 국회의장 공로장 수상
- 2018년 7월 대한민국 탑리더스상 수상(문화예술부문 대한뉴스)

[서예 저서]
- 서예 판본체 교본(2013년)
- 서예 선화체 교본(2013년)
- 서예 안진경체 교본(2013년)
- 반야바라밀다심경 작품교본(2013년)

[문학]
- 1995년 한국문인협회 시인 등단 회원

- 〈사람과 山〉(월간)에 '시가 있는 산'으로 서예작품 2년간 연재
  (1998~1999년)
- 조선일보사 〈월간 山〉의 그림산행 필자
  (2000년 7월호부터 2002년 12월호까지 연재)

[문학 수상]
- 환경문예상(1996년)
- 제3회 이육사문학상 시 부문 대상(2003년)
- 제32회 지방문학상(학술단체 지방문학회 주관. 2012년)
- 환경문학상(2013년)
- 삼보문학상(2013년. 대한불교 삼보종 주관)
- 21세기 올해의 문학상(2014년. 21세기문화예술협회 주관)
- 제1회 황금찬문학상(2015년)
- 카오스문학상(2016년. 한국노벨상 지원재단 주관)

[문학 저서]
- 〈물소리 새소리〉 산시조집 출간(95년)
- 〈물구나무서는 산〉 시집 발행(1999년)
- 수필집 〈많은 것을 갖기보다는〉 출간(2012년)
- 〈붓이 먹물에 안기면〉 시집 출간 (2012년)
- 산시조집 〈산무리〉 출간 (2013년)

[기타]
- 청와대 〈경호지〉 題字
- 재경 〈샛별〉 題字

- 중국 옥룡설산 4,680m 등정
- 삼육서울병원보 〈쉼&숨〉 표지글 수록
- 2014년 서울대학교 발전기금 기부
- 국제희망교육위원회(ADRF)와 MOU를 체결, 필리핀 학생 3명 교육비지원

[후기(後記)]

내 나이 올해 일흔일곱으로 머잖아 여든이 된다.

그간 살아온 길을 되돌아보는 것도 좋을 듯해서 지나간 일들을 회상하며 나름으로 정리를 하게 되었다. 돌이켜보면 나의 지난 생애의 큰 마디들을 3모작 농사에 비견해 볼 수 있을 듯하다. 그 1모작 농사가 공무원으로 보낸 7년 시절이라고 할 수 있고 그 후 11년의 회사 생활을 2모작 농사라고 하겠다. 3모작은 서예와 문화 활동으로 보낸 40년이 이에 해당한다. 한 평생을 3모작 농사를 지으면서 한 번도 긴 휴식을 가져본 적이 없다. 한 달간 혹은 일주일이라도 쉬어본 일이 없었기에 나는 내 삶이 돌고 도는 팽이와 같다는 생각마저 하게 되었다.

살아가면서 건강저축, 지식저축, 금전저축은 모든 이들이 잘 알고 있지만 그것을 몸으로 실천하는 이는 많지가 않다. 그래서 나는 더욱 "실천하라. 실천이 습관이 되게 하라."고 말하게 되는 것이다. 노력을 하다보면 반드시 좋은 결과가 있게 마련이다. "젊은이는 힘이 좋아서 뛰어갈 줄을 알지만 늙은이는 지름길을 안다."는 말이 있다. 기운이 달리면 지혜라도 있어야 한다. 꾸준히 노력하는 발자국들이 모여서 큰 길을 만들었으면 좋겠다.